AMIGAS IMPERFEITAS

Inseparáveis na alegria, unidas na tristeza
e cúmplices na busca de um grande amor

LEILA REGO

AMIGAS IMPERFEITAS

Inseparáveis na alegria, unidas na tristeza
e cúmplices na busca de um grande amor

3ª edição

GUTENBERG

GERENTE EDITORIAL
Alessandra J. Gelman Ruiz

PREPARAÇÃO DE TEXTO
Patrícia Vilar

EDIÇÃO DE TEXTO
Ab Aeterno Produção Editorial

REVISÃO
Patrícia Vilar
Camile Mendrot

CAPA
Diogo Droschi

DIAGRAMAÇÃO
Conrado Esteves

Dados Internacionais de Catalogação na Publicação (CIP)
Câmara Brasileira do Livro, SP, Brasil

Rego, Leila
Amigas (im)perfeitas : inseparáveis na alegria, unidas na tristeza e cúmplices na busca de um grande amor / Leila Rego. -- 3. ed. -- Belo Horizonte : Editora Gutenberg, 2014.

ISBN 987-85-8235-088-1

1. Ficção brasileira 2. Amizade I. Título.

12-07496 CDD-869.93

Índices para catálogo sistemático:
1. Ficção : Literatura brasileira 869.93

A **GUTENBERG** É UMA EDITORA DO **GRUPO AUTÊNTICA** 

São Paulo
Av. Paulista, 2.073, Conjunto Nacional,
Horsa I, 23° andar, Conj. 2301
Cerqueira César . 01311-940
São Paulo . SP
Tel.: (55 11) 3034 4468

Belo Horizonte
Rua Aimorés, 981, 8° andar
Funcionários . 30140-071
Belo Horizonte . MG
Tel.: (55 31) 3214 5700

Televendas: 0800 283 13 22
www.editoragutenberg.com.br

Se lembra quando a gente chegou um dia a acreditar que tudo era pra sempre, sem saber que o pra sempre... sempre acaba.

"Por enquanto", Legião Urbana

Para meus verdadeiros amigos.

Eu sempre tive curiosidade de saber o que acontece depois que a gente morre. Lembro que já travei altos papos com Manu a respeito, e nossas opiniões nunca bateram. Chegamos até a apostar quem de nós duas morreria primeiro e pactuar que, quem quer que fosse, voltaria, de preferência de dia e sem puxar o pé da outra, para contar o que há do outro lado.

E agora, eis-me aqui nessa situação.

Então, morrer é assim? Revemos um monte de coisas que fizemos ao longo da vida e pronto? Quem escolheu essas cenas para eu assistir em minha mente? Muitas das que ficaram de fora eu gostaria de ver de novo. Não acho que essas façam jus a minha vida.

Até que algumas passagens foram legais, como o último dia do colégio quando estávamos com nossas camisetas dos Lokes, chorando abraçados no portão... Ter visto meu pai também foi legal... Vê-lo é sempre bom. Seu rosto me acalma. Sempre me acalmou.

Tirando essas lembranças, acho que morrer não é nada demais. Confesso que, nos meus devaneios mais loucos, morrer seria algo mais glorioso, com direito a uma passagem cinematográfica para o lado de lá. Algo como eu estar cavalgando um cavalo alado ou algo assim. Doce ilusão.

Já que morrer é mesmo isso, fico feliz em saber, mas obrigada, por ora vou declinar. Apesar de o filme da minha vida ter sido bom, eu prefiro voltar.

Muito bem, decisão tomada! Com quem eu tenho que falar para dizer que ainda não estou a fim de passar dessa para uma melhor?

– Alô? Alguém aí?

Aí... aí... aí... aí... (Eco sem respostas.)

– Tenho que voltar pra esclarecer um mal-entendido. Alguém pode me responder?

Er... er... er... er...

– Posso ir? Estou liberada?

Ada... ada... ada... ada...

Sem respostas, apenas ecos, nessa infinita passarela branca ofuscante.

Começo a ficar aflita.

Talvez não possa mais voltar.

Pai, me ajuda, o que devo fazer? Se não posso mais voltar, por que ninguém vem aqui me buscar para a próxima fase?

Estou no umbral? No purgatório? Ou no vazio total?

Ouço vozes. Talvez meu pai voltando para mais uma dica. Talvez mais cenas de minha vida. Talvez os cavaleiros com seus cavalos alados estejam vindo em bando para me levar para o desconhecido.

Ouço vozes novamente.

Eu não entendo o que falam. Não conheço essas vozes. Será outro idioma que se fala do lado de cá?

Ai, que agonia!

Espere... Escuto novamente as vozes, desta vez mais alto e mais claro:

– Ela está viva. Rápido, chamem o resgate!

Pedra = Força e poder. Ventos e tempestades não conseguem me mover.

Areia = Equilíbrio frágil e vulnerável. Aparência sólida, resistência questionável.

Poeira = Pequena e sem rumo no ar. Vento ou brisa me chacoalham, mesmo sem ninguém notar.

Areia

Meu dementador particular: medo de ficar sozinha.

Um momento bom: quando devorei uma banana split sem culpa.

Alguns meses antes, no mesmo ano de 2003.

– E se ele não me ligar? – perguntei insegura. Insegurança é um carma que insiste em fazer parte do meu ser desde... Bem, desde sempre.

– A vida segue, você não vai morrer e, bonitona do jeito que é, vai encontrar alguém rapidinho. Alguém que valha a pena, é o que quero dizer.

– Marcelo vale muito a pena – garanti, escorregando em minha poltrona convicta de que Marcelo é um cara diferente.

– Nina, me diz uma coisa, o que você está fazendo agora?

– Falando com você.

– Ai, sua besta! Eu sei. E além disso?

– Esperando pela ligação do Marcelo.

– E onde está o seu celular?

– Na minha mão – confirmei, me certificando novamente de que o aparelho estava realmente ligado, com carga e com sinal.

Já havia feito isso umas vinte seis vezes só nos últimos cinco minutos. Mas, sabe como é, é sempre bom checar.

– Era o que eu suspeitava – resmungou Manuela com sua voz pesada.

– Não entendi.

– Nina, ficar olhando pro celular não vai fazer com que o cara ligue pra você. E não sei se te contaram, mas ainda não inventaram um celular que lê e copia os pensamentos de seu dono e depois envia via torpedo para um de seus contatos.

– Rá. Morri de rir – ironizei.

– Vai fazer alguma coisa – ordenou-me, impaciente.

– Fazer o quê?

– Sei lá, uma limpeza de pele, as unhas, que a essa altura devem estar todas roídas, não é? Por que você não faz uma hidratação? Tenho uma receita caseira que deixa os cabelos sedosos e com brilho, quer anotar? É bem fácil.

Confesso que fiquei bem tentada a anotar a receita. Eu adoro essas receitinhas caseiras milagrosas. E sempre que olho para os cachos brilhantes e perfeitamente definidos de Manu eu me sinto muito animada a fazer todas as receitinhas que ela indica.

Manu, por ser cabeleireira, entende muito do assunto. Acho que eu deveria seguir mais seus conselhos. Só que não naquela hora.

– Não posso – afirmei sem hesitar. – E se começo a hidratar os cabelos e ele me liga justo no momento em que estou com as mãos melecadas de creme? Não, não. Preciso estar a postos.

– Se ele ligar, o que não acredito que vai acontecer tão cedo, você espera de três a quatro toques para atender. Eu já te dei essa dica. Não deixe o cara se sentir o rei da cocada preta. Mesmo porque ele não é – me aconselhou Manu.

Manu é minha amiga e eu a amo. Mas ela tem uma coisa que me irrita muito: se acha a "sabe-tudo" quando o assunto é homem.

– Ah, ele é sim, Manu – rebati com firmeza. – Marcelo é um gato. Sem falar que ele tem pegada, sabe beijar que é uma coisa e estou louquinha por ele.

– Please, Nina, Marcelo não é um gato. Ele é um cara normal e sem graça. Sinceramente, não sei o que você viu nele.

– Quer que eu te conte nos mínimos detalhes o que eu vi nele?

– Pelo amor de Deus, não estrague meu dia. – respondeu Manu.

Nesse instante, o meu celular tocou e Manuela gritou do outro lado da linha:

– NINA, NÃO ATEN...

– Alô? – Até parece que eu tenho sangue de barata para esperar o telefone tocar quatro vezes para depois atender. – Não. Não tem ninguém aqui com esse nome. É, foi engano sim. Ok. Tchau.

Murchei.

Ai, que droga! O raio do telefone nunca toca e quando toca é engano.

– Manu? – perguntei retomando a ligação no outro telefone. – Você está aí?

– Estou, Nina.

– Não era ele – disse enrolando meu rabinho entre as pernas, reconhecendo que, de repente, ela podia ter razão.

– Eu ouvi. Amiga, pare de perder tempo com trastes. Esse cara não vale nada.

– Mas por que ele não me ligaria se foi tão bom? Amanhecemos o dia, transamos feito loucos. Rolou a maior química entre nós, você entende? Ele... é tão perfeito.

– Porque ele só quer curtir a vida. Ele é só mais um cafajeste, ainda não sacou isso?

Cafajeste?

Ah, não!

– Ai, que falta de sorte! Dá vontade de ser cafajeste também, sabia?

– Não é uma ideia muito boa. Na nossa sociedade, a versão feminina de cafajeste é a galinha. E galinhas não são muito bem-vistas pelos olhares mais ortodoxos.

– Que sociedade injusta. Eu querendo tanto um namorado e os homens querendo só curtir. Como vou desencalhar desse jeito?

– Relaxa que cada um tem a tampa da sua panela. Sua hora vai chegar.

– E se eu nasci pra ser frigideira?

– Cruz-credo, que pessimismo! Pense que cada coisa tem sua hora, seu momento. Deixe as coisas acontecerem naturalmente.

– Ah, ok. Certo. Ôôômmmmmmmm... Ôôômmmmmmmm... – debochei, imitando o jeito de Manuela meditar.

Ela fica possessa quando faço isso.

– Ei, Manu, você não tem um mantra bom para fazer o cara ligar no dia seguinte? Estou precisando de um desses pra minha próxima meditação.

– Vou fingir que não ouvi essa – desconversou. – Ei, hoje tem a Noite do Batom no Único, certo? – perguntou mudando de assunto.

Nós criamos a Noite do Batom. Todas as quintas-feiras desde... desde que entramos na faculdade. Saíamos para colocar o papo em dia e falar mal dos homens. Quem teve essa magnífica ideia foi Pâmela, que sentiu minha falta e de Manu logo que ingressamos na faculdade.

– Argh! Só vai homem feio nesse bar. Vamos mudar um pouco? Que tal o Básiko?

– Nina?

– Que é?

– Quer enganar a mim, sua amiga de tantos anos? Sei por que quer ir ao Básiko. Por causa do Freddy Krueger, seu ex-traste.

– Pensando bem, ele não é tão mal assim. Suas qualidades são maiores que seus defeitos.

Além do mais, temos que aprender a perdoar os erros dos outros. É isso que faz de nós pessoas mais evoluídas.

– Ah, sim. Inclusive a qualidade de xavecar a melhor amiga da garota com quem ele estava saindo – lembrou Manu.

– É verdade. Freddy deu em cima de você. Canalha-sem-vergonha-de-uma-figa!

Realmente esse erro não vai dar para perdoar. Pelo menos não nessa vida. Ainda sinto um ódio mortal por Zeca Freddy Krueger quando me lembro dele dando em cima de Manu.

Canalhão.

Tomara que ele broche na próxima vez que sair com uma garota.

Seria lindo e eu me sentiria vingada.

– Mas que tal mudar? – insisti um pouco mais. – E antes que você pense novamente, não é pelo Zeca. É para variar um pouco. Na verdade, eu adoro aquele clima intimista do Básiko. Você não gosta?

– Você fala das velas e do jardim que tem na parte de trás?

– É. Eu adoro aquela iluminação. Parece que estão flutuando sob nossas cabeças.

– Eu e Pam curtimos o Único. É um bar simples, tem cara de boteco e tem o Ceará, o único garçom do mundo que sabe tirar um chope no capricho. Não vamos lá pra namorar, certo?

– Certo – resmunguei.

– Então, não precisamos de luzes intimistas. Vamos conversar, colocar o papo em dia, como sempre fazemos.

– Tá bom, chefa. Então, a que horas nos encontraremos no Único? Você combinou algum horário com Pâmela?

– Não falei com ela hoje. Mandei um torpedo, mas fiquei no vácuo. Deve estar numa daquelas reuniões intermináveis. Eu ligo pra ela. Que horas fica bom pra você?

– Minha última cliente está marcada para oito horas da noite – informei olhando em minha agenda. – Depois, vou pra casa tomar um banho e lá pelas dez eu encontro vocês, pode ser?

– Dez horas da noite? – chiou Manu incrédula. – Amanhã é sexta-feira e tenho cliente marcada às oito horas da manhã. Não vai dar. Vai direto do trabalho. Pra que passar em casa?

– Pra tomar um banho, trocar de roupa...

– Você está sempre bonita, maquiada e perfumada. Não precisa se produzir pra ir à Noite do Batom.

Bonita eu? Conta outra. Acho que só Manu me vê assim. Sou bastante sem graça, sem atrativos e sem o famoso charme que minha amiga tem.

Sou alta e detesto meu 1,78 metro. Todos os meus ex-namorados eram mais baixos do que eu. O que me rendeu uma postura corcunda horrível e uma coleção de sapatilhas que só combinam com calças jeans. Os saltos altos, aqueles poderosos e que adoro tanto, só uso mesmo em meus sonhos de consumo, parada em frente a uma vitrine.

Para combinar com minha altura de Olívia Palito, tenho olhos e cabelos castanhos, e uma pele clara que veio com algumas sardas de brinde em cima do nariz.

É por isso que gosto de andar sempre arrumada. Se a beleza não colabora, preciso correr atrás do prejuízo. Caso contrário, vou arrumar namorado de que jeito?

– Ai, tá bom! Você sempre conseguindo as coisas, né? Incrível! Só que eu não ia me arrumar pra vocês. E se o meu príncipe estiver lá?

– Já se esqueceu de que nesta noite é proibido paquerar? E outra, pare de pensar em homem, pelo amor de Deus! Será que dá pra mudar o discurso?

Vou explicar o meu desespero: tenho vinte e oito anos e alguns meses e me recuso a fazer trinta anos com o meu atual estado civil. Simplesmente me recuso.

Durante todos esses anos, só tive relacionamentos tortos e desastrados. Nenhum que possa ser classificado como "normal". Em todos eles eu fui enrolada, traída e abandonada. Em todos eles eu me entreguei por inteira, achando que seria pra sempre. E, obviamente, eu me ferrei em todos eles.

É, eu sei, sou uma idiota, vivo levando os mesmo tombos e nunca aprendo.

Sem mencionar o fato de que todas as minhas amigas já estão casadas, com seus filhos, cachorros, peixes e maridos, curtindo os finais de semana na praia e vivendo uma rotina familiar feliz.

Quando paro para observar a vida delas, entro numa paranoia total. Elas estão em outra fase da vida e eu ainda patinando na mesma maldita fase de frequentar baladas em busca do cara ideal. Da metade que vai me proporcionar os filhos, os cachorros, os peixes, que nem faço tanta questão assim, e os finais de semana na praia – desses, eu não abro mão.

Sem falar que balada, para quem já passou da minha idade, é algo muito entediante.

Já não tenho mais a menor paciência para encarar as baladas da vida, as pistas ensurdecedoras, os bêbados chatos, as conversas vazias, os tipos com suas pulseirinhas de camarotes segurando um copo de vodca em uma mão e um cigarro na outra.

Argh! Dá vontade de sair correndo para minha cama e dormir abraçadinha com meu controle remoto.

Confessando: Todo domingo de manhã, sofro de depressão pós-balada. E, todo santo domingo, juro pela minha saúde mental que nunca mais vou me enfiar numa balada patética novamente.

Só que me diz, onde vou conhecer homens se não for saindo de casa?

Pelo disk-pizza que não é.

Por isso, eu, mesmo com vinte oito anos e alguns meses, ainda estou na fase das baladas, com a esperança de achar alguém que valha a pena.

Entendeu agora o meu desespero?

Vou te contar, essa é uma busca muito estressante. E se torna ainda mais estressante quando olho para o meu círculo de amigas e vejo que todas conseguiram encontrar sua cara-metade sem ter que passar pela metade do que estou passando.

Quer dizer, todas as minhas amigas, menos Manu.

Mas Manu é exceção. Homens, na lista de prioridades dela, estão abaixo de tintura para cabelos, saída com amigos e lasanha à bolonhesa, ou seja, ela não serve como referência. E pode crer, ela não serve mesmo. Só teve um namorado, que depois virou marido e que depois virou ex-marido, depois marido de novo e finalmente ex-marido mais uma vez. Esnoba todos os caras que dão em cima dela e há muito que não beija na boca.

Minha pergunta é: como ela pode achar que sabe tudo sobre homens com um currículo desses?

– O fato é: você tem um ímã para "homem traste". Isso é fato comprovado cientificamente – analisou Pâmela, quando já estávamos na terceira rodada de chope no Único.

Até Nostradamus poderia prever o óbvio: não havia um homem bonito no recinto.

Bem, quase isso.

Havia um único gatinho. E ele estava dando mole para quem?

Pois é, pra Manu!

– Eu, se fosse você, partia pro próximo. Esse tal de Marcelo não vai ligar – acrescentou Manu com sua habitual segurança e ares de conhecedora do universo masculino.

– Gente, vocês não têm noção. O cara tem o dom. Ele beija muuuuuito. Só de lembrar subiu um calor – falei me abanando com o cardápio. – Agora, precisa fazer esse teatrinho fajuto? Aposto que ele está lá doido pra me ligar e não liga porque tem que cumprir com o raio do protocolo masculino, que diz que os homens não devem ligar para as mulheres depois da primeira noite juntos. Céus, como isso acaba com a gente e com as unhas também. Olhem só para as minhas mãos! – Mostrei minhas unhas roídas até o sabugo.

– Que horror! – exclamou Pâmela fazendo cara de espanto. – Suas unhas são tão lindas para serem destruídas por causa de um feioso qualquer!

– Marcelo não é feio! – rebati indignada.

– É feio e gordo – insistiu.

– Manu? Você ouviu isso? Pâmela chamando Marcelo de gordo.

– Discordo do gordo. Ele é fofinho, vai. Mas é feio.

– Pois eu o acho lindo. Moreno, olhos verdes, estatura boa... Ele tem uma barriguinha de chope que todo homem tem. Além do que, eu desconfio seriamente de homens malhados demais.

– Domênico não tem barriguinha de chope. Não generaliza.

– Mas também não tem barriga tanquinho e todos os demais músculos definidos, certo? – rebati defendendo minha teoria.

– É verdade, ele não tem.

– Sabia que é bem mais seguro namorar um homem feio do que aqueles com cara de galã de novela? – contei, orgulhosa da minha estatística.

– É seguro namorar um cara feio? – especulou Pam. – Desde quando só os bonitos traem? Tem muito homem feio que trai sim.

– Ainda assim, me sinto mais segura ao lado de um homem bonitinho do que ao lado de um deus grego. E, para os meus parâmetros, Marcelo é bonito. Se ele me ligasse agora, ficaria perfeito – comentei olhando para o celular.

– Me dá aqui esse celular, vamos ligar pra ele – decidiu Manuela – e acabar com esse suplício.

– Ligar pro Marcelo?

– É.

– Eu não tenho o número dele. Você acha que se eu o tivesse já não teria ligado?

– Você não tem o telefone dele?

– Não.

– Xiii... – zombou Pam.

– E por que é que ele não te deu o número? – especulou Manu.

– Quando eu disse pra ele anotar meu telefone, achei que ele daria o dele em retribuição... assim, por educação, sabe? – falei alisando a toalha da mesa.

– O quê? – gritou Manu incrédula. – Não foi ele quem pediu o seu número de telefone? Foi você que falou pra ele anotar?

– Foi – falei com um fio de voz.

Juro por Deus que me senti como uma garotinha levando bronca da mãe.

– Ih, ferrou. – Divertiu-se Pâmela bebendo seu chope e rindo às minhas custas.

– Ai, Nina, me diga que você não fez isso!

– Óbvio que ela fez. E durante o terceiro beijo enlouquecedor do tal Marcelo, ela estava, inclusive, escolhendo que vestido usar na noite de noivado deles – alfinetou Pam.

– Nina, você precisa se valorizar mais, amiga. Homens não gostam de mulher oferecida, desesperada, doida para amarrar o cara na cabeceira da cama. Tudo isso está escrito na sua testa em luz neon roxo. É nítido.

– Nem tanto, né, gente? – disse eu bastante nervosa.

Odeio parecer ridícula na frente das minhas amigas. E odeio levar bronca de Manu. Às vezes, penso que ela é a minha mãe.

– É por isso que você só arruma traste. Lembra do Darth Vader?

– Se lembro? Nem querendo eu consigo me esquecer do cafa.

– Gente – Pâmela estava às gargalhadas –, seria cômico se não fosse trágico.

Manuela também não se conteve e começou a gargalhar.

Eu fechei a cara de raiva.

Conheci Lúcio, ou Darth Vader – como foi apelidado por Manuela –, numa balada onde ele trabalhava como DJ. Namorar DJ era a moda do momento. A mulherada de Campinas disputava um DJ a tapas no final de cada balada. Bando de Marias Pickup.

Não que fosse o meu caso. Eu nem estava procurando companhia naquela noite. Estava curtindo e me recuperando de outro traste que tinha me dado um fora. Sabe como fica a autoestima da gente após um fora, né? Pois bem, estava me sentindo péssima, sem forças para conquistar ninguém, me achando gorda, com dois metros de quadril, horrorosa e sem graça. Foi Lúcio que chegou até mim e puxou conversa. Eu nem acreditei na minha sorte. Levei um tempão achando que era pegadinha ou que ele fosse dar o fora a qualquer momento. Até porque Lúcio era lindo demais, todo fortão, peitão, bração, pernão... Cabelo num corte estilo moicano, braços tatuados, carismático, carinhoso e carente. Enquanto conversávamos, eu só pensava: "É muita maquiagem para a minha frasqueira. Eu não mereço tudo isso".

Ave, Lola! Como mulher insegura pensa besteira!

Mas acontece que ele foi se aproximando, me levando na conversa com uma voz macia e, quando menos esperava, ele me tascou um beijo. Desse dia em diante não nos desgrudamos mais.

Como num passe de mágica, ele eliminou toda a dor que eu sentia por ter sido abandonada e despertou em mim um lado protetor que nem eu sabia que tinha. Três dias depois de conhecê-lo, eu estava perdidamente apaixonada. Na terceira semana de relacionamento, eu me afastei das minhas amigas e Lúcio se mudou pra minha casa.

Fazia tudo por ele: lavava suas roupas, lhe fazia massagem para aliviar o estresse, preparava comidinhas, bebidinhas, organizava festinhas para receber seus amigos em nosso apartamento e o tratava como um rei – o meu rei. O homem que sempre quis ter para mim. Minha vida estava tão perfeita e eu me sentia a mulher mais feliz do mundo... Mesmo vivendo só para ele, deixando de lado os amigos, minha mãe, meus cursos, meus hobbies, eu era feliz.

Até que um dia (sempre tem um "dia", pelo menos comigo), nós estávamos comemorando seis meses juntos, jantando no maior clima. Felicidade plena.

Felicidade essa que foi subitamente interrompida com a chegada de um rapaz negro, de uns dois metros de altura, fazendo o maior escândalo na pizzaria:

– Tony? – falou caminhando em direção a nossa mesa. – Que mundo pequeno!

Lúcio ficou lívido por alguns segundos.

– Nina, não leve a sério nada do que este cara lhe falar – me pediu com um olhar zangado.

– Achou que nunca mais me encontraria na vida, Tony? Achou mesmo que pudesse se esconder a vida inteira? – despejou de pé ao lado de nossa mesa, estranhamente com as mãos na cintura.

– Tony? Quem é Tony? – perguntei sem entender. – Ele é seu amigo, Lúcio? – Não parecia muito. Meus olhos iam de um para o outro como em um jogo de tênis em quadra rápida.

O recém-chegado nos olhou com curiosidade.

– Mudou de nome, Tony?

Lúcio continuava imóvel, com o rosto branco feito vela, e eu sem entender nada.

– Quem é Tony? – voltei a perguntar.

– Ele se chama Tony, querida! – disse o moço apontando para Lúcio. – Ei, cara, cadê o meu dinheiro?

– Dinheiro? Que dinheiro? – perguntei surpresa, impaciente com o fato de Lúcio não falar nada e ficar com aquela cara de quem viu fantasma.

– Nina, eu não sei do que ele está falando.

– Ah, quer dizer que você não sabe? Está achando que só porque sou gay você vai me fazer de trouxa? Eu quero o meu dinheiro, seu bofe ingrato! Sustentei você por dois meses. Vendi meu carro para pagar suas dívidas, lhe dei amor, carinho, e você me deu o que em troca? Golpe. O que você fez comigo se chama golpe!

– Lúcio, do que ele está falando? Me explica? – implorei totalmente incrédula.

– O nome dele é Tony, querida – gritou aquele ser excêntrico, um tanto descontrolado. – Mudou de público agora, Tony? Está dando golpe na mulherada?

– Some daqui. Me deixe em paz! – ralhou Lúcio entre os dentes, com raiva estampada no olhar. – Não está vendo que você está me atrapalhando?

– Não sem o meu dinheiro.

– Vamos lá fora resolver isso – propôs Lúcio se colocando de pé.

– Não vou a lugar algum. Quero resolver aqui mesmo, na frente de sua nova conquista e no meio de todo mundo – avisou, exaltado. – Sabia que até hoje estou pagando conta que você fez em meu nome? Está achando que sou idiota, cara? Eu quero o meu dinheiro! – finalizou com uma voz grossa e muito séria.

Até eu fiquei com medo de apanhar por tabela.

– Lúcio, por favor, me explique o que está acontecendo – supliquei querendo entender aquela história maluca de uma vez. Só podia ser um mal-entendido.

Pensei: "A qualquer momento, esse moço vai olhar direito para o *meu* Lúcio e dizer: 'Puxa vida! Eu me enganei. Sabe, você é a cara do Tony, o que me deu um golpe. Me desculpe, eu confundi. Por favor, continuem jantando que estou indo embora. Bom apetite!'".

"Deus, diga que isso vai acontecer nos próximos segundos? Por favor, por favor?" Um, dois, três... Nada.

Fechei os olhos, abri rapidamente e... nada. Ali estava Mike Tyson numa versão melhorada.

– Eu explico – se adiantou Mike Tyson. – Mas antes, querida, confirme algumas coisas: Vocês se conhecem há uns quatro ou cinco meses, no máximo, certo? – Balancei a cabeça afirmativamente. – Ele se mudou de mala e cuia pra sua casa, logo depois que vocês se conheceram. – Tornei a afirmar com a cabeça. – Ele pega seu carro emprestado e te deixa a pé. E também te pede dinheiro emprestado, dizendo que devolve no dia seguinte, e, adivinhe, ele *não* devolve!

Olhei para Lúcio com cara de pânico, que gemeu baixinho diante daquelas afirmações.

Mike Tyson continuou seu discurso com o firme propósito de desmascarar Lúcio, dando um show particular para os clientes da pizzaria:

– Ele deixa contas (ele faz o sinal de aspas com os dedos) "esquecidas" em cima da mesa da cozinha e você as paga porque o acha um cabeça-de-vento adorável e fica com dó de que ele pague juros por causa do seu "esquecimento". E, por fim, ele, recentemente, te pediu um adicional do seu cartão de crédito. Acertei alguma dessas "suposições"?

Minha esperança de estar dentro de um pesadelo se esvaiu.

Eu estava muda, passada e incrédula com os fatos expostos. Nem falar alguma coisa eu conseguia.

Lúcio, então, nem piscava. Estava branco e imóvel olhando para a mesa, sem coragem de me encarar.

O fato é que Lúcio fazia exatamente isso comigo. E, pelo jeito, ele fez a mesma coisa com o Mike Tyson indignado ali.

– Nina? Não dê ouvidos a essas bobagens. Esse cara é louco – apelou Lúcio, vendo minha cara de pânico à espera de uma resposta.

– Louco? Você acha que sou louco? Ah, meu bem, você não viu nem a metade. Me pague agora ou vou te mostrar como sei ser macho quando é preciso.

– Pra mim já deu – avisei me colocando em pé e jogando o guardanapo de pano sobre a mesa com raiva. – Eu estou indo embora e faça o favor de nunca mais aparecer na minha vida! – disse com o pouco de dignidade que ainda me restava. – Boa sorte. Espero que consiga seu dinheiro de volta – desejei para o ex de Lúcio, e saí batendo o pé, porém com a cabeça erguida.

– É isso mesmo. Dá o fora enquanto o prejuízo é pequeno – me apoiou ele. – Agora somos só eu e você – anunciou, então, para Lúcio. – E aí, cadê o meu dinheiro?

Atravessei o salão do restaurante ouvindo as vozes de Lúcio e de Mike Tyson discutindo. O som de uma cadeira caindo e da voz do *maître* pedindo para que eles se retirassem ou ele chamaria a polícia.

Alcancei a rua com os olhos cobertos de lágrimas, chorando de raiva por ter sido enganada daquela forma. Não podia acreditar que aquilo estava acontecendo comigo. Simplesmente não conseguia acreditar.

Como pude ter sido tão idiota?

Ao chegar na esquina, vi um táxi parado. Abri a porta de trás e pulei para dentro.

– Para o Taquaral, por favor – pedi ao motorista.

– Não é para onde estou indo – informou o passageiro que estava sentado ao meu lado. Eu não o havia visto.

– Ai, me desculpe... Nem vi que estava ocupado... – falei soluçando.

– Pois é... está.

– Eu preciso sair daqui – supliquei. – Me deixe ir com você só até mais adiante? Não quero descer e andar na rua à procura de outro táxi. Você se importa se eu for com você? – implorei sem me dar conta do meu estado mental. Eu só queria ir o mais longe possível de Lúcio.

– Moça, o rapaz já estava no carro. Desça e pegue outro táxi – disse o motorista sem muita paciência.

– Nina – Lúcio bateu na janela do carro e eu pulei com o susto –, desce do carro. Me deixe esclarecer tudo e você entenderá. Por favor?

De longe, vi que o ex-namorado de Lúcio vinha cuspindo marimbondos em nossa direção e, tomada pelo pavor, comecei a gritar:

– Por favor, moço, dirija esse carro! Pelo amor de Deus, me tira daqui! – implorei entre as lágrimas.

– Ouviu a moça? Pode dirigir o carro, por favor? – pediu o passageiro para o taxista, que arrancou com o carro, deixando Lúcio e seu amigo para trás.

Alguns segundos antes, o meu mundo estava em perfeita harmonia e, agora, estava aquele caos. Por que comigo?

– Tente ficar calma que tudo vai acabar bem – me aconselhou o passageiro.

– Minha vida é um desastre... Eu sou um desastre... Nada dá certo comigo... Nada. – Eu chorava copiosamente. – Por que, meu Deus, por que eu nunca acerto?

– É só uma fase. E, por ser recente, parece mesmo que não tem solução, mas você vai ver que, com o tempo, tudo se ajeita e um dia você vai rir disso tudo – me disse o passageiro. – Tome este lenço e chore tudo o que precisar. Vai lhe fazer bem.

Eu não conseguia falar e só chorava. Uma mistura de raiva, nojo e humilhação tomou conta de mim. Como fui cair num golpe fajuto e batido como esse? Como não percebi as evidências antes? Por que eu não desconfiei? Por que eu me entreguei tanto?

Eu não me conformava.

Então, Lúcio vive de dar o golpe do baú em pessoas ingênuas (ou carentes feito eu)? Sem se importar com os sentimentos, com nada? Que pessoa mais fria e calculista! E eu apaixonada por um tipo assim?

Que ódio que eu estava sentindo de mim mesma. Que vontade de me bater por ser tão cega e por me entregar sem nem ao menos conhecer direito a pessoa. Me diga quando é que eu vou aprender a escolher um cara decente?

– Acho que você precisa de um café – sugeriu o passageiro, me tirando dos meus pensamentos.

Quando estávamos mais afastados, já em outro bairro, o passageiro pediu ao motorista para parar em uma padaria, pagou a corrida e me conduziu para dentro do estabelecimento.

– Prefere expresso ou carioca?

– Bem forte, por favor – respondi olhando para o nada, ainda pensando em tudo o que aconteceu. Nada fazia muito sentido. Lúcio ou Tony com aquele outro. Eu conhecia Lúcio.

Ou pelo menos achava que conhecia.

Alguns minutos se passaram, os cafés chegaram e eu tomei o meu como se fosse uma dose de cachaça cara: em um gole só e sem deixar nada pro santo.

– Quer me contar o que aconteceu? – perguntou o passageiro com uma voz doce e amigável. – Talvez eu possa lhe ajudar.

Eu contei.

Estava transtornada demais para pensar onde estava e com quem estava, se era certo ou não conversar com um estranho. Eu precisava falar, colocar para fora minha angústia, minha dor, e tentar me sentir aliviada de alguma forma. Não importava o fato de ser totalmente anormal estar falando as minhas intimidades com um estranho. Nada me importava. Eu só precisava falar. E precisava que alguém me ouvisse.

E aquele estranho desempenhou seu papel de ouvinte com perfeição. Apenas me ouvindo. Sem me punir, sem me criticar e sem me perguntar os porquês.

Segurando minhas mãos, ele ouviu toda a minha raiva ser despejada. Secou minhas lágrimas, me encorajou a colocar para fora tudo o que me fazia mal.

Depois de dizer tudo o que queria e de me acalmar, ele me serviu mais café e, então, falou as palavras certas. Mostrou que nem tudo estava perdido, que nem tudo era humilhação e que eu poderia recomeçar minha vida, mais uma vez.

Mais tarde liguei para Manuela, que foi correndo me buscar e me levou embora dali.

Só quando estava em minha casa, já deitada, tentando dormir, é que me dei conta de que não disse meu nome ao passageiro e nem perguntei o dele. No seu lenço, que levei comigo, estavam bordadas as iniciais A.D.

A partir daquele dia, eu me refiro a ele como meu Adorável Desconhecido.

Manuela e Pâmela ainda riam ao me lembrar da minha história com Darth Vader.

– E você jogou todas as coisas do traste na rua. Eu teria colocado fogo. Aposto que ele foi lá de madrugada feito um rato imundo e pegou tudo. Cafajeste de uma figa! – ralhou Manu.

– Surreal – comentou Pam, rindo.

– Vocês riem porque nada disso acontece com vocês – falei rindo com elas. – Suas vidas são tão perfeitas que até parecem coisa de cinema.

– Essa história aconteceu há muito tempo e é bom rir do que passou. E, cá entre nós, o apelido caiu como uma luva, não foi? Vai duelar com seu sabre de luz lá no quinto dos infernos, coisa ruim.

Pam colocou chope pelo nariz de tanto que riu, e nos contagiou com sua descontração.

O comentário de Pâmela, entretanto, me fez lembrar do meu Adorável Desconhecido. Ele disse que um dia eu iria rir de tudo isso. Na hora me pareceu um absurdo e impossível rir de algo que estava me machucando tanto. No entanto, agora, eu estava rindo da minha própria desgraça.

Como é que ele sabia que iria acontecer? E por onde será que ele andava?

Fiquei tensa com esse pensamento.

– E você, Manu, quando vai tomar jeito e arrumar um namorado? – quis saber Pâmela, a mais velha e bem encaminhada de nós. – Aliás, o bar inteiro já sacou que o bonitão da mesa lá dos fundos não para de olhar pra você.

– Olha pra ele, Manu – incentivei, feliz por ter saído da berlinda.

– Pra quê? Pro cara achar que já me ganhou? Eu é que não vou cair no jogo dele.

– Ai, Manu, tem horas que você é ridícula! – resmungou Pâmela. – Nem todos os homens são uns cretinos.

– Aposto que naquela cabecinha medíocre dele está passando pensamentos do tipo: "Se ela me olhar, é porque ela quer me dar, e eu como fácil!". É assim que eles pensam e falam entre si. – Ela riu ironicamente. – Mas ele mal sabe que, enquanto ele pensa que já me comeu, eu estou aqui, pensando no quanto ele é um babaca e que nunca em sua vida de merda ele irá me comer.

– Credo, Manu. Pâmela tem razão, nem todos os homens são assim.

– São, Nina. Todos eles são uns tarados que só pensam em sexo.

– Tudo bem. Não olha – respondeu Pam pacientemente. – Continue solteira, sozinha e sem sexo. Aliás, entre para um convento ou se candidate a ama de teia numa creche de aranhas.

Dessa vez, as duas colocaram chope pelo nariz. Eu, tomando meu suco, me perguntava de onde Pam tira tanta criatividade.

Preferi insistir no assunto e segui me controlando para não olhar para o rapaz. O nosso manual de amigas (elaborado na nossa adolescência e válido até os dias de hoje) diz que não devemos invadir o território umas das outras. Não que Manu considerasse o gatinho como parte de seu território. Mas, por via das dúvidas, resolvi ficar na minha.

– Não preciso de namorado – disse Manu para Pâmela. – Uma preocupação a menos para sua lista de coisas.

– O que custa dar uma olhadinha para o moço?

– É, Manu! – reforcei. – Ele é um gato, eu vi quando ele entrou.

– Nina, me poupe. Não estou a fim de "gatos", nem de tigres e muito menos de cachorros – despejou com seu humor ácido.

– Queria tanto saber o que se passa nessa cabecinha complicada. – Pam pensou alto.

– Você e Domênico estão bem? – perguntei, mudando o rumo da conversa e virando os holofotes para Pam.

Era óbvio que Manu estava de TPM e que aquele papo não iria terminar bem.

– Estamos ótimos, como sempre. Ontem ele chegou em casa com uma garrafa de champanhe e lingeries da Fruit de la Passion.

– Fruit de la Passion? – gritei.

Essa loja fica com metade do meu orçamento sempre que me aventuro a comprar um conjuntinho sexy para mim.

– E o que mais? – pedi ansiosa.

– Disse para eu me deitar na cama que ele iria me tratar como uma rainha...

– Ok. Poupe-nos dos detalhes íntimos do casal, por favor? – pediu Manu. – Sou capaz de imaginar o resto eu mesma.

– Ui, que azeda! – brincou Pam.

– Ah, eu quero saber. Adoro ouvir histórias de casais que se dão bem, como vocês dois – suspirei.

Lá no fundinho, eu tinha inveja de Pam e Domênico. Uma inveja saudável. Não que eu desejasse o mal deles, nada disso! Eu só queria ter um "Domênico" pra mim também. Ele é sempre tão romântico e fofo que eu queria um assim para mim.

– Vou contar só o que aconteceu no final. Depois de namorar, ele pediu pra eu pegar o celular dele no bolso da calça, que estava jogada no chão, ao lado da cama. Ao enfiar a mão no bolso, adivinha o que tinha lá? – perguntou fazendo suspense.

– O celular? – arrisquei inocentemente.

– Um comprimido de Viagra para mais uma rodada – debochou Manu.

– Não, suas sem imaginação. Tinha uma caixinha de veludo preta.

Levei minha mão à boca imaginando o que ela iria falar.

– Ao abrir a caixa – continuou Pam –, me deparei com um solitário de diamante gigante!

– Jura? Cadê? Me mostra?

– Vinte e cinco mil reais foi o preço que ele pagou no mimo. Acreditam? Domênico é um doido mesmo.

– Gente, tudo isso? E ele tem todo esse dinheiro? – especulou Manuela.

Manuela é a mais desconfiada de nós três. Ela só acredita em fatos comprovados. Dificilmente alguém a engana ou passa uma mentira sem que ela perceba. Ela só pode ser descendente de São Tomé – o santo que precisava ver para crer. Não há outra explicação para tanta desconfiança.

– Tem, né? A loja de carros dele está vendendo muito bem. Estamos até pensando em mudar de apartamento. Para um maior. E comprar outro e colocar para alugar. Mas isso é mais pra frente.

– Mudar de apartamento? – perguntou Manu. – Pra que, se vocês moram em um gigante?

– Coisa de Domênico. Ele acha que é um bom investimento. Assim como as joias. Ele vive me dando joias e diz que elas, além de me enfeitarem, são investimentos.

– Ele é um fofo! – exclamei. – E o anel? Me mostra, Pam – pedi curiosa.

– Deixei em casa. Vou usá-lo só em ocasiões especiais. Tenho medo de ser assaltada, sabe como é.

– Entendo. Campinas é muito perigosa pra andar por aí com joias valiosas – disse Manu com ironia.

– Da próxima vez que formos a sua casa, não se esqueça de me mostrar – pedi entusiasmada.

– Com certeza.

– Mas me diga, Pam, onde vocês estão pensando em comprar o apartamento?

– Estamos procurando. Já vimos vários, e acho que vamos fechar em um prédio que está sendo construído no Cambuí.

Pâmela é contadora e tem uma empresa de consultoria. Eu a considero bem-sucedida porque ela tem carro do ano, usa roupas de marcas caras, compra sem pedir desconto e nem parcelamento, vive viajando com o marido para os lugares mais exóticos do mundo. Sem contar que ela é uma loira muito bonita, magra e elegante.

Eu a acho o máximo e a tenho como modelo de mulher bem-sucedida em todos os sentidos.

Nós três somos amigas desde o sexto ano do colégio Barão de Campinas. Na verdade, éramos quatro. Tinha Kau – único menino que aceitou viver sob nossas regras e, por isso, se tornou o representante masculino da turma dos Lokes – nome que Kau deu para nossa turma.

Pâmela era a mais riquinha, extrovertida e mentora da turma. Suas ideias de como driblar os professores para passarmos boa parte da última aula (só de vez em quando, claro!) escondidos no nosso QG ultrassecreto lendo *Capricho*, eram invejadas por toda a escola.

A revelação do QG só se deu no dia da nossa formatura. Pâmela foi a oradora das turmas do período da manhã. Ainda me lembro da frase que ela usou para abrir seu discurso. Começou citando Fernando Pessoa:

"O valor das coisas não está no tempo que elas duram, mas na intensidade com que acontecem. Por isso existem momentos inesquecíveis, coisas inexplicáveis e pessoas incomparáveis."

E, depois, seguiu com a revelação que todos esperavam: "Antes de dar prosseguimento ao meu discurso, quero revelar o esconderijo secreto dos Lokes... – ela fez uma breve pausa para dar aquele suspense –... um banheiro desativado atrás do almoxarifado. A chave nos foi dada por um ex-zelador, cujo nome não revelo nem sob tortura. E a chave ficará conosco, como lembrança dessas doces traquinagens". Eu, Manu e Kau, sentados na primeira fila do auditório, choramos já sentindo saudade dos nossos preciosos anos passados no Barão de Campinas.

Manu era a pavio curto, não levava desaforo para casa e estava sempre disposta a nos defender diante de uma possível briga. Apesar de ser a garota mais popular do colégio, ela não dava a menor bola para os garotos que rastejavam aos seus pés. As demais meninas, principalmente as mais bonitas, não entendiam a razão de Manu ser tão popular e desejada, já que não era a mais bonita.

Kau era o sonhador. Era um garoto bonito, com cabelos encaracolados, sorriso largo e um coração imenso que não sabia dizer não para ninguém. Fazia tudo o que queríamos, nos ajudava com as provas, com as tarefas de Matemática e com as aulas de Inglês. Era também muito querido por todos no colégio. Conhecia todo mundo pelo nome, passava o recreio inteiro dando atenção para cada um que parasse em nossa rodinha. Nós ficávamos irritadas por ter que dividi-lo com os outros alunos. Mas ele era assim e, com o tempo, fomos nos acostumando com seu jeito carismático de ser.

E eu era a filha da ex-modelo famosa, e todos me olhavam com certa ressalva. Pensavam que eu tinha a vida ganha, que era bilionária, que estudava por estudar... Só porque meus pais eram pessoas famosas na época. Quando, na verdade, não era nada daquilo. Apesar de ter sido uma adolescente bonita, eu me escondia atrás de roupas estranhas, boinas e maquiagens pesadas.

No colégio, éramos considerados excêntricos (esquisito é a palavra mais adequada, mas ninguém nunca a usava na nossa frente por medo) e, justamente por isso, nos tornamos amigos.

Morávamos em bairros próximos, fizemos balé no mesmo estúdio (menos Kau, que fazia judô em outra academia) e entramos na adolescência juntos, para o que desse e viesse.

Nossa adolescência foi regada a festas de garagem, chicletes Ploc, álbuns de figurinhas, papéis de carta e aventuras, como a do dia em que pulamos o muro do colégio para ir à farmácia comprar anticoncepcional (para colocar dentro do xampu – Manu disse que faria nosso cabelo crescer até a cintura no prazo de três meses) e voltar a tempo de nossas mães nos buscarem na saída. Kau ficou no colégio para nos dar cobertura. O plano deu certo. Quer dizer, pelo menos a escapada e a compra do remédio. Tivemos alguns joelhos ralados, uma saia rasgada e cabelos... Ah, nossos cabelos... ficaram inacreditavelmente, unicamente, sensacionalmente... iguais!

Do mesmo tamanho!

Nem um centímetro a mais, nem um centímetro a menos. É... mas também nos rendeu muitas risadas e lembranças eternas.

Teve também uma vez que demos calmante para minha mãe no lugar do seu habitual remédio para dor de cabeça. Na verdade, queríamos ir ao show da Legião Urbana e só ela não tinha me deixado ir, porque achava que naquele show só ia maconheiro e ela não queria me ver "no meio desse tipo de gente".

Se só ia maconheiro nós não sabíamos. Sabíamos apenas que não perderíamos o show da nossa banda preferida por nada. Era o show das nossas vidas.

Legião Urbana estava divulgando o álbum *As quatro estações* e a música "Pais e filhos" tocava sem parar em todas as rádios do país. Virou hino de uma geração, assim como a canção "Há tempos", a preferida de Pâmela. Manu adorava "Daniel na cova dos leões" e Kau, "Metal contra as nuvens". Eu gostava mesmo era de "Monte Castelo" e precisava ouvir Renato Russo cantando-a só pra mim.

Minha mãe estava irredutível diante de nossa insistência. Rolou até uma reunião entre as quatro mães por conta desse assunto. Mesmo com o apelo das outras, a minha não cedeu.

Eu chorei, fiz greve de fome, tirei notas baixas e nada a convenceu. Até o dia em que Pam chegou com o plano D – de Desespero – ela pegou um comprimido de um ansiolítico chamado Lexotan, tarja preta, da mãe dela, escondido, claro, e, na hora em que minha mãe pediu que eu buscasse seu remédio para enxaqueca, dei o calmante no lugar da Aspirina. Não sei como ela não se deu conta da diferença dos comprimidos. Bem que Pam falou que era tiro e queda. Não ouvi o barulho do tiro, mas minha mãe simplesmente apagou!

Hoje, claro, me envergonho por ter apelado para o remédio, mas também me sinto feliz.

Feliz porque o show foi lindo, intenso e nós cantamos todas as músicas. Kau estava especialmente feliz naquela noite. Não parava de falar que era o seu dia perfeito: estava com as pessoas que ele mais amava ouvindo sua banda preferida ao vivo.

Nós quatro, abraçados ouvindo a Legião tocar, mal sabíamos que o futuro nos traria amargas surpresas...

Passamos por todas as descobertas juntos, primeiros amores, planos para uma vida toda, perdas irreparáveis, medos infinitos, desilusões amorosas... Cursamos faculdades diferentes com a promessa de nada abalar nossa amizade. Tudo isso ao som da Legião Urbana.

Éramos fãs.

E ainda somos Legionários.

– Senti que você estava um pouco amarga com Pâmela – falei com Manu quando estávamos voltando para casa. – Aconteceu alguma coisa entre vocês duas que eu não estou sabendo?

– Amarga? Acho que foi impressão sua.

– Sei bem quando você está mentindo. Se não quiser falar agora, tudo bem. Mas sei que algo está errado.

– Não imagine coisas, está bem? – pediu ela já em frente ao prédio onde moro. – É só a TPM me tirando do sério.

– Hum... Ok. Boa noite, então.

– Boa noite. E vê se esquece esse Marcelo que ele não vai ligar pra você.

– Tudo bem. Acho que, pra variar, você está certa, digníssima guru.

– Eu sempre estou – brincou Manu. – Nos vemos amanhã ou depois?

– Vamos ver. Estou a fim de ficar em casa um pouco.

– Se cuida.

– Você também – disse dando um beijo em sua face.

– Ah! Eu amo você como uma irmã, não esquece, tá?

– Tá. – Sorri em agradecimento. Ela sabe que eu também a considero como uma irmã.

– E vê se fica longe dos trastes.

– Ok. Vou me trancar no meu micro-ondas.

– E não bata a porta do meu carro!

– Eu tenho geladeira em casa – disse rindo, mas batendo a porta com força de propósito.

Subi feliz. Malu é uma companheirona.

Poeira

Meu dementador particular: sentimento de abandono.
Um momento bom: minha dose diária de brigadeiro.

Eu sabia que deveria seguir os conselhos de Manu e esquecer Marcelo. Mas quem disse que eu conseguia? Ele estava colado em meus pensamentos. Sabe aquela brincadeira: você diz para alguém "não pense em uma escova de dentes, por mais que você queira você não pode pensar em uma escova de dentes"? Tá bom, talvez Buda consiga. Euzinha, penso na escova, no fio dental e no creme dental.

Logo, pensava não só em Marcelo como também no cenário completo. Ele comigo em minha casa. Nós dois jantando fora como um casal normal...

E eu me odiava por essa minha fraqueza. O certo deveria ser arquivar a noite espetacular no arquivo morto do meu cérebro e fim. Mas quem disse que eu conseguia?

Tentei, em vão, me concentrar no trabalho. Minha agenda da semana estava cheia. Muitas clientes para atender, muita fofoca para ouvir; um prato cheio para ocupar a mente. Porém, só minhas mãos seguiram a ordem natural das coisas e se ocuparam com o trabalho. Minha mente, teimosa feito mula empacada, viajava para as lembranças da noite espetacular que tive com Marcelo – o traste à espera de seu apelido.

Não desgrudava do meu celular, alimentando, assim, a esperança de que ele me ligaria.

Em meio a tudo isso, eu travava uma luta interna: enquanto todo o meu ser queria ver Marcelo mais uma vez, minha razão dizia para ouvir os conselhos de minhas amigas e esquecê-lo.

Nem meditação para reequilibrar meus pensamentos adiantou, pois mulher quando encasqueta com alguma coisa, sabe como é: corre atrás.

E lá fui eu para o penhasco, querendo me jogar sem paraquedas.

Resolvi arriscar a sorte e voltei ao local onde nos conhecemos. Nas duas primeiras vezes não o encontrei. Porém, na terceira vez que passei em frente ao barzinho, eu o vi em uma roda de amigos tomando cerveja e batendo papo.

Meus hormônios se atiçaram me empurrando para dentro do bar.

E, meu Santo Antônio, como ele é lindo! Não sei como Pâmela pode achá-lo feio. Esse homem é tudo de bom, gente! Pode acreditar.

Escolhi uma mesa mais afastada, que ficava bem de frente a ele, pedi um suco e fiquei bebericando, às vezes, fingia que falava ao celular.

Vamos combinar que ficar sozinha numa mesa de bar é muito tenso.

Não demorou muito para que ele me avistasse e, evidentemente, como manda o protocolo masculino, ele deu início ao seu joguinho de sedução: lançando-me olhares arrasadores que faziam meu estômago se encolher, enquanto conversava com seus amigos, fingindo que não me conhecia. Muito enervante.

Decidi não ceder. É mais ou menos aquela história: já que estava na chuva, eu iria me molhar.

Só rezava para que nem Manuela nem Pâmela me ligassem. É que não sei mentir muito bem e iria acabar dizendo onde estava e o que estava fazendo, elas, então, me passariam o maior sermão da paróquia, ou pior, baixariam lá no bar para me levar à força para casa.

Para não correr o risco, coloquei meu celular para vibrar e o escondi no fundo da bolsa. Caso ligassem, eu não ouviria, e poderia dizer a verdade: que não ouvi o celular tocando.

As horas foram passando. O bar foi ficando vazio. Meu sexto, meu sétimo, meu oitavo, meu nono e todos os mil e um sentidos dando alertas para eu ir embora, e nada de ele vir até mim.

Juro que me deu vontade de ir lá falar com ele. Mas segurei minha onda.

Mais tempo passou e ele sem se manifestar. Arrasada com aquela situação e me sentindo humilhada, resolvi pedir a conta. Antes de ir embora, fui ao banheiro, esperando que ele entendesse de uma vez por todas que aquela era a sua última chance. E ele entendeu.

Quando abri a porta do banheiro para sair, ele estava parado, esperando por mim. Não falou uma palavra. Me empurrou para dentro do banheiro, fechou a porta e me beijou.

Não... Você não está entendendo...

Foi o beijo da minha vida. Um beijo com pegada, com vontade, fazendo meu sangue ferver.

Quando ele largou minha boca, perguntei por onde ele tinha andado, por que tinha sumido. Falei que estava morta de saudade e mais um monte de outras coisas. Ele não respondeu. Se ocupava com minha pele, puxava meus cabelos para trás, me apertava contra seu corpo. Não transamos por pouco. Vontade não me faltou.

E, do mesmo modo como ele chegou, ele saiu. Sem me dizer uma palavra, me deixando sozinha no banheiro do bar sem saber o que fazer.

Esperei alguns minutos, me recompus e saí de lá.

Marcelo estava de volta à mesa com seus amigos, rindo e conversando como se nada tivesse acontecido.

Fui para casa arrasada.

Ao mesmo tempo que me senti usada, estava feliz por ter ficado com ele. Por ter sentido seus beijos, seu gosto e suas mãos explorando meu corpo com tanto desejo. E confesso que me fez bem saber que um homem charmoso como ele me desejou daquela forma.

Muito confuso, eu sei. Mas não me julgue. Quando se tem a autoestima do tipo elevador (em uma hora está em ascensão, em outra, em queda livre), é isso que acontece. Contenta-se com migalhas.

Destranquei a porta de casa me odiando por ter ido àquele bar. Nenhuma mulher faria o que eu fiz. Nenhuma de minhas amigas se enfiaria num banheiro sujo de um boteco com um cafajeste feito Marcelo.

Só eu faço isso.

E por que, então, me permito descer tão baixo por tão pouco?

Por que eu permito que me humilhem assim?

Já estava sentindo a proximidade das lágrimas quando senti o celular vibrando dentro da minha bolsa.

Bem que podia ser Marcelo.

Ô, meu santo, ajuda vai?

– Alô?

– Estou louco por você.

Eita santo porreta!

– Jura?

Bem, eu poderia ter bancado a difícil, como Manu vive me ensinando.

Mas quer saber? Que se dane Manu e suas teorias. Quero mais é ser feliz.

Pelo menos é o que espero.

– Você mora sozinha?

– Moro.

– Posso ir aí ou prefere repetir o motel da última vez?

– Prefiro que você venha aqui.

Droga! Não tinha nada que dizer isso.

Meia hora depois ele estava na minha casa, terminando o que começou no banheiro do bar. O cara era um vulcão explodindo de desejo.

Sem outra opção mais prudente que a de me entregar, abri os braços e pulei do penhasco sem paraquedas mesmo.

O bom é viver os momentos da vida com toda a sua intensidade, não é isso?

Então. Foi o que eu fiz.

Acordei na manhã seguinte para trabalhar e ele ainda dormia nu ao meu lado. Fiquei maravilhada com aquela visão. Meu coração bateu mais rápido e constatei que estava apaixonada por ele.

Uma droga, obviamente. Pois previ o que eu viveria pela frente.

Ignorando minhas previsões e feliz com aquele momento, preparei um café da manhã para nós dois usando minhas louças quase nunca usadas e fui acordá-lo.

Ultimamente estou vivendo assim: aproveitando o máximo quando a felicidade vem me visitar.

– Bom dia – sussurrei em seu ouvido, depois de escovar os dentes.

Ele nem se mexeu.

– Eeeeeeeeeeeei, bom diiiiiiiiiiiia – cantei deslizando meu dedo por suas costas. Vi sua pele se arrepiar. – Oooooi – gemi em seu ouvido. – Acorda, seu preguiçoso. Hora de ir trabalhar.

Ele se virou, espreguiçando-se. Olhou para mim e sorriu. Achei Marcelo lindo com aquela cara de quem dormiu muito. Os cabelos bagunçados, os olhos inchados, a barba apontando numa penugem cinza...

– Onde fica o banheiro? – perguntou com ares de menino.

– Primeira porta à esquerda.

– Não se mexe que eu já volto.

Moro num microapartamento que comprei, em parcelas, da minha mãe (sim, eu fiz questão de comprar). Moro sozinha desde que me formei em fisioterapia.

Adoro minha casa. Ela é arrumadinha, bonitinha, cheia de enfeites fofos distribuídos em móveis cuidadosamente escolhidos por mim. Minha casa, assim como eu, sempre esteve à espera de um ser do sexo masculino para ser um lar completo.

"Será que desta vez eu o encontrei?", pensei rolando na minha *king size* novinha.

"Ô, meu Santo Antônio, bem que você podia ser legal comigo. Estou merecendo muito. E esse candidato aí seria perfeito para um... Aham... Matrimônio?!"

– Tudo bem. Não vou abusar. Um namorado já está bom – sussurrei para o Santo Antônio que fica na minha mesinha de cabeceira.

Tem um na gaveta também, mas aquele eu arranquei o braço e prometi só colá-lo quando Freddy Krueger viesse se arrastando pedindo perdão por ter sido tão canalha comigo.

O que nunca aconteceu, porque o santo continuou recluso na gaveta.

"Preciso tirar o coitado de lá", anotei mentalmente.

Marcelo voltou enrolado na minha toalha felpuda cor-de-rosa sorrindo para mim. Seu sorriso anunciava que ele iria aprontar alguma coisa.

Ai, como adoro esses minutinhos de suspense sensual!

Eu estava deitada com um conjunto de calcinha e sutiã cuidadosamente escolhido para a ocasião.

Confessando: Tenho uma gaveta cheinha de lingeries só para essas "ocasiões". Adoro me vestir especialmente para esses encontros românticos. Às vezes, gosto mais de comprar a lingerie do que de vestir. Mas quem precisa saber disso?!

Só não gosto quando eles arrancam a calcinha e o sutiã feito uns trogloditas, sem nem ao menos percebê-los. Se soubessem a grana que gasto com essas coisinhas, passariam uma meia hora só admirando as rendas, as fitas, o tecido... Por outro lado, dizem que homem que entende de tecido, sei não, só falta conhecer a cor fúcsia ou terracota.

Seria melhor que ele admirasse outra coisa.

– Bom dia, gatona mais linda – murmurou com uma voz rouca e enlouquecedora.

Flutuei com seu elogio e me coloquei de pé para lhe dar um beijo.

Ele respondeu minha iniciativa com seu superbeijo arrebatador, me incendiando por dentro.

– Vou fazer você sorrir o resto do dia – prometeu, me empurrando com as mãos, e eu caí deitada na cama.

Lentamente desatou a ponta da tolha que estava presa na cintura e ela caiu no chão. Admirei seu corpo. Sua cara de menino levado me olhando com desejo, e eu sorri assim que senti seus lábios repousando sobre o meu pescoço. Seu hálito fresco e sua pele molhada com o cheiro do meu sabonete me envolveram por completo. Esqueci que dia da semana era, que tinha clientes esperando por mim e me entreguei mais uma vez.

Depois disso, tomamos café juntos e conversamos sobre diversos assuntos. Ele me contou que morava com os pais, tinha vinte e cinco anos (três anos mais novo que eu), não trabalhava porque ainda estava estudando Engenharia e estava solteiro há algum tempo – o que me deixou bastante animada.

– E como é a sua faculdade? – perguntei querendo saber mais.

Achei superestranho ele estar com vinte e cinco anos e ainda estar no terceiro ano de Engenharia. Mas não quis perguntar sobre isso no momento. Achei melhor esperar ter mais intimidade para entrar nesses assuntos.

– Normal – respondeu ele dando de ombros.

– E na sua sala tem mais meninas ou meninos?

– Não entendi a pergunta, gatona.

– Só queria saber se tem mais mulheres ou mais homens na sua sala – falei tentando disfarçar.

– Tem mais meninas.

– Ué, pensei que em Engenharia tivesse mais homens.

– Não na minha turma.

– Ah – disse eu, meio desanimada.

Marcelo, solteiro e charmoso em uma sala cheia de mulheres... Nada bom.

– E aí, rola alguma coisa com alguma menina da sua sala? – Não consegui deixar de perguntar.

– Está com ciúme, gatona?

Adorei ouvir "gatona" na voz rouca dele.

– Eu? – gritei. – Imagine. Só curiosidade.

Antes de ir embora, ele me passou seu número de celular (sem eu pedir. Uau, que progresso!) e combinamos de nos encontrar na próxima quinta-feira.

Assim que fechei a porta, corri para o telefone para contar para Manu:

– Preciso tanto lhe contar umas coisas. Ai! – suspirei. – Estou tão feliz que nem estou cabendo em mim – despejei superempolgada.

– Conte logo – pediu eufórica, prevendo uma fofoca das boas.

– Marcelo.

– Xiii.

– Marcelo dormiu de ontem pra hoje aqui em casa. Acabou de sair.

– Ele ligou pra você?

Certo, chegou o momento em que eu não posso mentir, senão me embanano toda. Sou obrigada a contar a verdade. Mesmo porque mentir para a melhor amiga é muito feio.

– Não.

– Não? E como vocês se encontraram então?

– Eu fui naquele bar em Sousas, onde nós estávamos no dia em que o conheci.

– Quando?

– Ontem.

– Com quem?

– Sozinha.

– Você foi sozinha? Com um carro que vive pifando? Você pirou, Nina?

Lá vem mais sermão.

Contei toda a história para Manu. Ouvi o que tinha que ouvir, quieta e sem reclamar.

Uma das minhas grandes virtudes é saber ouvir e ficar quieta quando me comporto mal. Pode crer. Ainda mais quando é Manuela que está me passando um sermão.

– Então, a gente vai se encontrar na quinta de novo – disse eu animada.

– Mas quinta é a Noite do Batom. Nossa noite é sagrada! – protestou ela.

– Ai, Manu. Dessa vez eu não vou. Vai com a Pam.

– Nina, você mal conhece o cara e já está nos deixando de lado por causa dele. Lembre-se de todas as vezes que você fez isso e no que deu. É só o que eu tenho pra lhe dizer.

Sabia que ela estava certa e tenho total consciência disso.

Mas sabe como fica uma mulher quando está loucamente apaixonada por um homem?

Cega e burra.

Assim como eu estava no momento.

E, quando a quinta-feira chegou, ele passou na minha casa para me pegar. Curtimos a noite, dormimos juntos e passamos o fim de semana grudados, namorando no meu apartamento.

Nem trabalhar na sexta eu fui. Cancelei todas as minhas clientes, alegando uma cólica insuportável, para ficar com Marcelo.

Na segunda, ele voltou para a casa dele eu para minha rotina de trabalho.

Apesar de ter estudado Fisioterapia, trabalho mesmo como massoterapeuta e tenho uma clínica especializada em shiatsu, reflexologia e massagem tântrica, onde eu atendo de segunda a sexta.

Minha agenda para aquela segunda estava lotada e todas as minhas clientes perguntavam se eu havia visto um passarinho verde (e se tinha melhorado da cólica).

Meu sorriso e minha cara de felicidade denunciavam que eu estava apaixonada, e que, embora não fosse verde, eu havia visto sim um "passarinho", que nem era tão pequeno assim.

Rá! Quando estou apaixonada eu fico muito engraçadinha.

– Me conte tudo sobre esse cara – pediu Melanie, uma cliente antiga e patricinha de primeira que recebe massagem todas as segundas e sextas.

– O nome dele é Marcelo, tem vinte e cinco anos, mora com os pais e cursa Engenharia na Unicamp. Ele é um gato, Mel – exagerei, feliz demais. – Superdivertido, gente boa...

– Qual o sobrenome? – perguntou. Melanie tem mania de perguntar o sobrenome das pessoas. Se o sobrenome for de família rica, importante, a pessoa é boa. Se não for, perde o interesse na pessoa rapidinho.

– Montenegro. Marcelo Montenegro.

– Fuja que é fria.

– Como? – perguntei sem entender.

– Esse cara é um playboy, um galinha de marca maior. Fuja que é fria! – aconselhou Melanie.

– Você o conhece? – perguntei curiosa.

– Claro que o conheço. Eu e metade das mulheres de Campinas. Vai por mim, ele é um mulherengo. Não quer nada com ninguém.

– Ele pode ter sido isso... um dia. Mas, agora, estamos namorando – menti consciente.

Confessando: Passar o fim de semana grudados não significa que ele tenha me pedido em namoro.

– Nina, Marcelo não namora, ele fica. Escuta o que estou dizendo.

– As pessoas mudam – me ouvi defendendo quem eu não devia. – Além do mais, ele está super a fim também e nós estamos muito bem – afirmei, não me deixando intimidar por aquelas revelações horríveis que Melanie fez dele.

"Será que ela já ficou com Marcelo? Ou será que ela está interessada nele?", pensei alarmada.

– Vocês por acaso, assim... – comecei tentando confirmar minhas suspeitas – já namoraram?

– Nããão! – exclamou. – Nunca dei bola pro Marcelo. Apesar de ele ter tentado diversas vezes. Não me leve a mal, mas acho ele horrível, sem graça e mulherengo.

Certo, pra cima de mim? Apostei que ela era a fim dele.

Parei de mover minhas mãos no momento em que percebi o velho conhecido sentimento se aproximando. Sei que não tinha motivos. Mesmo que tivesse rolado alguma coisa entre eles, era passado e, agora, Marcelo estava comigo. Tentei pensar dessa forma, mas não consegui evitar o ciúme que senti só de imaginar os dois juntos. Claro que Marcelo daria em cima dela. Tão linda, culta, jovem e rica.

Quem eu era diante de Melanie? Uma simples massagista que mora sozinha e rala o dia inteiro para pagar as contas.

Minha insegurança mal me deixou trabalhar. Terminei a massagem de Melanie ouvindo todas as histórias que ela sabia de Marcelo e controlando meus sentimentos e minha boca para não falar nada que a magoasse.

Assim que ela saiu, liguei para ele. Minha necessidade de ouvir sua voz e confirmar que ele estava gostando de mim era palpável e me deixava inquieta.

O telefone tocou umas cinco vezes até ele me atender:

– Oi.

– Quem é? – perguntou ele.

– Sou eu. – Ri nervosa por ele não reconhecer a minha voz. – Nina.

– Oi. O que manda?

"O que manda?", pensei, ficando cada vez mais alarmada ao ouvir vozes femininas ao fundo.

– Onde você está Marcelo?

– Só um minuto – pediu ele.

Depois de uma longa pausa, ele voltou a falar:

– O que foi, gatona? – perguntou de forma mais carinhosa.

– Só queria saber como você está.

– Estou bem. Da mesma forma como você me viu hoje pela manhã.

– Eu só... Bem, eu liguei só para dizer que adorei o fim de semana.

– Beleza, gata. A gente se vê por aí. Se cuida.

E desligou o telefone.

Não era bem isso que eu queria ouvir dele.

Puxa, passamos momentos bons e nos curtimos muito durante o fim de semana. Por que me tratar de forma tão fria?

Fiquei arrasada. A alegria que estava sentindo sumiu. Me senti sozinha nesta cidade com mais de um milhão de habitantes. Senti frio. Senti meus pelos ficarem arrepiados.

Sei bem o nome desse momento: medo de ficar sozinha. Medo da solidão.

Tentei meditar para tirar da minha mente os pensamentos indesejados. Para buscar um equilíbrio. Para tentar me manter, de alguma forma, em paz.

Coloquei uma música guiada específica para meditação. Diminuí as luzes e me sentei na posição de lótus.

Fechei os olhos e me deixei guiar pela música:

– Imagine que você está em um jardim todo florido – falou a guia da meditação.

"Certo, jardim florido. Concentre-se, Nina, num jardim florido", ordenei ao meu pensamento.

"Por que Marcelo me tratou daquela forma?", um pensamento indesejado invadiu minha mente.

"Não, Nina! Jardim florido. Jardim florido. Tenho que pensar num jardim florido. Estou num jardim... Ótimo! Consegui visualizar o jardim."

– Agora, ande calmamente pelo jardim sentindo o aroma das flores – falou a guia novamente.

"Ele deixou bem claro que adorou ficar comigo", outro pensamento indesejado aflorou fora do jardim. "Que espécie de jogo é esse que ele está fazendo, afinal?"

– Sinta a paz que emana desse jardim – falou a guia me trazendo para a meditação.

"Droga! O jardim sumiu. Jardim florido... Cadê o meu jardim florido?"

De repente um bando de escovas de dente invadiu meus pensamentos. "De onde vieram essas escovas? Estou procurando o raio do jardim florido!"

E para completar a tragédia, a campainha tocou anunciando a próxima cliente, então, interrompi a tentativa frustrada de meditar. Os pensamentos, porém, permaneceram em minha mente.

Eu a atendi, falando apenas o necessário. Sendo simpática na medida do possível. Mais do que isso era pedir muito para mim.

Quando ela foi embora, o que me pareceu levar uma eternidade para acontecer, eu liguei para Marcelo novamente.

Ele não me atendeu e deixei recado na caixa postal:

– Oi, Má. Sou eu, Nina. Me liga quando ouvir a mensagem.

Dez minutos depois tornei a ligar. Caixa postal de novo.– Má, por favor, me liga. É urgente!

Sei que isso é insano, ligar desesperadamente para um cara e sem um motivo real. Mas vai explicar isso para a minha insegurança.

Meu coração gritava por ele. Pedia por alívio e eu precisava atendê-lo.

Minha próxima cliente ligou avisando que se atrasaria cinco minutos. Iria bagunçar toda a minha agenda, mas que se dane. Estava mesmo era aliviada por ter ganhado uns minutinhos livres para tentar falar com Marcelo, caso ele me ligasse ou me atendesse.

Minutos se passaram e nada de ele me ligar. Tornei a apertar a tecla redial do meu celular. Chamou até cair na caixa postal. Dessa vez, não deixei recado. Decidi mandar uma mensagem de texto:

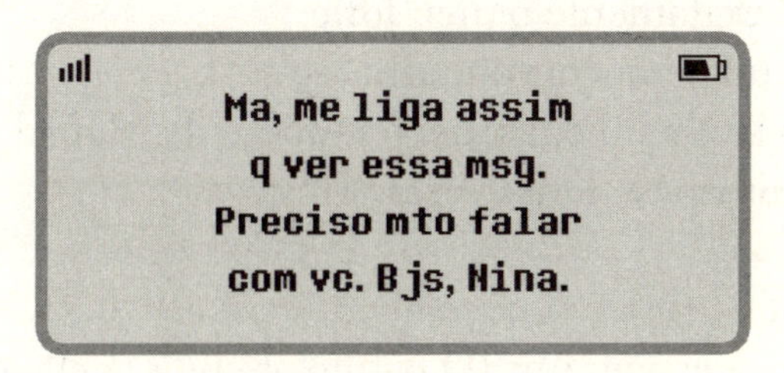

A cliente por fim chegou. Coloquei o celular para vibrar e o guardei no bolso.

– Olá, tudo bem? – cumprimentei-a. – Entre.

– Oi, querida. Está tudo bem, e com você?

– Ai... – Soltei um longo suspiro. – Indo.

Comecei meu ritual de preparo para executar a massagem, ouvindo-a contar sobre sua semana. Discretamente, verificava o celular para ver se Marcelo tinha respondido aos meus chamados.

Nada dele.

A angústia só crescia em meu peito.

– Nina, você está bem? – ela me perguntou a certa altura. – Parece que algo está incomodando você, ou é só impressão?

Eu juro que não entendo clientes que pagam uma nota preta numa sessão de massagem relaxante e, em vez de relaxar, preferem tagarelar a sessão inteira.

– Estou tentando falar com meu namorado, mas ele não me atende – contei.

Já que ela queria falar, vamos falar. Melhor para mim, que desabafo minhas neuras.

– Estou preocupada achando que aconteceu algo – continuei. – E eu, pessimista do jeito que sou, sempre penso no pior – menti para não parecer uma doida obcecada por um cara.

– Liga de novo – sugeriu ela com a cara enfiada no buraco da maca.

– Já liguei diversas vezes.

– Tentou ligar com o ID oculto?

– Como faço isso?

– Me empresta seu celular – pediu levantando o corpo.

Passei o aparelho para ela.

– É assim: entra nessa função, escolhe "ocultar ID". Confirma. E pode ligar que ele não vai saber que é você quem está chamando.

– Você me dá um minutinho? – pedi animada com aquela descoberta. Tecnologia não é exatamente o meu forte.

– Claro, querida, fique à vontade.

Corri para o banheiro e disquei o número de Marcelo.

Chamando uma vez. Duas vezes. Três...

– Alô?

Ele atendeu!

Como pude viver sem um ID oculto até hoje, pelo amor de todos os meus Santos Antônios?

– Oi, Marcelo. Sou eu, Nina.

Ele não falou nada.

– Marcelo?

– O que você precisa de tão urgente?

– Só queria saber como você está e... Bem, queria saber por que desligou daquela forma.

– Estou ótimo, Nina. Qual o motivo de tantas ligações?

– Onde você está?

– Por quê?

– Só pra saber.

– Se não tem nada urgente, então, tchau.

– Ei, pera aí! Não desliga!

– Nina, não estou entendendo. Estou na faculdade. O que você quer, afinal?

– É que estou com saudade e queria dar um "oi".

– Oi... e tchau.

– Quando a gente se vê novamente?

A linha ficou muda e eu murchei mais ainda.

À medida que as semanas foram passando, fui me afundando em uma tristeza gigantesca. Marcelo, às vezes, aparecia em casa e ficávamos juntos para, logo em seguida, desaparecer alegando estar sobrecarregado com a faculdade.

Cobrava dele uma posição. Pedia que me assumisse como sua namorada, cobrava a mesma dose de sentimentos que eu dava a ele... Mas ele nunca me correspondia. Apenas ficava comigo.

A essa altura, eu já havia me envolvido demais e não tinha coragem de romper. De colocar um fim. As migalhas me faziam bem.

Afinal, por que o amor tem de ser algo tão triste?

Pâmela e Manu, como sempre, vieram em meu socorro e tentaram me tirar da depressão em que estava me enfiando.

Em certo momento da Noite do Batom, elas tocaram em minha ferida sem dó nem piedade:

– Nina, você está dependente desse cara. Só você não enxerga isso – me alertou Manu. – Você parece uma viciada. Esse cara é sua droga.

– Eu li algo a respeito uma vez – disse Pam. – Você é uma mulher que ama demais.

– Eu?

– Sim. Pesquise na internet. Você vai encontrar vários sites com depoimento de pessoas que passam por situações assim – contou ela.

– O cara só pisa em você, só a usa e você o ama e ama e ama... Isso é doença, Nina. Sai dessa enquanto é tempo – aconselhou Manu.

– Me ensina como saio dessa! – exclamei, sem ouvir respostas satisfatórias.

Também seguia com meu trabalho porque dependia dele para pagar minhas contas. Levantar cedo, dirigir, abrir a clínica, atender as clientes ocupava a minha cabeça, e assim os dias passavam.

Só não conseguia me desligar dele.

Eu o amava demais. Mais que tudo. Mais que a mim mesma.

Manuela estava certa. Marcelo era meu vício. E assim como tudo que vicia, eu tinha muito mais malefícios que benefícios.

E o que era ainda pior: eu tinha total consciência e seguia me alimentando daquele vício com pensamentos indesejados, com fantasias ligando ele a outras mulheres, só para fortalecer ainda mais meu ciúme doentio.

Certo dia, ele chegou na minha casa, já de madrugada, cheirando a álcool e perfume barato. Eu perdi o controle:

– O que você quer aqui? – perguntei quando abri a porta.

Ele já tinha feito amizade com o porteiro, que o deixava subir sem me avisar.

– Você. Quero você todinha – avisou tentando abrir meu roupão.

– Ei, que cheiro é esse? Onde você estava?

– Não é hora de perguntas. Vem cá, vem? Estou doido de saudade.

Ele me agarrou à força e tentou me arrastar para o sofá. Eu tentava me libertar, porém, ele segurava meus braços firmemente atrás das minhas costas.

– Nada nem ninguém é igual a você – sussurrou com a voz pastosa por causa da bebida.

– Que cheiro de mulher é esse? Me larga! – gritei tentando me desvencilhar. – Você estava com outra, Marcelo?

– Não significou nada pra mim. Foi só um aperitivo. O prato principal vem agora.

– O quê?

Ao ouvir aquilo, eu virei um bicho enlouquecido de ciúme. Peguei um vaso de metal que estava na mesinha de canto e bati na cabeça dele.

– Você está louca! – berrou Marcelo me soltando com a pancada. – Cacete! Doeu!

– Você é meu. Meeeeeeu!!! – berrei descontrolada. – Não quero dividir você com ninguém. Por que você faz isso comigo? Por quê? – Comecei a chorar descontroladamente. – Por que não me assume? Por que a gente não tem um relacionamento normal, como todo mundo?

Ele me olhava alarmado, com a mão na cabeça, sem reação.

– Você não vê o mal que me faz? Não enxerga isso? – falei mais uma vez.

Marcelo tentou me acalmar dizendo que a garota não tinha significado nada para ele. Que estava bêbado e arrependido do seu erro. Prometeu que não sairia mais do meu lado, que me amava e que só eu era importante em sua vida.

Depois que consegui me acalmar, dormimos juntos e eu o perdoei.

No dia seguinte, ele saiu quando eu ainda dormia. Previ, por já estar calejada, que a mesma rotina de não atender minhas ligações e nem dar satisfações voltaria nos próximos dias e que eu ficaria esperando por ele todas as noites, sofrendo feito uma idiota.

Sou uma mulher que ama demais. Me sinto dependente dele e não estou conseguindo me libertar dessa espiral que me suga sempre para baixo.

Poeira

Meu dementador particular: A indiferença de Marcelo por mim.
Um momento bom: Quando respirei.

– Que tal Hannibal Lecter? – sugeriu Pâmela.

– Caramba! Esse é o pior dos vilões – admirou-se Manu sorrindo. – O que acha de Coringa? Adoro o Coringa. Aliás, adoro todos os filmes de super-heróis. Batman, Homem-Aranha, Homem de Ferro... Deus, como adoro o Homem de Ferro. E sempre torço para os vilões... Sou estranha, eu sei – falou quando viu nossas caras.

– Aí! Coringa é uma boa – disse Pâmela.

– Gente, para tudo! – anunciou Manuela toda eufórica. Encontrei o vilão perfeito: Lord Voldemort.

– Quem é esse tal de Lord Voldemort? – perguntei.

– O vilão da série Harry Potter. Vai dizer que você não conhece?

– Nunca ouvi falar.

– Em que mundo você vive? – perguntou Manu com uma voz indignada.

– Hannibal Lecter é perfeito, gente – insistiu Pam.

– Ah, sou mais Lord Voldemort – defendeu Manu batucando vitoriosa na mesa, certa de sua escolha.

– Nina desempata. Vota em quem: Coringa, Hannibal Lecter ou Lord Voldemort para ser o vilão na pele de Marcelo?

– Marcelo nem é tão mau assim. Não tem outro mais bonzinho?

– Marcelo não é mau? Ah, claro, eu e Manu é que somos. Então, quem vai ser?

– Coringa – disse com minha voz abafada.

Estávamos no Único, nosso bar favorito, na Noite do Batom, tomando umas bebidas e comendo iscas de peixe. Manu e Pâmela, para variar, bebendo mais do que deviam e falando mal dos homens. Marcelo era o assunto preferido delas.

– Um brinde ao Coringa! – exclamou Pâmela levantando o copo.

– Aos vilões de Nina.

– Sorte que temos senso de humor – disse me rendendo ao ataque. – Aos meus queridos e amados vilões. – E levantei meu copo de suco de clorofila.

– Brinda direito, mulher. Pede um chope e para com essa mania de beber suco de grama! – ralhou Pâmela. – Que coisa mais insossa.

– Suco de clorofila elimina os odores...

– ... O mau hálito e rejuvenesce a pele – disseram em coro.

– Já sabemos dessa baboseira toda. Só que para engolir esses trastes que você arruma, só com muita cerveja. Ei, Ceará – Pâmela chamou nosso garçom. Sim, nós tínhamos um. – Traga um chope para nossa amiga natureba, por favor?

– Um chopinho pra Nina? E ela vai beber hoje? Raridade! – quis saber o Ceará exibindo seu dente de ouro.

– Ela vai sim, Ceará. Nem que eu tenha que dar na colher – garantiu Pâmela.

Eu estava ali batendo papo, tentando me divertir, levando tudo na brincadeira, mas, no fundo, meu coração estava aos pedaços. Fazia uma semana que não tinha notícias de Marcelo. Uma semana de e-mails sem respostas, de torpedos ignorados e de ligações não atendidas.

Estava para ficar louca com tanta indiferença.

– Já pensou em se benzer? – perguntou Pam, depois que Ceará trouxe o meu chope. Disfarçadamente, eu jogava pequenas quantidades do chope no vaso de planta que estava ao lado da minha cadeira. Não estava no clima festivo daquela noite.

Nem queria ter ido, para falar a verdade. Mas a Noite do Batom é sagrada para nós três. E, mesmo sem vontade, eu estava ali.

– Me benzer?

– Você só arruma homem enrolado. Desde que conheço você, é assim. Na escola, todo garoto que você gostava ou estava namorando ou era da turma barra pesada.

– Que tal falarmos de Manu? – sugeri tentando um jeito de sair da lâmina do microscópio.

Ser avaliada é algo que me incomoda.

– Que tal a gente fazer a lista dos vilões de Nina? Podemos enumerá-los por nível de maldade. Seria divertido – sugeriu Manu escapulindo pela tangente.

Essa é outra que também não gosta muito de ser avaliada.

– Eu tenho papel e caneta. – Animou-se Pam abrindo a bolsa de marca e tirando de dentro uma caneta bonita e um bloco de papel com seu nome timbrado na capa. Eu achei esse bloco simplesmente o máximo.

– Me dá que eu escrevo – pediu Manu. – Começamos com quem?

– Com o vilão dos vilões: Lúcio Darth Vader. O traste-mor-dos-infernos. O bonitão só queria saber da vida boa. Atirava para todos os lados, dava golpe nas menos avisadas... Aliás, atirava para todos os lados e cortava para todos os lados também. O golpe era nas menos e NOS menos avisados!

– Como eu, por exemplo – completei com raiva.

– Que nojo! – disse Pâmela, franzindo seu pequeno e perfeito nariz.

– Definitivamente ele é o número um. O resto perto dele é aprendiz de vilão, amigas – disse Manu enquanto escrevia. – Ele é o cara! Aquele que suga uma pessoa sem dó.

– Gente, ele poderia ser o Drácula? – perguntou Manu, muito animada.

– Manu, não complica. Lúcio já tem apelido.

– Ok.

– Nina, você aprendeu? Nunca mais vai cair no golpe do baú, certo? – perguntou Pâmela segurando minha mão.

– Certo – afirmei, aliviada por ter escapado, quase ilesa.

Me senti no lucro saindo dessa só com um coração despedaçado e um sentimento de humilhação debaixo do braço. Poderia ter sido bem pior. Segundo Pam, esses golpistas não se contentam em apenas despedaçar corações. O que eles adoram mesmo é estourar nossos cartões de crédito, arrombar nossas contas bancárias e deixar nossos nomes na praça mais sujos que pau de galinheiro.

Pelo dito, Pâmela sabia muito bem sobre golpistas e tudo mais. Fiquei até com medo do que eu poderia ter sofrido na mão do cafajeste-mor.

– Muito bem. Que Lúcio Darth Vader encontre alguém que lhe passe a perna, ou qualquer coisa que o valha, e o deixe só de cuecas na rua da amargura. Ao imbecil-filho-da-mãe. – Pâmela ergueu seu copo sugerindo um brinde.

– Ao imbecil-filho-da-mãe – gritamos juntas.

O bar inteiro olhou com curiosidade e nós rimos.

Ah, como me fazia bem sorrir! Há muito que não ria com vontade. Ultimamente eram só lágrimas e mais lágrimas.

Cruz-credo!

– Em segundo lugar, está nosso querido e odiado Marcelo Coringa.

– Sei que ele não vale um centavo, mas eu o amo – choraminguei. – Que ódio de mim mesma. Por que eu sou tão estúpida? Expliquem.

– Calma, amiga – me consolou Manu. – Vamos exorcizar o cafajeste desse seu coração idiota e que não aprende nunca. Vai escutando: Marcelo é um grande canalha?

– Sim – concordei contrariada.

E ele era mesmo. Eu tinha total consciência disso.

– Enrola você feito idiota?

– É...ele me enrola sim.

– Só quer saber de você quando não encontra ninguém disponível?

– Jura que você pensa assim? – perguntei chocada. – Ele está na faculdade, é normal ter milhares de festinhas para ir e encher a cara de álcool. Ele é muito ocupado – falei tentando defender Marcelo de alguma forma.

Eu me agarrava com unhas e dentes em qualquer fiapo de uma justificativa para defender o comportamento de Marcelo.

Na verdade, estava defendendo o meu coração, surrado por amar quem não merecia.

– Nina, você está se iludindo. E, francamente, essas desculpinhas não colam. Acorda, amiga! Estamos cansadas de falar todo dia a mesma coisa e ver você insistindo nesse relacionamento doentio.

Lancei um olhar assustador nível cinco para Manu.

– É, Nina, já não sabemos como ajudar você. A iniciativa precisa partir de você – falou Pam.

– Acho que não tenho direito de cobrar nada dele. Nem namorados nós somos – tentei justificar mais uma vez.

– Então você vai ficar se contentando com migalhas? Até quando? Até ele arrumar outra e lhe dar um pé na bunda? O cara é um cafajeste. *Não vale nada* – disse Pam, dando ênfase às últimas palavras.

Olhei para minhas amigas sem dizer nada, chocada com a verdade tão velha e conhecida daquelas palavras.

Fez-se uma pausa. Olhamos para os lados. Bebemos de nossas bebidas, ajeitamos os cabelos e Pam quebrou o silêncio:

– Tudo bem. Não vamos mais insistir no assunto. Eu e Manu tínhamos prometido não tocar mais nisso, né, Manu?

Manu concordou com um aceno de cabeça. Sua expressão era triste.

– E nós viemos aqui hoje para nos divertir. Para esquecer os problemas e falar besteiras. Não é isso?

– Isso mesmo – disse Manu. – Esse é o objetivo desta noite.

– É verdade – concordei.

– Então, voltando aos vilões... – Ela bebeu seu chope. – Por toda essa enrolação que Marcelo tem feito com você, nós o promovemos a Coringa, o vilão número dois. Que o safado sofra tudo o que Nina está sofrendo por ele. Cafajeste-sem-alma-e-sem-sentimentos! – falou Manu erguendo seu copo novamente.

– Cafajeste-sem-alma-e-sem-sentimentos! – entoamos juntas, atraindo os olhares curiosos do bar mais uma vez.

– Ai, como adoro isso. Próximo? – pediu Pam rindo.

– José Carlos, vulgo Zeca. Um tipo que se faz de bonzinho, bom moço, amigo de todo mundo. Bom de papo.

– Contador de piadas – acrescentou Pam.

– Popular e festeiro – contribuí.

– Só que, na primeira oportunidade que tem longe da namorada, ele abre as asinhas e xaveca descaradamente a melhor amiga da namorada.

– Sem ficar vermelho, sem gaguejar... É pra acabar! – comentou Pam.

– Um safado, isso sim – afirmei com raiva.

Zeca foi um namorado que durou alguns meses. Eu o conheci quando fazia aulas de forró em uma academia de dança.

Confessando: As aulas de forró eram nada mais que uma desculpa para conhecer rapazes solteiros em busca de um relacionamento sério. Só achei rapazes casados, enrolados e em busca de curtição. Ah, e um que sabia tudo de tecido, já viu, né? Estava buscando o mesmo que eu.

Zeca era mais novo que eu, cheio de energia, bom humor e com um ótimo papo. Ele, com sua ginga e voz sedosa, me conquistou de primeira. Me apaixonei, me entreguei e, como sempre, me ferrei.

O galinha deu em cima de Manu na primeira vez em que saiu sem mim. Dá para acreditar?

Na época, Manu também fazia aulas de forró comigo. Depois da aula, ele pediu carona para ela, pois seu carro (supostamente) havia enguiçado. No caminho, ele tentou seduzi-la com suas frases prontas, seu charme irresistível e sua voz de veludo. Manu teve um ataque dentro do carro e mandou ele ir a pé para casa. Me ligou na mesma hora contando tudo e eu, que estava em Araraquara visitando minha mãe, voltei no dia seguinte, terminei com ele e sofri maus bocados nos meses seguintes.

– Zeca Freddy Krueger é o vilão número três. Safado-sem-vergonha-de-uma-figa!

– Safado-sem-vergonha-de-uma-figa! – Brindamos e entornamos nossos chopes. Esse eu bebi.

– Antes do Zeca, eu namorei o Nilton...

– Que era noivo e morava em Piracicaba – completou Manu.

– O próprio. Gente, por que os homens me enrolam tão facilmente? Onde estou errando?

– Por que você se apaixona pelo primeiro que dá mole pra você? Ou porque você está tão desesperada para casar que aceita qualquer traste que aparece? – arriscou Pam com certa maldade.

– Não é assim, né?

– Nããão – zombaram elas, rindo escandalosamente.

– Nilton era outro safado. O cara era noivo e enrolou você por quanto tempo mesmo?

– Quase um ano. E eu só descobri porque mandei um recado todo romântico para o celular dele e a noiva pegou em uma vistoria de rotina.

– Ela ligou pra você, não foi isso?

– Sim. Ela me ligou para saber quem eu era e por que estava com saudade do noivo dela.

– Já pensou que situação! Duas mulheres sendo enganadas por um tipo que se achava o garanhão. Como os homens são doentes! – exclamou Manu.

– Me sinto vingada só de saber que a outra, a oficial, também deu um pé naquela bunda magra dele.

– Bem feito! – comemorou Pam.

– Ele é o vilão número quatro. Todas de acordo? – perguntou Manu tomando nota no bloco de papel.

– Só que ele não tem apelido ainda. Quem ele vai ser?

– O Lord Voldemort? Por favor? – pediu Manu.

– A Cruela? – arrisquei.

– Não, não. Nada disso. Ele vai ser Lex Luthor. É perfeito – informou Pam.

– Que tal Chucky, o brinquedo assassino? – sugeri rindo. – Ele tinha uma cicatriz perto da sobrancelha, lembram?

– Eu morria de medo do Chucky, sabia? Nunca vi esse filme todo porque tinha medo de sonhar com ele depois – confessou Pâmela.

– Lex Luthor, então? – perguntou Manu.

– Perfeito.

– De acordo, Nina?

– Totalmente.

– Então, Nilton Lex Luthor é o nosso vilão número quatro. Canalha-salafrário-galinha!

– Canalha-salafrário-galinha! – Bebemos nosso chope geladinho que Ceará, com sua eficiência habitual, já havia recolocado em nossa mesa.

Fazia tempo que eu havia parado de dar cerveja para a planta. Beber para exorcizar aqueles trastes me pareceu a melhor solução no momento.

– Quem mais?

– Eu colocaria aquele seu namoradinho da faculdade.

– Qual?

– Aquele esquisito que só andava de camiseta azul. Nós o apelidamos de O Menino da Camiseta Azul. Lembram?

Nesse instante, começamos a cantar:

– "Te dou meu coração. Queria dar o mundo. Luar do meu sertão. Seguindo no trem azuuuuuuuul..."

Temos mania de cantar. Temos uma música, um melô, um jingle para tudo. Nada passa batido.

– Caraca! O Menino da Camiseta Azul! – exclamei rindo a beça. – Gente, como não nos lembramos dele? Namorávamos há um mês ou dois. E eu estava superapaixonada por ele – falei olhando para cima, como se elas já não soubessem do fato.

– Novidade – ironizou Pam.

– Até o dia em que o peguei agarrando a professora de Inglês atrás da cantina.

– Maior papa-anjo aquela professora, vamos combinar.

– Quantos anos a gente tinha? Uns dezenove ou vinte? – perguntou Manu.

– Por aí.

– Alguém teve notícias dele? – perguntou Pam.

– Nunca mais – respondi.

– E quem quer saber de traste, amiga? Ele que vá se ferrar – completou Manu, indignada. – E, então, ele vai ser quem? Lord Voldemort?

– Tá bom, Manu. Ele vai ser esse tal de Lord Voldemort – concordei para alegria da minha amiga.

– Eeeeeeh! Lord Voldemort, Lord Voldemort – comemorou, fazendo uma dancinha. – Qual era o nome dele mesmo?

– Sandro – respondi.

– Sandro Lord Voldemort é nosso vilão número cinco porque não sabia se contentar com uma garota só. Pegava até a professora de Inglês que usava tênis Conga e achava que estava arrasando no visual. Ao magrelo-cabelo-de-milho-espinhento! – Brindou Manu.

– Ao magrelo-cabelo-de-milho-espinhento! – Brindamos juntas, sob o olhar das mesas a nossa volta.

– Próximo – pediu Pam.

– Chega! – pedi.

– Chega nada. Estamos lavando a alma. Isso vale muito mais que anos de terapia. Coloque tudo para fora e comece novamente.

– Estou sempre recomeçando, Pam.

– É verdade. Mas agora é diferente. Você está consciente e aceitando o fato de que só atrai caras errados.

– Vamos incluir Betão nessa lista? – sugeri ainda incerta se queria exorcizar Marcelo de meus pensamentos.

– Betão, da Manu? – perguntou Pam.

– Sim.

E começamos a cantar o melô do Betão:

– "João Roberto era o maioral. O nosso Johnny era um cara legal..."

– Ai, ai – suspirou Pâmela. – Bons tempos. Bons tempos.

– Betão também é um vilão – afirmei.

Johnny (apelido que Manu deu a Betão) conheceu Manu no último ano do ensino médio. Ele era o garoto dos sonhos das meninas do Barão de Campinas. O gato dos gatos, sabe como é? Lindo de morrer, parecia até um ator de Hollywood. Era atlético, jogava basquete no time da escola, tinha uma moto irada e era supercarismático.

Quase todas as meninas do colégio se derretiam por ele. Mas Betão foi cair de amores por Manu. Justo por Manu, que nem era a fim dele. Mas o destino quis assim: entre as garotas mais simpáticas do colégio, ele foi escolher a que não era a mais sociável. Só para as outras ficarem ainda com mais ódio da gente.

Eles namoraram uns dois anos e depois se casaram no civil – porque não tinham dinheiro para casamento no religioso – e fizeram uma recepção no salão de festas do prédio da mãe de Manu para os amigos mais íntimos. Pâmela e eu fomos madrinhas. Kau foi convidado para padrinho, mas recusou o pedido.

Depois que se casaram, Betão mudou de comportamento. Passou a ter um ciúme obsessivo por Manu. Controlava seus horários, telefonemas, e-mails... Tinha ciúme até de nós! Ele a sufocava, não a deixava sair sozinha, nem para ir ao mercado; se ela colocava decote, ele ralhava; se ela se arrumava melhor, ele dizia que era para outro homem; todo dia, quando ela entrava em casa, ele cheirava suas roupas procurando rastros de perfumes masculinos; rasgou fotos do passado dela, bilhetes de amigos e ex-paqueras, cartas ou qualquer outra lembrança dos ex-namorados dela. Brigavam muito e por qualquer motivo. Manu foi murchando com aquela obsessão. Sofria muito, chorava por não entender o porquê de tanta desconfiança.

Por várias vezes se separaram, voltando logo em seguida com as promessas de que Betão iria mudar.

Promessas vazias. Ele não mudava e continuava fazendo da vida de Manu um inferno. E o casamento, que era para ter sido um conto de fadas, virou uma história de terror. Eles se divorciaram pouco tempo depois que se casaram.

– Tudo bem que as pessoas mudam com o tempo – refletiu Pâmela pensativa. – Mas nunca imaginei que Johnny viraria aquele monstro obsessivo e ciumento. Ele era um cara tão legal, não era, Nina? – perguntou implorando para que eu concordasse. Todas nós adorávamos Betão antes do casamento.

– Ele era mesmo. Eu sinto a maior falta do humor ácido dele. Até hoje não entendo por que ele se transformou num monstro doentio.

– Não estamos falando de mim. Estamos falando de você e seus homens-trastes. Querem ver como ficou a lista de Nina? – perguntou Manu, fugindo do assunto.

Ela odiava falar de Betão e esse virou um assunto delicado, que geralmente trazia muitas lembranças ruins. E nós não temos permissão de trazer o assunto à tona toda hora, nem por pouco tempo.

– Manda – pedi bebendo o restinho do meu chope.

– Ficou assim:

Vilões da Nina

1. Lúcio Darth Vader
2. Marcelo Coringa
3. Zeca Freddy Krueger
4. Nilton Lex Luthor
5. Sandro Lord Valdemort

– Agora, vamos fazer a lista dos homens mais feios de Campinas? – sugeriu Manu, completamente empolgada com a ideia.

– Preciso ir embora. Sábado vou visitar minha mãe e quero dormir bem essa noite – informei, colocando um basta naquela exposição do meu passado.

– Então, vamos pedir a conta. Ceará – chamou Manu –, a conta, por favor?!

– Eu adorei, mais uma vez, estar com vocês. Me faz um bem enorme e me deixa supersaudosa. Às vezes, eu gostaria que o colegial tivesse durado o resto da vida – disse Pam, segurando nossas mãos.

– E eu queria que Kau estivesse aqui com a gente – comentou Manu. – Éramos tão felizes com nossos problemas de adolescentes.

– A gente era feliz e nem sabia, né? – falei embalada pela saudade da época do colégio e de Kau.

– Kau bem que podia mandar um sinal de vida de vez em quando. Eu me preocupo tanto com ele! – falou Pam.

– Toda noite eu rezo para que ele esteja bem – contou Manu.

Ficamos falando disso até a conta chegar. Nos despedimos de Pam, que foi para seu apartamento luxuoso no Cambuí. E Manu me deu carona até minha casa.

– Quer que eu vá com você visitar sua mãe?

– E seu salão?

– Eu deixo com a Debs, ela segura o tranco. Não tenho cliente exclusiva marcada... Se quiser, posso ir com você.

– Está bem. Penso em sair lá pelas dez da manhã e voltar domingo no final do dia.

– Pra mim está perfeito.

– Nos vemos sábado de manhã, então – disse em frente à porta da minha casa.

– Se cuida – disse Manu, dando partida no carro.

Toquei o interfone do meu prédio e esperei que o porteiro abrisse o portão. Nesse instante, um carro parou ao meu lado.

– Nina? Nina, espere? Vou entrar com você.

Era Marcelo correndo em minha direção. Barba por fazer, cabelos bagunçados, jeans surrados e camiseta branca. Seu perfume cítrico encheu o ar antes mesmo de ele chegar perto de mim. Fiquei paralisada e constatei que queria muito Marcelo. Eu o queria de forma violenta, urgente, apaixonada.

"Como eu amo esse homem!", pensei olhando seu rosto. E como eu queria estar envolta em seus braços agora para me sentir querida, amada e protegida.

Mas, antes que fraquejasse, eu disse:

– Hoje não. Vou viajar no fim de semana e preciso dormir.

– Não faz isso comigo – pediu ele com uma cara de magoado. – Eu deixo você dormir, depois de namorarmos um pouquinho.

Um pouquinho? Que insulto! Um pouquinho não serve, não basta e não me satisfaz. Quero muito. E sem a pressa de sempre. Quero repetir, quero preliminares, quero beijos demorados e palavras de amor. Quero que o dia amanheça com a gente ainda enrolado um no outro.

Minha nossa, estou surtando com a falta que sinto dele!

– Melhor você ir embora, Marcelo.

Ele se aproximou com seu andar cadenciado e me abraçou. Seu cheiro me invadiu. Suas mãos deslizaram por minhas costas fazendo minha pele se arrepiar. Meu coração, traidor de uma figa, pulsou mais rápido.

– Estou com saudade de você, sabia, minha gatona?

"Ai, gatona não. Não fala assim que eu fico toda mole e acabo cedendo", pensei meio zonza. O poder de sedução dele se misturava aos chopes que a planta não tomou.

– Por que você sumiu de novo? Estou há uma semana sem ver você – reclamei com a minha cabeça apoiada em seu peito.

– É a faculdade. Muita coisa pra fazer. Sabe como é – desconversou. – Vamos subir?

– Puxa vida! Mas nenhuma ligação? Nenhum torpedo? Você me ignora e parece que gosta de me ver sofrer.

– Não, gatona, não gosto de fazer você sofrer. Por mim, passaria todos os dias com você... Mas não dá. Tenha paciência que essa fase vai passar e logo a gente vai poder sair, namorar com mais calma.

– Odeio sentir ciúme de você, sabia? Odeio ainda mais saber que não posso abraçar você quando quero e outra pessoa pode.

– Não existe "outra pessoa", gatona. Para com isso.

– Vai para sua casa – disse tentando ser convincente e não me deixando levar pelos seus encantos.

Lógico que, por dentro, o meu desejo por ele gritava pedindo para que ficasse comigo. Acontece que eu estava a fim de encenar a difícil só para variar.

– Tem certeza? Olha só o que você está desperdiçando.

– Tenho certeza, Marcelo. Eu preciso dormir – disse me segurando em meus pilares de isopor.

– E quando eu vejo você, então?

– Volto domingo.

– Domingo estarei aqui e vou passar a noite todinha com você. Promessa de Marcelo – falou ele me dando um selinho. – Tchau, gatona.

– Tchau, Cor...

– Hã? Do que ia me chamar?

– Nada – disse rindo, me lembrando das meninas.

– Se não fosse tão difícil um nome masculino começado com "Cor" eu ia achar que é você que tem outro, hein? – disse sorrindo para mim.

E, sem pedir licença, segurou meu rosto com as duas mãos. As pontas dos dedos tocando minha pele despertaram uma onda de calor em meu corpo. Ele me olhou nos olhos. Murmurou "minha gatona" e me beijou. Aquele beijo que só ele sabe dar. Um beijo doce e firme que durou apenas alguns segundos.

Em seguida, foi embora sem olhar para trás. Para onde só Deus sabe. E tentei não pensar no assunto para não ficar o resto da noite em claro, me remoendo de ciúme.

Poeira

Meu dementador particular: a depressão da minha mãe.
Um momento bom: ter contemplado as estrelas.

Na manhã do sábado, eu não acordei no horário planejado e fiquei rolando na cama morrendo de preguiça e adivinhe? Pensando no *maledeto*. No traste. No meu Coringa de estimação.

Lembrei da frase que ele me disse: "Por mim passaria todos os dias com você... Mas não dá. Tenha paciência que essa fase vai passar e logo poderemos sair, namorar com mais calma". E não pude deixar de sorrir sozinha.

"Ele vai sair comigo. Vai me assumir e ficará tudo bem."

Um fio de bom senso que mora lá num fundinho muito escondido do meu inconsciente me dizia para não dar ouvidos às promessas vazias de Marcelo. Fio este que ignorei completamente.

"E se, dessa vez, ele estiver falando a verdade? E se ele estiver realmente em época de provas, trabalhos e aquela loucura toda de faculdade?"

Eu fiz faculdade e sei que passamos por tudo isso.

Estava decidido. Ia ignorar completamente esse fio de bom senso idiota e deixar meu coração sonhar com um mundo de novas possibilidades...

Dlim dlom. Dlim dlom. Dliiiiiiiim dlooooooom.

Pulei assustada com a campainha.

Era Manuela, pontualmente às dez horas e dois minutos, tocando a campainha de casa.

– Ainda assim? – perguntou ao me ver em uma camisola verde-clara.

– Bom dia para você também – disse, fechando a porta atrás de mim.

– Bom dia. Perdeu a hora?

– Acho que o despertador não tocou – menti. Menti não. Omiti o fato de que eu não o coloquei para despertar. Caso contrário, iria ouvir um discurso sobre respeito pelos horários combinados ou algo sobre falta de consideração com as pessoas.

Tudo bem. Ela até tem certa razão. Só que tem dias que eu simplesmente quero ficar fazendo hora na cama... Pensando em meu Coringa. E ninguém tem nada a ver com isso.

– Eu me troco em dois segundos – me apressei em dizer.

– Tem café?

– Óbvio que não.

– E pra que você tem uma cafeteira toda incrementada então?

– Pra tomar café, ué!

– Só você mesmo para ter uma cafeteira dessas em casa e não usar.

Manu adora criticar meus pertences. Gosto de ter as coisas em casa. Se eu não as uso já é outro detalhe.

– Vamos no seu carro ou no meu? – perguntei enquanto terminava de arrumar minha mala, me vestia e escovava os dentes. Tudo ao mesmo tempo.

– É uma piada?

– Não.

– No meu, claro. É mais novo e mais confortável. Seu Kelvin velho de guerra precisa de um descanso. Aliás, você precisa trocar de carro urgente. Quando você vai tomar uma atitude?

– O quê? Que atitude? Do que você está falando? – perguntei assustada, pois já estava pensando em Marcelo novamente.

– De trocar o seu carro. Em qual mundo você está agora, Nina?

– Ah, o carro! – disse aliviada. Não estava muito animada para discutir sobre Marcelo com Manu logo de manhã. – Assim que eu tiver dinheiro, vou trocar de carro. Ainda estou pagando a minha cama – respondi ao mesmo tempo em que enfiava algumas coisas na bolsa de viagem. – Tudo bem, podemos ir no seu se...

– Se?

– Se você não correr feito uma louca.

– É que assim chegaremos mais rápido.

– Prefiro chegar inteira e salva. E não estou com tanta pressa. Fique tranquila. Além do mais, não gosto de ir agarrada ao banco do carro. Qualquer dia desses eu vou colocar ventosas nas mãos e nos pés e me fantasiar de Garfield do vidro traseiro, que tal?

– Deixa de ser palhaça, Nina! Você não caberia no vidro traseiro com esse tamanho todo. No dia em que eu comprar um carro com teto solar, você se fantasia de girafa. É fácil, só precisa pintar o rosto de amarelo... As pintinhas você já tem...

– Ha-ha!

– Olha, você chegará, garanto. O que mais?

– Se você não ficar com a frescura de sempre com relação ao seu carro. Quero abrir e fechar a janela em paz, ok?

– Até parece que você sabe o que pode e o que não pode fazer dentro do meu carro. Podemos ir agora ou tem mais algum outro "se"?

Olhei para Manu e desisti de qualquer pedido.

– Então, vamos embora – anunciou passando pela porta do meu apartamento.

Saímos de Campinas rumo a Araraquara no New Beetle amarelo de Manu, com ela dirigindo, já que não deixa que ninguém encoste a mão no volante do seu Precioso – nome que demos ao carro.

Precioso cheira a baunilha. É mais limpo que a minha casa. E confesso que eu não gosto de andar nele. Por causa da paranoia de Manu. É um ciúme que você não tem noção.

E Precioso tem toda uma rotina. Às segundas e sextas ele vai para o lava-rápido. Toda quarta, ela o leva para abastecer em seu posto de gasolina de confiança e aproveita para calibrar os pneus. A cada seis meses, ele passa por revisão, alinhamento e balanceamento, rodízio de pneus e não sei mais o que. Mecânico? Nem pensar. Precioso só frequenta autorizada Volkswagen. É tanta frescura que tenho medo de me sentar no dito cujo e acabar fazendo alguma besteira. Sou proibida até de hidratar as mãos para não correr o risco de sujar o painel com o creme. Acredita nisso?

Costumo brincar dizendo que o cachorro de estimação de Manu é o seu carro.

Ah, se Manu não fosse minha amiga, eu teria mandado ela à merda faz tempo!

Como não posso contar com o meu carro para viajar, pois, ao contrário de Precioso, ele me deixa na mão semana sim e outra também, aceitei ir com Manu, mesmo que tenha de ouvir o tempo todo para tomar cuidado ao abrir a porta, ao abaixar o vidro, ao regular o banco, ao mexer no som...

– Como está sua mãe? – perguntou quando estávamos saindo de Campinas.

– Está bem, eu acho. Você sabe, na mesma vida de sempre. Ela nunca mais foi a mesma depois daquele Gardenal – disse tentando levantar o astral e arrancando uma gostosa gargalhada de Manu.

– Foi um Lexotan, sua tonta! – completou em meio a soluços e gargalhadas.

– Nunca lembro o nome do remédio.

– Que triste. Uma mulher tão bonita e tão nova! Tem tanto ainda para viver – acrescentou ela depois que parou de rir.

Minha mãe foi uma modelo superfamosa quando era nova. Famosa mesmo, como se fosse a Isabeli Fontana de hoje. E tão linda quanto Isabeli. Ou mais. Aliás, mamãe continua linda. O cabelo vermelho sempre foi sua marca registrada, contrastando com a pele branca e os grandes olhos verdes.

Ela fazia desfiles, editoriais de moda, campanhas para grifes de roupas e perfumes. Saiu em revistas, na TV e desfilou na Europa para os estilistas franceses.

Minha mãe conta que, quando conheceu meu pai, que também era modelo, em um ensaio fotográfico, foi amor à primeira vista. E que, desde aquele dia, eles nunca mais se desgrudaram.

Por causa da rotina puxada e da falta de tempo que os impediam de ficar juntos, eles interromperam a carreira de modelo no auge do sucesso e vieram morar juntos em Campinas, cidade natal do meu pai. Passaram, então, a viver da renda do aluguel de alguns imóveis e das economias que juntaram ao longo da carreira.

De personalidade forte, mamãe sempre foi uma mulher muito decidida. E uma vez tomada a decisão de abandonar a profissão para virar mãe de família, ela não voltou atrás. Apesar de muita gente na época ter achado um absurdo.

Eu cresci num ambiente de muito amor. Presenciava o verdadeiro significado desse sentimento, que hoje para mim é tão complexo, todos os dias.

Enquanto os pais das minhas amigas trabalhavam fora, os meus estavam presentes: me levavam e me buscavam no colégio todos os dias, fazíamos passeios despretensiosos pela cidade, pequenas viagens pela região, passávamos temporadas na praia, fazíamos piqueniques na varanda do apartamento, assistíamos a filmes. Quando penso em meus pais, são esses momentos que me vêm à lembrança. Momentos de alegria e amor.

Quando eu tinha dezesseis anos, uma tragédia aconteceu e meu castelo encantado desmoronou. Meu mundo perfeito se partiu e nunca mais voltou a ser o mesmo.

Em uma manhã, como todas as demais, estávamos tomando nosso café na cozinha. Era um momento que meu pai curtia muito. Gostava de ligar o rádio, colocava o avental e partia frutas, preparava torradas, suco, café e omeletes. Não nos deixava fazer nada. Ele gostava de nos servir e fazia dessa ocasião uma diversão para todos nós. Em um dado momento, ele se levantou para preparar mais torradas. Deu alguns passos e caiu no chão em frente à pia.

– Bravo! Vamos aplaudir – disse mamãe sorrindo ao hábito de papai sempre fazer gracinhas e representações, fingindo ser ator de teatro. – Essa cena foi a melhor, Fábio. Você é meu ator preferido.

Mas papai não se levantou, sorridente e orgulhoso com o elogio de mamãe, como costumava fazer depois de cada cena. Nem perguntou se dessa vez ele ganharia o Oscar de melhor ator.

Ele permaneceu deitado no chão frio, sem se mover.

– Fábio?

Mamãe me olhou séria. Eu senti um frio percorrer minha espinha.

– Papai? Papai? – Minha voz saiu histérica e corri para o lado dele. No mesmo instante em que mamãe se abaixava do outro lado.

– Pelo amor de Deus, Fábio?! – A voz de mamãe saiu carregada de horror.

Chamamos o socorro médico, que chegou rapidamente. Infelizmente não havia nada a ser feito. Um infarto fulminante o matou na mesma hora. Algo inexplicável e que minha mãe não consegue aceitar até hoje.

Quem cuidou do funeral e do enterro foi minha tia Irene, irmã de mamãe e minha madrinha. Nós estávamos abaladas demais para pensar nas coisas burocráticas de um funeral.

O falecimento do meu pai foi noticiado nas revistas e TV. No velório, estiveram presentes algumas celebridades, atores, atrizes e modelos. Eu, no entanto, não consegui ir. Não quis ver meu pai dentro de um caixão. Preferi guardar para mim seu último sorriso, quando me entregou um prato cheio de torradas com requeijão e mel e me deu uma bitoca no nariz.

Durante todo o velório e enterro, Manu, Pâmela e Kau me fizeram companhia em meu quarto escuro. Depois do enterro, vieram todos para nossa casa, para um lanche. Coisa que, na época, achei bizarra demais.

– Por que essas pessoas não vão para suas casas? O que vieram fazer aqui? – perguntava com raiva de todos eles. Na minha concepção, eles estavam comemorando algo. Pois riam ao se lembrar de momentos, falas e acontecimentos que envolviam meu pai.

Aceitar sua morte foi muito difícil para mim. Entrei num estado de negação, revoltada com a vida e com a crueldade de Deus. Me senti agredida, ferida, arrasada e injustiçada com aquela aberração. Parei de ir à escola, me tornei agressiva, rebelei-me com todos aqueles que me amavam, não dormia mais em casa, zanzava todas as noites de bar em bar em busca de respostas.

Comecei a fumar, mesmo odiando cigarros, passei a beber vodca para esquecer a realidade, mesmo odiando essa bebida. Me afastei dos meus amigos verdadeiros e me enturmei com uma galera barra pesada de uma favela, que conheci em uma das minhas andanças noturnas.

Se não fosse o apoio dos meus verdadeiros amigos, Manu, Pam e Kau, que foram me resgatar das ruas, eu teria arrumado um jeito de morrer de verdade. Estava realmente perdida e devo esse resgate a eles, que nunca se afastaram de mim. Os demais, que se diziam "amigos", se afastaram pensando que eu tinham me tornando uma viciada em drogas.

Por intermédio da Dona Aurora, mãe de Manuela, comecei a fazer ioga e busquei na religião forças para entender o destino de cada ser e aceitar as decisões que vêm de Deus. Aprendi que não devo lamentar a perda, e sim me sentir abençoada com a oportunidade que tive de passar dezesseis anos ao lado de uma pessoa tão doce.

Quando me senti serena e reconciliada com Deus, aceitei o destino do meu pai e voltei a sorrir.

Mamãe, no entanto, parou de viver. Escolheu não ter mais vida e se isolou em um sítio que comprou em Araraquara. Fugiu de Campinas e de tudo que a fazia se lembrar do seu amor. Só não pôde se livrar de mim, que sou a versão feminina dele. Por muito tempo, ela não conseguia me olhar sem chorar e lamentar a ausência dele.

Quando decidiu mudar de cidade, eu não quis ir junto. Morei um tempo com Manu, até ter condições de morar sozinha. Acho que, no fundo, mamãe preferiu assim. Ter que olhar para mim todos os dias e enxergar meu pai era um fardo pesado demais para ela carregar.

– Tem muito tempo que eu desisti. Ela não vai mudar de ideia, Manu. Não tem jeito. É o que ela quer e devo respeitá-la.

– Isso que eu chamo de amor.

– Eles se amavam demais. Lembra como eram apaixonados e cúmplices um do outro?

– Seu pai era louco por sua mãe.

– Era mesmo. E ela por ele.

Seguimos o resto da viagem ouvindo o álbum *O descobrimento do Brasil*, da Legião Urbana, em silêncio. Meus pensamentos se voltaram para o meu pai e a saudade que estava morna e acomodada em meu coração ressurgiu com a força de uma onda quando explode no penhasco.

Lembrei das noites em que ele ficava no meu quarto até eu pegar no sono, me protegendo dos tais monstros do escuro; do seu sorriso espontâneo e das covinhas que se formavam em sua face; da sua paciência em ouvir meus dilemas de adolescente; da segurança que eu sentia quando estava ao seu lado; do amor involuntário que ele sentia por mim...

"Giz" começou a tocar no som do carro. Meus olhos se encheram de lágrimas e eu cantei baixinho enquanto chorava:

> "...Quero que saibas que me lembro
> Queria até que pudesses me ver
> És parte ainda do que me faz forte
> E, pra ser honesto,
> Só um pouquinho infeliz."

– Sinto tanta falta dele, Manu.

– Eu sei, amiga. Eu sei.

– Por quê, Manu? Por que ele não está aqui com a gente? Seria tão bom... E as coisas... Seriam tão mais... fáceis – disse em meio aos soluços.

– É o nosso destino. Ele se foi e nós ficamos. Temos que continuar com nossas vidas.

– Adorava, quando pequena, deitar no gramado do parque e ficar olhando as nuvens com ele. Ficávamos horas olhando o céu, adivinhando os formatos das nuvens... Coisas tão simples como essa eram preciosas quando feitas... com... com ele.

Manu segurou minha mão e não disse nada. Só ouviu meu choro em silêncio e respeitando a minha dor.

Há muito tempo que não chorava assim. Já aceitei sua partida, aprendi a controlar meus sentimentos e a saudade que, por muitas vezes, vem forte, trazendo lembranças do passado. Acho que por toda essa história com Marcelo e por ir ver minha mãe, estava mais frágil do que de costume e acabei perdendo o controle.

Na primeira oportunidade que teve, Manu parou para tomarmos um café em um posto de serviços da rodovia. Aproveitei para ir ao banheiro me recompor e mentalmente fiz uma oração para meu pai. Precisava estar inteira para o fim de semana com minha mãe.

Passados quarenta minutos, já estávamos novamente na estrada, seguindo para Araraquara. O restante da viagem foi mais leve, pois falamos de coisas corriqueiras, como o salão de Manu e suas clientes mais bizarras. Ri horrores quando Manu me contou de uma noiva que chegou totalmente bêbada para o seu Dia de Noiva. A garota entrou no salão, carregada pela irmã, afirmando que não iria se casar com aquele "bunda mole". Que ela queria um homem de verdade e não aquele "frangote" que arranjaram para ela. Com muito custo, Manu e a irmã, já sem muita paciência, colocaram a noiva bêbada debaixo do chuveiro com roupa e tudo e, em seguida, lhe serviram uma boa caneca de café sem açúcar para ver se passava o efeito do álcool. Tudo isso faltando quinze minutos para o casamento começar.

Pensei com meus botões: "eu aqui querendo casar a todo custo e a noiva bêbada recusando marido?".

Que mundo injusto!

Entre uma história mais bizarra do que a outra, chegamos ao Sítio Vida.

Desci do carro e abri o portão para Manu entrar. Mamãe não apareceu ansiosa e feliz como esperava que fosse acontecer em minhas ilusões de filha.

Percorri o pequeno caminho do portão até a entrada da casa olhando para o jardim tão bem cuidado, com a grama recém-aparada e repleto de flores. Olhei na direção da porta de entrada achando que a veria ali, mas ela não apareceu. Manu e eu tiramos nossas coisas de dentro do carro.

– Será que não tem ninguém em casa? – perguntou Manu.

– Ela deve estar lá dentro fazendo alguma coisa e não nos ouviu chegar.

– Você avisou que viria?

– Sim, avisei. Vamos entrar?

A porta da frente estava apenas encostada quando girei a maçaneta. O ambiente encontrava-se em total silêncio e organizado como de costume. A pequena sala continha duas poltronas de frente para a lareira e uma pequena mesa de jantar com quatro cadeiras. A parede lateral era forrada de livros e alguns estavam empilhados ao lado de uma das poltronas junto com uma xícara de chá vazia, esquecida na mesinha de apoio.

Minha mãe é uma pessoa organizadíssima com suas coisas. Tudo sempre está no lugar e em perfeita ordem, e eu acabei herdando essa característica dela. Também sou muito organizada e gosto de ver minha casa sempre arrumada. Fisicamente, sou parecida com meu pai. Temos os mesmos olhos, o mesmo tom de pele branca e o mesmo nariz afilado. Queria mesmo era ter a beleza de minha mãe, mas sabe como é, não se pode ter tudo.

Fomos até a cozinha, que também estava limpa, organizada porém vazia.

– Ela deve estar no quarto – falei seguindo na direção do quarto dela. – Deve estar descansando um pouco. Bati de leve na porta e não obtive resposta. Abri a porta e contemplei o vazio.

Manu abriu a porta do segundo quarto, que estava arrumado para nós, e entramos para acomodar nossas coisas em cima das camas. Manu aproveitou para ir ao banheiro e eu para colocar um chinelo.

– Ela não saiu, Nina. O carro dela está na garagem. Onde será que ela foi?

Fiquei pensando na hipótese de ela estar fazendo uma caminhada, mas logo a descartei por causa do horário e do sol forte que fazia.

– Vamos lá fora. Quem sabe ela está no jardim – sugeri, já preocupada.

Atravessamos a sala e chegamos à varanda que fica na parte de trás da casa.

– Mamãe! – chamei em voz alta. – Chegamos. Você está aí?

Não obtive resposta.

– E aí, o que a gente faz? – perguntou Manu. – Será que aconteceu alguma coisa?

– Pelo amor de Deus, Manu, nem fale uma coisa dessas. Tudo bem que ela tem sido uma mãe bem ausente nos últimos anos... Mas eu ainda não estou pronta para encarar mais uma perda em minha vida.

– Cruz-credo! Nem estava pensando nisso. Vamos dar uma volta? O que tem ali para baixo mesmo?

– Depois do gramado tem o bosque, que você está vendo.

– Isso eu sei. E além do bosque?

– Tem um riacho e, depois, a cerca que divide o sítio da mamãe com o sítio ao lado.

– E lá? – perguntou apontando para a esquerda. – Não é onde fica o pomar?

– Sim.

– Vamos até lá? Quem sabe ela está colhendo alguma coisa ou trabalhando na horta.

Caminhamos até o pomar chamando-a por diversas vezes, sem resposta. Descemos um caminho de pedras ladeado de amores-perfeitos que leva até a horta. Observei que os canteiros estavam molhados, sinal de que alguém os havia regado recentemente.

Mamãe também não estava por ali.

Procuramos no orquidário, no galinheiro e no canil. Já cansadas de tanto andar por causa do calor de quase trinta graus, voltamos para a casa.

– Agora só nos resta procurar no bosque.

Atravessamos o gramado a passos largos e rapidamente chegamos ao bosque. Um lugar lindo, com árvores altas, algumas cobertas de heras, outras de troncos largos e raízes que cresciam para fora da terra. Folhas caídas já amareladas forravam todo o chão do bosque, formando um grande tapete cor de caramelo.

Poucas vezes entrei naquele bosque. Desde que minha mãe se mudou para o Sítio Vida, minhas visitas eram tão rápidas que nunca me interessei em explorá-lo com mais calma. Um dia, quem sabe, farei isso.

Antes mesmo de chegarmos à margem do riacho, Manu segurou meu braço me fazendo parar. Olhei para a mesma direção que ela e vi minha mãe.

– Ai, Nina, o que será que ela está fazendo?

– Um piquenique.

– Sozinha?

– Parece que sim.

Era uma cena digna de uma pintura de aquarela. Mamãe usando um longo vestido branco, com o cabelo solto, caindo pelas costas, estava sentada sobre uma toalha xadrez estendida em baixo de uma grande árvore. Nela havia alguns sanduíches, sucos, aparentemente intocados, e ao seu lado uma cesta de flores.

– Mãe? – chamei-a parada, agora bem perto dela. – Mãe, nós chegamos.

– Oi, Nina. Venha, sente-se aqui – pediu sem se levantar, como se eu morasse com ela ou me visse todos os dias.

– Oi, tia Lia. Como vai a senhora? – Manu se aproximou e abaixou-se para lhe dar um beijo.

– Olá, querida. Como você está?

– Tudo certo, tia Lia.

– Lia. Só, Lia, por favor. Sem o “tia”.

– Desculpa. – disse Manu hipnotizada com a beleza dela.

Sentei-me ao lado dela e dei um beijo em seu rosto. Ela me olhou com seu olhar triste de sempre por alguns segundos e falou:

– Estava jogando flores no rio para o seu pai. Acho que ele vai ficar feliz com a lembrança.

Enquanto ela lançava margaridas no rio com seu olhar de ternura, eu pensava em seu destino. Ela que já havia sido rica e famosa, desfilando para as melhores grifes internacionais, agora, vivia sozinha naquele sítio à espera de sua partida.

Como será que é passar por uma vida assim sem enlouquecer?

– Você preparou esses sanduíches para nós? – perguntei querendo mudar o momento tenso que se formava em minha mente.

Desde a morte do meu pai, minha mãe nunca mais preparou nada para mim. Nossos cafés da manhã, almoços e jantares, que outrora foram tão animados e descontraídos, já não existiam mais. E vendo todo aquele cenário, comidinhas deliciosas, minha mãe com um olhar doce me admirando, senti uma onda de autoestima gostosa invadir meu peito. Um sentimento que há muito não sentia.

"Será que vou ser paparicada por minha mãe novamente? Será que, por ventura, ela pensou em mudar alguns hábitos?"

De repente, me senti com treze anos de novo. Com ela e meu pai cuidando de mim com amor e carinho, preparando deliciosos lanches da tarde na cozinha do nosso apartamento em Campinas.

– Hoje é nosso aniversário de casamento – contou me olhando sem me enxergar. – Fábio ficaria feliz com um piquenique para comemorar o nosso dia. Lembra como ele adorava piqueniques? Era seu programa preferido.

Diante dessa revelação, meu breve entusiasmo se evaporou e minha autoestima voltou aos seus níveis normais de todos os dias.

O piquenique era para o meu pai. Minha pessoa não foi cogitada para tal comemoração. Nem mesmo convidada eu fui.

E por que eu deveria esperar por uma recepção calorosa? Conheço a mãe que tenho.

Um olhar de decepção se formou em mim, notado apenas por Manu, que veio em meu socorro.

– Puxa, Lia, bacana a sua ideia. Tenho certeza de que o tio... quer dizer, o Fábio iria gostar.

– Você pode chamá-lo de tio, querida. – Ela lhe sorriu carinhosamente. – Ele gostava desses termos carinhosos.

Respirei fundo. Mentalizei paz e harmonia para aquele momento. Não era hora de questionar as atitudes de minha mãe.

Eu já tinha superado minhas neuras com relação a minha mãe, não tinha?

Há muito aprendi a aceitar essa minha nova mãe. Uma vez aceitando sua maneira de viver, não tenho direito de julgá-la.

Cada um escolhe o seu caminho.

Quando mamãe terminou com as margaridas, ela nos convidou para o lanche. E, claro, me senti lisonjeada e surpresa com seu convite. Afinal, depois de tanto ciscar por migalhas, alguns pães frescos eu comeria.

Enquanto comíamos, ouvimos relatos de todos os piqueniques que ela e meu pai fizeram juntos. Não era bem o tipo de história que eu gostaria de ouvir naquele fim de semana. Já tinha usado minha cota de tristeza do dia e não queria chorar na frente da minha mãe.

Na frente dela eu gosto de me fazer de forte, mesmo não sendo.

Segurando vários nós que faziam e se desfaziam em minha garganta, ouvi nosso passado ser contado, mais uma vez. Manu também já ouvira essas histórias milhões de vezes e sempre se mostra entusiasmada com cada palavra de mamãe. Perguntava, participava e se mostrava interessada. No caso, ela realmente era interessada. Não fazia só por educação. As histórias são apaixonantes mesmo e quem as ouve gosta de saber de detalhes, como a comida que estava sendo servida, se estava calor, a trilha sonora e coisas assim.

Relatos de uma família perfeita, que foi feliz e que hoje não existe mais.

Mais tarde, quando o sol já estava mais fraco, voltamos para a casa. Mamãe foi descansar em seu quarto. Manu ligou seu computador para jogar paciência e eu fui me deitar na rede.

A noite foi caindo devagar e em total silêncio. Um silêncio que me incomodava, pois eu queria falar mais, queria que ela me perguntasse dos meus dias, que contasse dos seus, que tivéssemos uma interação maior.

Puxa, sou uma mulher de quase trinta anos. Quero ter um relacionamento decente com a minha mãe. Será que ela não vê que estamos ficando cada dia mais velhas e o tempo está passando? Daqui a pouco pode ser tarde demais para nós duas.

Por diversas vezes me coloquei no lugar dela, tentando entender suas opções e atitudes. Porém, sempre ficam duas perguntas sem respostas:

Será que eu seria capaz de amar da maneira como mamãe ama meu pai até hoje?

Será que um dia vou ser amada assim como meu pai amou minha mãe?

Como disse, são perguntas sem respostas e rapidamente migrei para minha zona de conforto: pensar em Marcelo e no que ele estaria fazendo.

Senti saudade e uma vontade tremenda de estar com ele. Liguei para seu celular. Chamou umas oito vezes e caiu na caixa postal. Liguei de novo. Caixa postal.

Tentei ligar com o ID escondido. Ele sabia que eu fazia isso de vez em quando e já não caía mais nesse meu truque.

Pensei em deixar recado, mas Manu me pegou no flagra. Me deu esporro, sermão, lição de moral e o diabo a quatro, e só depois me perguntou se a gente teria de fazer o jantar, sair para comprar alguma coisa ou o quê.

– Vamos lá falar com a minha mãe – propus.

Fomos até o quarto dela. Bati de leve na porta.

– Entre – ela pediu.

– Mãe, estamos pensando em comer alguma coisa – falei.

– Que ótimo! Vocês vão até a cidade?

– É... Bem... – Não esperava por aquela sugestão, quase que imposta. – Vamos sim. Você quer ir junto?

– Não, minha filha. Vão vocês e se divirtam.

– Tem certeza tia... Desculpa, Lia. – gaguejou Manu.

– Sim. Fiquem tranquilas.

Saímos para a cidade em busca de uma lanchonete, uma pizzaria ou qualquer birosca que oferecesse comida. Não conhecíamos nada em Araraquara e optamos por arriscar uma pizzaria qualquer.

Encontramos uma com um jeitão agradável e comemos por lá mesmo. Logo depois, voltamos para casa. Não estávamos nem um pouco animadas para badalar, beber, nem nada disso. O dia foi *deprê* demais para terminar em balada.

De volta ao sítio, Manu foi se deitar, e eu fiquei observando o céu repleto de estrelas, deitada na rede da varanda.

Chorei novamente.

Dessa vez pela falta que sinto da minha mãe. Ela estava tão perto e ao mesmo tempo tão longe. Eu querendo tanto um abraço, uma conversa, um carinho... Adormeci sozinha, triste e entediada.

O domingo passou da mesma forma que o sábado. Mamãe ocupada com suas coisas. Ou fingindo estar. Manu meditando no jardim, eu caçando o que fazer.

Era enervante.

Nosso almoço foi quase um pesadelo. Mamãe, às vezes, ficava me olhando com o garfo no ar, a caminho da boca, e com um leve sorriso nos lábios. O sorriso não era para mim. Devia estar se lembrando de meu pai e aproveitando da minha fisionomia para viajar pelas lembranças do passado.

Manu se empenhava em trazer os mais variados assuntos, tentando emplacar um clima descontraído, coisa que não aconteceu.

Em certo momento após o almoço, me aproximei de minha mãe na horta, tentando buscar algum contato. Tentei mostrar que eu estava interessada em sua vida, em sua rotina... Perguntei como ela estava, e ela me respondeu que estava bem. Perguntei se gostaria de passar uns dias comigo em Campinas, ela disse que não. Perguntei se não se sentia muito solitária, ela respondeu que o silêncio é o alimento para sua alma e que seus livros lhe eram boas companhias.

Frustrada, voltei para a rede e passei o resto da tarde consultando frequentemente o relógio, ansiosa para chegar a hora de ir embora. Queria ver Marcelo. Queria chegar em casa e ligar para ele, avisando que ele poderia ir me ver. Era só o que eu queria.

Às quatro e vinte e dois, voltamos para Campinas. A despedida foi breve. Sem abraços apertados, beijos ou promessas de que tão logo nos veríamos. Entrei no carro e pedi para Manu ir voando para casa.

E assim ela o fez.

Mal fechei a porta de casa, liguei para Marcelo, que, milagrosamente, me atendeu no primeiro toque:

– Alô?

– Oi, Má. Sou eu, Nina.

– Oi – falou com uma voz pesada.

– Tudo bem? Acabei de chegar. Quer vir aqui em casa?

– Gatona, não estou muito bem – informou tossindo. – Passei mal pra caramba durante a noite. – Tossiu novamente. – E... eu... – Limpou a garganta. – Estou no hospital.

– Está no hospital? – O sangue parou de correr em minhas veias por alguns segundos, tamanha a surpresa com a notícia. – O que aconteceu?

– Não sei. Passei muito mal durante a noite e a manhã de hoje. Depois do almoço, minha mãe achou melhor me trazer pra cá.

– Mas onde dói? O que você tem? É grave?

– Calma, gatona. É só um desconforto. Dói tudo... – Tossiu. – Ai... Minha cabeça dói, meu corpo... – Tossiu longamente. – Dói tudo.

– Será que é dengue? Quer que eu vá aí cuidar de você?

– Não, não é dengue. Está doida? – apressou-se em avisar. – Minha mãe está cuidando de mim, não precisa estragar seu dia comigo – choramingou baixinho.

– Eu vou. Não estou fazendo nada e adoraria estar perto de você.

Se Manu estivesse ali ela me diria: "resposta errada. Não se fala isso para um homem!".

– Fique tranquila.

– Puxa, vim correndo pra casa na esperança de ficarmos juntinhos.

"Resposta errada de novo!", ouvia os conselhos invisíveis de Manu ecoando pelo apartamento.

– Assim que eu ficar bom, vou aí ver você. Prometo.

– Má, fala sério comigo. Não é nada grave, é? Não me esconda nada.

– Não, gatona. Pode ficar sossegada. Agora tenho que desligar... – Tossiu por um longo tempo. – Preciso descansar. Recomendações médicas.

– Ai, tadinho. Estou morrendo de peninha de você. Fique bom logo.

– Vou ficar. Beijos, minha gatona.

Marcelo doente. Tudo menos isso.

Ai, meu Santo Antônio, que droga! Ele tinha que adoecer justo naquele fim de semana? Não podia ser no próximo? Ou no ano que vem?

– Quero namorar, Tonhão – apelido que Manu deu ao santo –, e você não está colaborando em nada. Como vou desencalhar desse jeito?

Não, não estava falando sozinha. Nem fiquei maluca. Só estava trocando umas ideias com meu Santo Antônio, ou Tonhão, para os mais íntimos. Tenho vários espalhados pela casa. E aonde eu vou, cobro:

– E aí? Cadê o namorado que você prometeu? Juro que coloco você de cabeça pra baixo dentro de um copo d'água se você demorar com esse namorado.

E nem ameaçando ele toma providências.

Cansada da viagem e do fim de semana tenso, resolvi preparar um banho de banheira para relaxar. Ao pegar os sais de banho, me lembrei que Manu, certa vez, me recomendou uma hidratação capilar milagrosa. Ela, inclusive, me deu a receita e eu guardei no armário do banheiro junto com o pote de creme. Ia aproveitar o ócio para, finalmente, fazê-la.

Enquanto a banheira enchia, liguei o rádio numa estação tranquila e acendi um incenso para dar uma energizada no ambiente. Abri o armário do banheiro para pegar o creme e dar início à hidratação.

Ao pegar o pote, algo me chamou a atenção no fundo do armário. Algo colorido. Me sentei no chão para ver o que era.

Ri sozinha.

Ri muito sozinha.

Não sei se de desgosto ou de alívio. Só sei que foi engraçado ver um Santo Antônio todo amarrado em fitas coloridas, de cabeça para baixo, no fundo do armário do banheiro. O pobrezinho devia estar lá há uns dois anos ou mais.

Foi uma simpatia que fiz pedindo para Nilton Lex Luthor voltar para mim, depois de uma briga feia que tivemos por conta do meu ciúme. Ainda bem que não deu certo. O safado era noivo e só estava curtindo comigo.

– Vou tirar você do castigo porque me fez muito bem em não trazer Lex Luthor de volta – brinquei com o santo.

Ei, esse Santo Antônio me deu uma ótima ideia! Vou fazer uma simpatia para meu namoro com Marcelo vingar de vez. Conheço uma poderosa e infalível. Só precisava dos ingredientes certos... e do santo certo. No caso, aquele mesmo. Esse santo sabe das coisas.

Certo, então vamos à simpatia.

Desenhe um coração em uma folha de papel branco.

Ok, ali estava a folha e o coração, desenhado de caneta rosa para o santo entender que sou romântica.

Muito bem. O próximo passo é recortar o desenho e escrever dentro dele seu nome e do namorado.

Feito.

Agora, coloque o desenho no fundo de um prato e derrame mel...

Ai, droga! Não tinha mel.

Será que não podia trocar por cobertura de chocolate? É doce da mesma forma. E melecado e grudento. Achei que ia funcionar, uma vez que o objetivo principal era que Marcelo "grude" em mim.

É, foi o chocolate mesmo.

Certo. Depois disso, acenda uma vela branca, coloque o Santo Antônio do lado do prato com o pensamento firme no namorado e deixe a vela queimar até o final.

Pronto. Simpatia feita. Agora iria voltar para o meu banho com o pensamento positivo porque tudo ia dar certo.

Tenho fé nesse santo.

Não sei dizer se foi o efeito dos sais de banho, da água morna ou da simpatia, mas o fato é que estava me sentindo muito bem. Confiante é a palavra certa. Me sentia confiante e segura, como há muito não me sentia. Marcelo ia sarar logo e, assim que saísse do hospital, ele ia me ligar para me contar como estava e íamos combinar de sair no meio da semana. E ia me pedir em namoro, me apresentar para seus pais e seríamos felizes para sempre.

E ele ia "grudar" em mim, claro.

A vida é de fato muito simples, quando temos confiança de que tudo vai dar certo.

É isso aí. É assim que as coisas funcionam.

Enquanto contemplava o silêncio do meu banheiro, feliz com minhas novas sensações, meu telefone vibrou na bancada.

Eu o ignorei.

Ele vibrou de novo.

"Será que Marcelo já sarou?"

Gente, eu adoro esse santo!

– Valeu, Tonhão! – falei sozinha.

Dei um pulo, peguei a toalha e me enrolei nela. Saí molhando o piso todo e agarrei o telefone antes que ele parasse de tocar.

– Alô? – disse ofegante.

– Nina, convite irrecusável.

– Diga, Manu – falei desanimada.

– Festa da Uva de Vinhedo. Saída em quarenta e dois minutos. E-xa-tos, tá? Passo aí para pegar você. Beijo. Tchau.

– Ei, ei, ei! Calma, aí. Festa da Uva?

– É. Não é demais?

– Mas eu não quero ir. Marcelo está doente e eu não estou no clima para sair.

– O que ele tem?

Contei resumidamente a conversa que tive com Marcelo para Manu. Exagerando em alguns pontos para que ela sentisse um pingo de compaixão por ele, em vez do asco de sempre.

– Que história mal explicada! – comentou quando acabei meu relato.

Que dúvida. Para Manu tudo é sempre mal explicado.

– Não tem nada de mal explicado. Ele está no hospital. Está doente. As pessoas adoecem, Manu.

– Certo, que seja então. Só que não deve ser nada demais. Não sabe como os homens são exagerados? Quando eles falam que estão com pneumonia pode ter certeza que é apenas um simples resfriado. E, então, vai à festa comigo?

– Fim de semana que vem eu vou.

– Hoje é o último dia. Por mim, vamos? Você sabe o quanto eu adoro essas festas...

– Sabe o que é...

– Hum?

– É que, finalmente, estou fazendo aquela hidratação milagrosa que você recomendou.

– Qual hidratação?

– Aquela da receita.

– A que recomendei pra você uns meses atrás?

– Essa mesma.

– Nossa, pelo visto você ficou bem interessada! – ironizou.

– Nunca sobra tempo, você sabe.

– Ã-hã, sei. Então, tire essa meleca dos cabelos que pego você daqui a pouco. Se for esse o maior dos problemas, está resolvido. Terça-feira você passa lá no meu salão que lhe dou uma hidratação da L'Oréal de cortesia. Aproveite que não é sempre que estou boazinha assim.

– Mas eu não quero ir. Vou ficar com a consciência pesada por causa do Má. Tadinho, você precisava ouvir a voz dele!

– É por causa do traste ou do creme? Decide.

– Hum... Dos dois. Assim, mais por ele que pelo creme. Na verdade, eu não sei se é grave ou se é exagero. Por via das dúvidas, prefiro esperar por notícias.

E era verdade. Estava preocupada com o estado de saúde de Marcelo. A voz dele estava muito diferente.

– Ah, pare com isso! Nem namorada dele você é!

– Não sou mesmo. Mas sou...

– Uma TG.

– Ah, para! Eu não sou uma "TG" de Marcelo – disse completamente indignada.

– Você é a "transa garantida" dele sim – explicou Manu sem piedade. – Sexo sem compromisso, sem cobranças... e só de vez em quando.

– Afe! Que amiga você, hein?

– Ah, vamos, Nina? Larga mão desse mané e vamos nos divertir! Lá vai ter espetinhos de carne, cachorro-quente, vamos beber vinho, paquerar os gatinhos, tomar sorvete de casquinha e finalizaremos um churros com cobertura de brigadeiro.

– Ok – disse me rendendo. – Eu vou.

Tudo que envolve comida me convence rapidamente. Mesmo estando ligeiramente acima do peso. Mesmo com cólica, TPM ou com a maior dor de cotovelo do mundo, falou em comida estou dentro.

– Pego você em quarenta e dois minutos.

– Feito.

Manu é doida por festas de interior. Eu também gosto. É só não me importar com o fato de que todos os homens da festa, lindos ou feios, olham para Manu e nenhum para mim que eu consigo me divertir.

É sério. Chega a ser impressionante. Parece que Manu tem um ímã que atrai os caras mais gatos.

Em contrapartida, eu tenho um que só atrai os caras mais problemáticos num raio de dez quilômetros. Às vezes mais.

E antes que você pense, não estou exagerando.

Como de costume, Manu chegou quarenta e dois minutos depois de desligar o telefone. E eu, também como de costume, não estava pronta. Ainda esperei o tempo da hidratação para ver se era milagrosa mesmo.

Tirando o cheiro de ovo, achei que meu cabelo continuava o mesmo de sempre. Não disse nada a Manu, que ficou dizendo que meu cabelo estava bem mais brilhante e sedoso, para não magoá-la, e tratei de me vestir para sairmos. Pensei em brincar dizendo que, na verdade, eu passei xampu com anticoncepcional, mas não tinha certeza de que ela ia se lembrar da história.

Chegamos na festa e partimos para o primeiro estresse da noite: achar uma vaga digna para estacionar o carro (ou você achou que Precioso fica estacionando em qualquer vaguinha?). Trinta minutos foram gastos na busca da vaga perfeita. Quarenta minutos foi o tempo em que ficamos na fila para entrar no parque. E, quando conseguimos, eu quis dar meia-volta e voltar para casa.

Explico.

A festa estava lo-ta-da!

Lotadérrima!

Não dava para andar de tanta gente.

E eu fechei a cara.

– Qual é a graça disso? – perguntei irritada e arrependida de ter ido de bota. Por um segundo, confundi a Festa da Uva com a Festa de Rodeio e me vesti a caráter: jeans, camisa xadrez, cinto de fivela, chapéu e bota de bico fino. Só percebi o engano quando todos me olhavam com cara de "oi a temporada de rodeios ainda não começou sabia?!".

– Você vai começar a implicar? Vamos nos divertir.

– Está cheio demais. Não dá nem para se mexer – resmunguei desejando urgentemente ser teletransportada para o meu quarto. Na boa, parecia que eu estava dentro de uma lata de sardinha.

– Está cheio assim por causa do show do Chiclete com Banana. Vamos comer? Estou faminta. Comida na casa da sua mãe não é exatamente um item básico para sobrevivência. Vamos combinar.

– Pior que é verdade, e só agora me dei conta de que estou faminta também. A doença de Marcelo me fez esquecer completamente a fome.

Manu apenas me olhou. Um olhar que dizia: "Sei. Essa não cola. Manda outra".

Caminhamos seguindo o ritmo da multidão e procurando uma barraca que não estivesse tão cheia.

O que era algo impossível de se achar.

A primeira que encontramos não era de comida, mas de bebida. Também servia, e foi nela que paramos, mesmo estando cheia.

– Vamos beber alguma coisa que não vou encarar essa muvuca sem álcool de jeito nenhum – pedi tentando manter o controle.

Espremidas em um cantinho, pedimos batidinhas de fruta. Aquilo deveria servir como tranquilizante por alguns minutos.

Confessando: Eu tenho pavor de multidões. É algo inexplicável. Só sei que sinto um pânico crescente e tenho vontade de sair correndo, derrubando todos que estiverem no meu caminho como uma enorme bola de boliche.

Geralmente, sou uma pessoa calma. Mas me coloque no meio de uma multidão para ver o bicho em que eu me transformo.

– Se Pam estivesse aqui ela estaria surtando – disse Manu.

– Pam é chique demais para esses programas. Só eu mesmo pra acompanhar você nessas furadas. Mesmo não podendo, eu venho.

– Não podendo? Como assim?

– Por causa de Marcelo, ué!

– Você não é casada com ele, portanto, não deve satisfações, muito menos consciência pesada.

– Mas eu fico mesmo assim. Puxa, ele está lá sofrendo e eu aqui me divertindo. Se fosse o contrário, eu ficaria muito brava.

– Desencana Nina. Vamos aproveitar e curtir que a noite é nossa. Além do mais, você não está fazendo nada de errado.

Nada do que eu falasse faria com que Manuela entendesse o meu sentimento. Sinceramente, às vezes acho que Manu se faz de idiota ou algo do tipo. Não é tão difícil entender que me sinto mal por estar me divertindo, enquanto meu namorado está doente no hospital e sem diagnóstico certo.

Tá. Tudo bem. Ele não é meu namorado. Dei uma forçada nessa parte para ficar mais dramático. Mas é como se ele fosse, entende?

Acho que precisava de mais bebidas.

Dado o assunto "você não entende meus sentimentos" por encerrado, optei por mais uma dose de batidinha e saímos com nossas bebidas em copinhos de plástico, um pouco mais animadas.

Pacientemente, pé ante pé, chegamos à praça de alimentação. Ficamos por ali sentindo a festa e decidindo o que fazer e o que comer.

Não demorou muito para que os rapazes a notassem. Alguns passavam olhando-a de cima a baixo. Outros olhavam rapidamente, várias vezes seguidas. E um parou para puxar conversa. Ela deu uma cortada que chegou a doer em mim. Deu tanta pena do rapaz que eu me senti envergonhada por ele.

Ninguém, obviamente, me olhou. Com Manu ao meu lado, era pedir muito para o público masculino presente.

Manu não é uma mulher bonita. Ela é uma mulher comum, como qualquer outra. Tem vinte e nove anos, pele morena, não chega a 1,70 metro de altura, está acima do peso – nada que tire seu sono ou que a leve desesperadamente a uma academia. Tem celulites, estrias e odeia malhar. Tudo isso para dizer que ela não é lindíssima. Tem um conjunto bonito. Cabelos bem cuidados, se veste de uma maneira agradável, é inteligente, divertida e comunicativa. Assim, como eu e você.

Mas...

A danada tem um poder que atrai os homens de uma maneira impressionante. Chame como quiser: *sex appeal*, charme, energia positiva, segurança, confiança... O fato é que todos, eu disse todos – solteiros, casados, jovens, velhos, gordos ou magros – olham para Manu.

O que me deixa danada da vida é que, com tantos homens dando mole, ela insiste em ficar sozinha.

Ela não precisa passar por aquele processo de se fazer notada. Sabe de qual estou falando? Eles a enxergam de longe e vão ao seu encontro. Simples assim. Basta ela escolher com qual quer ficar, tipo *uni duni tê*, sabe como?

Só que ela não escolhe. Não quer saber. Os ignora. Às vezes até humilha.

Dá vontade de chorar de inveja.

Por que isso não acontece comigo?

– O que você acha de darmos uma volta lá no parque de diversões? – sugeri querendo sair daquela situação. As pessoas já estavam notando Manu e eu me sentindo um fantasma.

– Vamos sim. E depois paramos para comer. O que acha?

– Perfeito.

Descemos por uma escada próxima de nós e caminhamos olhando as pessoas se divertindo nos brinquedos. Todos se divertiam, riam e conversavam animados.

Será que só eu não conseguia relaxar e me divertir?

Ficava pensando em Marcelo de minuto em minuto: se ele estava bem, se já tinham descoberto o que ele tinha, se estava pensando em mim... A mesma enxurrada de pensamentos de sempre me fazendo sentir mais culpada ainda.

Como me odeio por ser assim. Aposto que, se fosse o contrário, Marcelo estaria se divertindo horrores enquanto eu estaria sozinha em um quarto de hospital.

Uns cinco metros depois das escadas, Manu parou de caminhar e ficou olhando um cara encostado em um dos brinquedos do parque.

O fato me instigou.

Manu olhando para um homem não é todo dia que acontece, minha gente! O último moicano para quem ela lançou aquele olhar foi Betão. Milhares de séculos atrás.

– Venha comigo. – Ela me puxou pelo braço andando em direção ao moço.

Aquilo me deixou eufórica.

Finalmente algo excitante naquela noite. Nada de Marcelo, nada de consciência pesada, multidões, festas chatas, bota ou chapéu... Eu iria presenciar algo que valesse a minha saída de casa: uma investida de Manu.

Será que dessa vez ela ia desencalhar? Ou quem sabe uns beijos na boca, só para não perder o jeito?

Ai, que alegria! Íamos ter assunto novo para a Noite do Batom da próxima quinta. E eu não seria o alvo da vez!

– O que você vai fazer? – perguntei enquanto tentava seguir seu passo.

– Será que é ele?

– Ele quem, maluca?

– Gente, não é possível. Se não for, é muito parecido.

– Parecido com quem?

– Não estou acreditando. Simplesmente não acredito!

– Com quem você está falando, afinal? Comigo ou com você mesma?

– É ele sim! – Alegrou-se, chegando mais perto do tal rapaz.

Um rapaz bem normal e sem atrativos, diga-se de passagem. Puxa, esperava bem mais de Manu. Betão, que foi o último namorado-marido de Manu, era um homem muito bonito e elegante. Combinava com ela. Aquele ali, usando uma camiseta que um dia foi branca, calça de tecido xadrez com a barra desfiada, tênis preto... Please, né? Nada a ver. Ainda por cima era magrelo, usava óculos de grau e tinha cabelos desgrenhados.

Se bem que adoro esse tipo de cabelo nos homens. Franja comprida jogada na testa e atrás cobrindo a nuca. Dá um ar bagunçado que eu acho um charme.

Só que vou lhe contar, o cabelo é a única coisa que se salvava nele.

– Nathan, é você? – perguntou Manu com uma voz aguda diante do moço.

Nunca tinha ouvido falar em Nathan em toda a minha vida.

Ele estava olhando distraído para um brinquedo. Quando ouviu seu nome, virou o rosto em nossa direção.

– Manuela? Manu-Manuela-Magrela? Cara, não acredito!

Manu-Manuela-Magrela? Essa também era nova para mim.

Eles se abraçaram forte e ficaram um tempo assim, falando "não acredito, não acredito" umas vinte mil vezes. Enquanto eu olhava a cena com cara de figurante de comercial de TV às três da manhã, com um sorriso fixo no rosto.

– Puxa vida! Que surpresa boa e que saudade de você – disse Nathan demonstrando sinceridade. – Deixa eu ver você.

Eles se afastaram e ficaram se olhando de cima a baixo. Manu deu uma voltinha em torno de si mesma enquanto ele a elogiava. Bem, até aí, nenhuma novidade. Todos os homens elogiavam Manu. A novidade é que ela parecia estar gostando.

– E você está exatamente o mesmo. Não mudou nadinha – comentou Manu para Nathan que retribuiu o comentário com um largo sorriso.

– Cara, que saudade! – entoaram ao mesmo tempo e voltaram a se abraçar.

Ai, meu Santo Antônio! Iam começar com o abraço interminável de novo?

– Hello! Eu também estou aqui – disse na esperança de ser incluída naquele reencontro.

– Ai, me desculpa.– Manu se soltou dos braços do nerd e se voltou para mim. – Adivinhe só? Essa é a famosa Nina – me anunciou com um floreio de braços.

Eu, famosa? Desde quando?

– Sério?

– Juro por Deus.

O tal Nathan riu incrédulo olhando para Manu e para mim. E para Manu novamente com um sorriso escancarado no rosto.

O que será que andaram falando a meu respeito?

– Finalmente vou conhecer essa mulher.

Ele me olhou nos olhos por segundos. Longos segundos.

"Ok. Chega de me olhar", pensei, me sentindo avaliada.

– Nina. – E fez uma pausa igual àquelas que fazemos enquanto saboreamos uma deliciosa iguaria. – Então, você é Nina. Muito prazer, Nathan.

– Oi, Nathan.

Sem a menor cerimônia ele me abraçou. Um abraço com um perfume amadeirado bom. O que me deixou surpresa, pois todo o seu visual dizia que ele não cheirava muito bem. Juro que esperava tudo, menos um perfume delicioso vindo dele.

– Hum... Perfume francês misturado com cheiro de ovo – comentou ele, depois de me soltar.

Eu detestei aquele comentário.

– O que você está fazendo aqui? Tipo assim, este é o último lugar onde eu imaginava encontrá-lo. Você tem aversão a festas, pessoas, multidões... – falou Manu toda empolgada com o encontro.

Eu, disfarçadamente, cheirei meus cabelos.

Realmente, fedia a ovo.

Maldita receita caseira de Manu!

– Andou me procurando, Magrela? – perguntou Nathan com um sorriso torto e parecendo esquecer do meu cheiro de ovo.

E por que ele a chama de Magrela?

– Andei sim. Liguei para o pessoal na nossa turma pra saber de você, joguei seu nome nesses sites de buscas...

Nathan fez uma cara estranha.

– Pois é. Eu queria mesmo encontrar você, mas você sumiu completamente.

– Bateu saudade, fala aí – disse ele parecendo se gabar.

– Pior que senti saudade de você mesmo. Me conte, por onde andou? – implorou ela.

– E você, Nina, como é que consegue aturar uma tagarela como essas? – Nathan mudou de assunto propositadamente.

– Só porque eu a amo – eu disse.

– Tá vendo! Acredita agora que tem alguém no mundo que me atura? – perguntou Manu em tom de brincadeira. – Vamos, me conte logo!

– Vocês estão sozinhas?

– Estamos, e você? – adiantou-se Manu.

Não sei se você é tão curiosa como eu. Se for, vai me entender. Eu já não estava mais me aguentando de tanta curiosidade. Quem era Nathan, cacete? Onde eles tinham se conhecido? Como eram amigos assim e eu nunca soube de nada? Por que eles não iam direto para a explicação, afinal? Eu queria saber o que eles eram ou foram. Ou o que iam ser.

– Estou com meu sobrinho, o Lucas.

– Sobrinho?

– Sim, já esqueceu do meu sobrinho pentelho? Filho da minha irmã? – disse rindo.

Outra observação: dentes brancos impecáveis e que não combinam com o visual desleixado. Mas valeu o ponto.

– É verdade. O filhote da Lígia... Com quantos anos ele está agora?

– Sete anos. Ele é aquele garoto de cabelos encaracolados no carrinho de bate-bate verde lá do fundo.

– Que fofo! – dissemos juntas olhando o garotinho sardento brincando no carrinho, todo feliz.

– Puxa, há quanto tempo que a gente não se vê? E por que você... – Manu falava e dava uns tapinhas no braço de Nathan, que fingia estar doendo. – sumiu e não deu mais notícia? Hein, seu traidor?

– É que eu... Bem, eu... – Ele limpou a garganta ganhando tempo para falar. – Eu...

– Eu o quê? – perguntou Manu.

– Eu me casei.

– O quê? – gritou Manu. – Você se casou? Casou de papel passado?

Ele concordou com a cabeça.

– Nathaaaaaaaaaaaaaaaaaaan!

– Calma, Magrela. Calma que eu explico tudo. Só que agora preciso pegar o Lucas, que está saindo do brinquedo. Vocês vêm comigo ou têm algo mais interessante para fazer?

– Nem por decreto que eu saio daqui sem saber dessa história de casamento – falou Manu chateada com a notícia.

Ou será que eu imaginei que ela ficou chateada?

– Então, vamos lá. – E saiu em direção do brinquedo onde Lucas já o esperava ansioso.

– Ei, Manu... – Puxei-a pelo braço e cochichei em seu ouvido. – Quem é esse cara? De onde você o conhece? E por que você nunca me falou dele?

– É uma longa história. Depois eu conto.

Não é exatamente isso que as melhores amigas fazem, certo? Ela sabe que sou curiosa e estava aproveitando a situação só para me torturar!

Melhor amiga da onça!

Poeira

Meu dementador particular: Marcelo.
Um momento bom: o sorriso de um garoto sardento.

Só existia uma possibilidade. Eles se conheceram na época da faculdade. Foi quando nós quatro, Pâmela, Manu, Kau e eu ficamos mais afastados por conta dos estudos e dos estágios.

Mas eles não foram namorados. Disso eu tinha certeza. Nathan parecia ser o único homem daquela festa usando um escudo invisível que bloqueava completamente o charme de Manu.

Bom, talvez a questão dos óculos ajude um pouco. Vai ver ele não enxerga direito.

Ele conversava com ela, sorria, andava de braço dado, eles se abraçavam (sim, eles continuavam se abraçando), mas tudo com muita naturalidade e sem interesse.

Ok. Ele também não me olhou com cara de babão.

Também pudera, com aquele cheiro de ovo!

Mas e daí?

O importante é saber que existe um homem no mundo que resiste aos encantos de Manu.

Isso me fez sentir um pouco normal.

Não pude conter o entusiasmo que senti por dentro. Pelo menos um homem não olhou com cara de babão para Manu!

Vem cá, será que Marcelo a olhou com essa cara no dia em que nos conhecemos? Eu não reparei nesse detalhe. Será que ele ficou babando por Manu e eu nem notei?

Bem, não importa. O que realmente importa é que ele olhou para mim e que estamos juntos.

Falando em Marcelo, aproveitei que Manu, Nathan e Lucas foram andar na montanha-russa para dar uma ligadinha e saber se ele tinha melhorado. Quem sabe já tinha melhorado e a gente poderia até dormir juntos naquela noite?

Hum, meleca! O celular estava desligado e caiu direto na caixa postal. Achei que devem ter dado um sedativo para ele dormir para não sentir mais dor. Tadinho, queria tanto estar lá com ele! Fazer um carinho, enchê-lo de bitoquinhas e dizer que logo, logo ele estaria bom e renovado. Pronto para seguir em frente.

Comigo, claro!

– Muito irada essa montanha-russa! – exclamou Lucas se aproximando de onde eu estava. – Vamos de novo? Vamos, vamos?

– Que tal comermos alguma coisa? – sugeriu Manu. – Vamos lá para a área dos restaurantes, onde tem mesas e cadeiras. A gente senta e fica mais à vontade para bater papo.

– Não quero comer, tio. Quero brincar mais.

– Vamos lá, cara. A gente come um pouco e depois voltamos para o parque – sugeriu Nathan.

– Tá bom, tio – concordou Lucas, não muito contente. – Mas promete que depois a gente volta pro parque?

– Prometo. Agora vamos lá comer um lanche que eu estou morrendo de fome.

Caminhamos, levados por um mar de gente, para a praça de alimentação. Esperamos vários minutos em pé até que alguma mesa vagasse e compramos comida.

– Você se veste sempre assim? – perguntou Nathan com um olhar travesso e um sorriso contido nos lábios.

Rá. Como ele é engraçadinho.

– Não, não. Eu costumo variar bastante. Ontem mesmo eu estava de Mulher Maravilha, né Manu? Só que bateram no meu avião invisível que parei lá fora e, daí, não pude usar a mesma fantasia hoje. Sabe como é, Mulher Maravilha sem seu avião invisível não rola.

Manu riu.

Lucas perguntou:

– Você tem a roupa da Mulher Maravilha, tia?

– Estou brincando, querido. É só uma brincadeirinha.

Esse Nathan não passa de um petulante. Mal o conheço e ele se folga para cima de mim? Tirando sarro do cheiro de ovo do meu cabelo, das minhas roupas... E esse tênis iate preto dos anos 80? Será que ninguém avisou a ele que estamos no ano de 2003 e não se usa mais esse tipo de tênis?

E essa camiseta encardida? Acabou o sabão em pó?

– Nina é excêntrica. Gosta de ser diferente, sabe como é – explicou Manu meio que debochando da situação.

– E você, sempre adotou o estilo hippie? – devolvi a graça para Nathan. Queria ver como ele se saía dessa.

– Eu gosto. Me sinto bem assim. Usar o que nem todos usam. Pensar coisas que nem todos pensam e viver com outras preocupações, diferente da maioria. Gosto de andar contra a manada.

Coloquei o dedo na garganta, corri até um latão de lixo e vomitei... Imaginariamente, claro.

Mas que carinha metido a besta! Dando uma de superior, não querendo ser como a maioria... Ah, vai se ferrar, antes que eu me esqueça!

Mordi meu cachorro-quente e fiquei mastigando lentamente, para não mandar nenhuma resposta mal-educada.

– Me conta sobre seu casamento? – quis saber Manu.

– É uma longa história – respondeu Nathan depois de um suspiro.

– E onde ela está? Eu a conheço?

– De onde vocês se conhecem mesmo, hein? – escutei minha voz perguntando.

Nathan pareceu aliviado com minha pergunta e falou:

– Quer dizer que você nunca falou de mim pra sua amiga? Era essa a propaganda que você fazia a meu respeito?

– Falei, claro que falei.

– Você nunca me falou dele, Manu – afirmei.

– Lógico que falei! – reafirmou Manu alterando levemente a voz e elevando a sobrancelha direita.

Fiquei tentando captar alguma mensagem secreta através dos olhos de Manu. Será que eu deveria dizer que ela já me contou de Nathan, que eu sabia todas as histórias que eles viveram juntos, que sabia das festas, das baladas e de todo os segredos deles?

– Ah, claro! Foi na época da faculdade, não foi? – arrisquei dando um tapinha na minha testa, sujando-a de maionese para deleite do nerd.

– Sim. Nathan e eu fomos da mesma turma. Nos formamos juntos. Você foi na minha formatura, Nina, e eu os apresentei.

– Mas eu não fui à formatura – disse Nathan. – Lembra? Eu não curto festas.

– Ué, e quem eu lhe apresentei na minha formatura, então? – perguntou Manu.

– Hummm... A turma inteira? – disse tentando lembrar quem eu conheci naquela noite, porém não consegui.

– Bem, não importa. Devo ter falado sobre Nathan milhares de vezes. E você deveria estar com a cabeça em algum traste para não ter prestado atenção.

– Titio, quero mais um cachorro-quente – pediu Lucas com a boca suja de ketchup.

– Mais um? Tem certeza, cara? – perguntou Nathan limpando a boca do sobrinho com um guardanapo.

– Tenho. Estou morrendo de fome!

– Tudo bem. Vai lá comprar mais um então.

Nathan deu dinheiro para que o garoto fosse até a barraquinha comprar mais um lanche. E ele foi feliz com esse voto de confiança.

– Eu sei tudo sobre você e Pâmela – contou Nathan depois que Lucas saiu.

– Você conhece a Pam?

– Sim, eu a conheço. Uma moça alta, cabelos loiros e olhos incrivelmente azuis. Fiz até um quadro inspirado na beleza dela.

– Você fez um quadro para Pâmela? – perguntei surpresa. – Nunca vi esse quadro.

– Ah, eu lembro. Ficou uma coisa meio Andy Warhol, não foi?

– É mais ou menos isso. Se ninguém comprou, ainda está exposto em uma galeria de São Paulo.

– E por que nós nunca nos conhecemos? – Voltei ao assunto.

– Você sempre estava ocupada com algum namorado – lembrou Manu. – Eu convidava, mas você nunca podia ir aos churrascos e confraternizações.

– A Pam... – Ele a chamou pelo apelido, como se fosse íntimo dela. Isso me irritou de uma forma que não sei explicar. – Foi a vários churrascos que fizemos. Já você era bem antissocial.

– Engraçado. Ela nunca me falou de você.

Ele riu dando de ombros.

Ai, que cara mais chato! Me admira Manu ser amiga de um babaca desse!

– Você trabalha até hoje como jornalista? – perguntei sem me abalar com suas alfinetadas.

– Fiz alguns *freelances* logo depois da faculdade. Hoje faço outra coisa.

– Nathan é artista plástico. Um excelente artista, por sinal. Tem cada trabalho lindo! – explicou Manu. – Nathan, você fez aquela exposição que estávamos montando juntos, antes de você sumir do mapa?

– Hum... Não – disse encabulado.

– E por que não? – perguntou Manu.

– Por causa da Elisa.

– Que Elisa?

– Elisa é minha ex-mulher.

– Você se casou e já se separou?

Ele balançou a cabeça afirmativamente.

– Que rápido!

– Olha quem fala! – rebateu ele.

Manu fez uma careta e depois continuou:

– Mas se foi por causa dela... – Manu fez uma pausa olhando para cima, buscando alguma informação no seu cérebro. – Você a conheceu no último ano do curso, certo?

Ele concordou com um aceno de cabeça.

– Eu a conheci?

– Não. Ela não era da PUC. Olha, um dia eu falo sobre isso. Tudo bem? – falou ele, com certo desconforto.

– Por quê?

– Porque não estou a fim.

– Só se você prometer que não vai sumir de novo.

– Eu prometo.

– Anote aí meus telefones, e-mail e me passe os seus.

Lucas voltou com o lanche dele, sentou-se ao lado do tio e começou a devorá-lo em grandes dentadas.

– E Betão? – perguntou Nathan, para minha surpresa. – Tem visto?

Ele tocou no assunto proibido com essa naturalidade toda?

Ele sabia da história completa de Betão? Digo, nos mínimos detalhes?

Manu sorriu. Balançou a cabeça negativamente, deixando claro que também não queria falar do seu ex.

– Nunca mais o vi.

– Ok. Se não quiser falar disso, eu também entendo.

Ficamos em silêncio por uns segundos. Manu anotava alguma coisa em seu celular. Eu olhava para as pessoas ao meu redor. Lucas comia seu lanche completamente alheio à situação e Nathan me olhava com curiosidade.

Mentalmente eu cantei: "Festa estranha com gente esquisita, eu não tô legal..."

– Magrela vivia dizendo que a gente daria certo – disse Nathan.

– Como? – perguntei surpresa com seu comentário absurdo. – A que "gente" você se refere?

– É verdade – reforçou Manu. – E dariam mesmo. Vocês dois combinam e formariam um belo casal. Têm tudo a ver um com o outro.

– Quem? Eu e Nathan? – perguntei incrédula.

Era só o que me faltava.

– Sim – disse Manu.

– De onde você tirou isso? Eu nem o conheço... Ele nem me conhece... Do que você está falando?

– Sei muita coisa sobre você. Manu me falava dos seus namoros frustrados. E sempre que você levava um fora ela me dizia: "O momento de se aproximar dela é agora".

Olhei para Manu com raiva.

O que exatamente ela falava da minha vida para esse insuportável? Ela não tinha esse direito.

– Manu, vamos ao banheiro? – convidei-a para esclarecer essa história.

– Não estou a fim, Nina. Vai lá que eu espero você aqui – respondeu não sacando minhas reais intenções, ou sacando sei lá.

– Manu, por favor, venha comigo.

Lancei um olhar intimidador nível máximo e ela cedeu.

No caminho do banheiro, comecei o interrogatório.

– Calma, Nina. Nathan é gente boa demais. Ele foi o primeiro amigo que fiz na faculdade. Ele me lembra muito o Kau e...

– Ele não tem nada a ver com o Kau! – rebati indignada.

Como ela ousava comparar?

– Tem sim. Quando você o conhecer melhor verá que eles são muito parecidos.

Não consegui falar nada, tamanha a minha raiva, e ela continuou:

– Nos tornamos amigos de cara e foi natural contar o que aconteceu comigo, coisas do meu casamento, de você e de Pâmela. Só isso. Não se preocupe que não falei nada íntimo, viu. Agora vamos voltar lá antes que ele resolva sumir novamente.

– Por quê? Você está a fim dele?

– Tá doida? – gritou. – Que absurdo! Nathan é como um irmão para mim. O irmão que eu não tive.

Certo, ela estava a fim dele. Só precisávamos esperar o tempo passar, as coisas acontecerem e veríamos se eu não estava certa.

– Vamos voltar ou quer realmente ir ao banheiro?

– Vamos voltar – concordei por fim, ao ver a desanimadora fila para o banheiro feminino.

Voltei forçada. Não simpatizei com Nathan. Não estava curtindo aquela maldita festa e não estava com o menor saco de bancar a simpática com os outros.

Sem falar naquele cheiro de ovo que estava me deixando nauseada.

– Voltamos – cantarolou Manu sentando-se em sua cadeira posicionada ao lado do nerd chato.

– Está fazendo o que da vida, Magrela? – perguntou ele sem se dar conta do clima pesado que rondava entre nós e do fato de não sermos homens para fazer xixi tão rápido assim.

– Eu montei um salão de cabeleireiro. Lembra que eu tinha esse projeto na faculdade? Então, nem cheguei a trabalhar com jornalismo. Meu pai me deu um dinheiro para começar e eu fui com a cara e a coragem.

– Puxa, que bom! Fico feliz em ver quem eu gosto no caminho certo. E, vem cá, você teve notícias da nossa turma?

Eles emendaram um papo sobre a faculdade. Falaram de coisas que só eles viveram, de pessoas que só eles conheceram, festas que só eles frequentaram e de situações que só eles passaram.

Ou seja, um tédio total. Detesto esses papos.

É tão desagradável ficar numa conversa em que não se tem o que falar, mas na qual se tem que ouvir, fazer cara de interesse e sorrir.

Quem passou por uma situação dessas vai entender o que estou falando. É muito chato. E só fez aumentar minha vontade de ir para casa.

Com a desculpa de que queria dar uma volta, me levantei e saí caminhando pela festa. Na verdade, eu não queria dar volta nenhuma. Queria urgentemente sair daquele papo chatíssimo em que eles riam relembrando o passado.

Após andar um bocado com aquela bota apertada, parei em uma barraquinha de churros e comi um de doce de leite. Aproveitei para comprar um para o Lucas e voltei para onde eles estavam na praça de alimentação.

– Lucas, trouxe um churros de chocolate para você. Espero que você goste – falei assim que cheguei.

E o papo sobre os “velhos tempos” continuava firme e forte.

– Pra mim? – perguntou o garoto, não acreditando no que via. – Eu amo churros!

Pela primeira vez na noite, sorri com vontade. A carinha dele ao ver o doce foi um presente para mim.

– Sim, eu o trouxe pra você.

– Tia, você é muito legal! – exclamou pegando o doce das minhas mãos.

– Obrigado, Nina. Não precisava ter se incomodado – disse Nathan.

– Não foi incômodo. Foi um prazer – devolvi.

Apesar da maneira gentil e doce com que ele falou comigo, eu ainda estava irritadíssima com ele. E com Manu também.

– Manu, vamos pra casa? Amanhã é segunda-feira e eu começo bem cedo.

– Eu não trabalho. Amanhã é o meu domingo.

– Eu também não trabalho – contou Nathan. – Aliás, trabalho sim. Depois que eu acordar. Lá pelo meio-dia ou quando pintar uma inspiração.

– Certo. Eu tenho cliente marcada para sete horas e minha vida ainda não está ganha.

– Pra que trabalhar mulher? Não viemos a esse mundo só para o trabalho, dinheiro, contas ou compromissos. Senta aí e vamos bater papo. Afinal, essa é a melhor parte da vida.

– Nathan, você é um sábio – brincou Manu. – Senta aí, Nina. Ainda está cedo.

– Puxa, Manu! Queria mesmo ir pra casa. Se você não se importar, vou de táxi, assim podem ficar mais tempo.

– Ah, para com isso! Não são nem dez da noite. Às onze e dois nós vamos, está bem?

Encarei-a consternada.

– Ok.

Detesto depender de carona. Simplesmente detesto.

– E você deve estar preocupada com seu namorado – comentou Nathan.

Minha indignação ficou perceptível até para Lucas, que ainda lambia o chocolate dos dedos.

– Que cara, hein, tia! – falou ele. – Parece até que viu o Duende Verde.

– Calma, Nina. Fica tranquila que Nathan é meu amigo e será seu amigo também – apressou-se Manu em se justificar.

– É, Nina, relaxa. Ela só comentou que seu... É namorado ou um rolo?

– Não é da sua conta o que ele é ou deixa de ser – falei sem medir as palavras.

– Ei, não precisa ficar nervosa. A Magrela não falou nada demais. Só contou que você está preocupada com seu namorado, que está doente.

Normal. Acontece com todo mundo e, na minha opinião, você não deveria se sentir culpada por estar aqui.

– Ah, é? E como você se sentiria se soubesse que a sua namorada foi para uma festa enquanto você está doente e de cama?

– Hum... sei lá. Acho que não veria problemas. Não sou ciumento, nem possessivo. Gosto da minha liberdade assim como gosto de deixar minha parceira livre para fazer suas coisas, como sair com as amigas ou se divertir com o que ela gosta. Tudo é uma questão de confiança.

– Sei. Você fala isso agora. Na prática não é bem assim – rebati.

Você concorda comigo? Os homens não são assim, desencanados. Se ele for muito liberal, se não sente ciúme, se não liga quando a mulher sai com as amigas, pode desconfiar que aí tem coisa.

– Seu namorado deve confiar em você.

Eu dei de ombros sem responder diretamente.

– E você provavelmente confia muito nele – insistiu Nathan.

– Marcelo é um cara bacana. Ultimamente ele anda ocupado demais com a faculdade. Vocês fizeram faculdade e sabem como é. Milhões de trabalhos, provas... Deve ter ficado estressado com tudo isso e sofreu uma estafa. É muito comum hoje em dia – apressei-me em justificar.

– Então, por isso mesmo. É comum e você não precisa ficar se sentindo culpada por estar aqui – falou Manu.

Nathan deu um pequeno sorriso, como que para dizer: "Certo. Eu entendo perfeitamente". E se ocupou em limpar as mãos de Lucas com um guardanapo.

– Já pensou em ter filhos, Nathan? – ouvi Manu perguntando. – Você leva jeito.

Viram, ela estava a fim dele. Nunca em minha vida eu ouvi Manu falar em filhos. Se estava trazendo o assunto é porque tinha algum interesse por trás! Manu não dá ponto sem nó.

– Já pensei sim, Magrela. Mas destruíram os meus sonhos e hoje não penso mais.

– Que dramático – brincou Manu.

– Fui o mais sincero que pude.

– Nunca é tarde para recomeçar – me ouvi dizendo.

Maldita boca! Eu já tinha decidido não participar da conversa. Não tinha nada que ficar dizendo frases feitas para esse idiota.

– Obrigado. – Ele sorriu timidamente. – Quando eu conseguir enxergar a beleza do ser humano novamente, quem sabe eu esteja pronto para recomeçar.

– Puxa, Nathan. Foi tão ruim assim? – perguntou Manu.

Ele não respondeu de imediato. Apenas olhou por muitos segundos para o nada antes de responder:

– Hora de ir embora, meninas. Amanhã o Lucas tem aula. Nina trabalha e nós dois dormimos – falou levantando da cadeira. – E aí, Lucas, vamos pra casa? Sua mãe deve estar preocupada com você.

– Eu queria dar mais uma volta na montanha-russa. Você prometeu.

– A gente combina de ir ao Hopi Hari qualquer dia desses e você passa o dia inteiro andando de montanha-russa. Combinado?

– Hopi Hari? Eu adoro ir lá! Você promete mesmo?

– Prometo.

– Eu vou cobrar, viu?! – alertou Lucas.

– Você está de carro, Nathan?

– Estou. Parei nesse estacionamento em frente.

– Nós também. Vamos juntos, então. Assim a gente conversa mais um pouco – pediu Manu.

– Beleza. Vamos encarar essa multidão?

Saímos em direção ao estacionamento. Manu e Nathan foram combinando uma próxima saída para terminar de colocar o papo em dia. Uma pizza ainda naquela semana. Depois combinaram de ir ao cinema. E também de Nathan ir conhecer o salão de Manu.

Eu tratei de ficar bem quieta para que eles não me incluíssem num desses programas. Não aguentaria mais um programa chato ao lado daqueles dois.

Distraída em só seguir os passos de Manu e Nathan, que iam mais à frente, nem percebi quando Manu parou de repente.

– Que foi Manu? Quase tropeço em você.

– Vamos... é... Vamos por ali. Para a direita. Acho que fica mais perto do estacionamento – disse ela de um modo estranho. – Venham!

– Eu parei naquele estacionamento ali – apontou Nathan na direção oposta.

– Nós também. Que foi, Manu, deu branco? – perguntei rindo. – É só continuar indo em frente. O portão é... O quê? – gritei.

Aquilo não podia estar acontecendo.

Olhei novamente tentando ajustar o foco. Mentalmente torci para ser um engano, uma ilusão, alguém parecido.

E eu os vi novamente.

Beijos.

Os meus beijos. As mãos segurando o rosto dela da mesma maneira como ele segurava o meu.

Mas ele não estava doente?

Meu mundo parou de girar. O ar me faltou eu me senti ligeiramente tonta.

– Ma... Ma... Manu... – gaguejei.

– Nina, não faça nada. Fique aqui com a gente.

– O que está acontecendo? – quis saber Nathan.

– Manu... Eu... Ai, meu Deus... Me diz que é um engano? Pelo amor de Deus, me diz que eu estou vendo coisas? Hein, Manu?

– Calma, amiga. Fica na sua.

– O que está acontecendo? – tornou a perguntar Nathan.

– Aquele lá aos beijos com aquela morena é Marcelo, o traste de Nina.

– Ué, ele não estava doente?

– Aí está a doença dele. Sem-vergonhice aguda. Conhece?

Eu já não ouvia mais nada do que eles falavam e me vi caminhando em direção a Marcelo.

– Nina, volte aqui!

Ignorei Manu e segui caminhando.

– Nina... – Manu me alcançou e me segurou pelo braço, me fazendo parar. – Não vale a pena. Deixa esse cara pra lá.

Nathan tratou de distrair Lucas para que ele não percebesse o barraco que estava prestes a acontecer.

– Eu preciso ir lá esclarecer, Manu. Preciso entender para depois dar um basta nisso.

– Não tem o que esclarecer, criatura. Está muito claro. Cafajeste, como todos os outros. Simples assim.

Olhei para Marcelo e para a garota. Senti meu rosto queimar de tanta raiva.

– Eu vou lá. Eu vou lá e é agora. – E saí batendo o pé.

– Ai, que vergonha alheia! – exclamou Manu ficando onde estava com Nathan e Lucas.

Poeira, poeira, poeira

Meu dementador particular: Marcelo.
Um momento bom: um café no meio da manhã.

– Marcelo! – gritei chamando a atenção de todos a nossa volta.

Ele levou um susto e ficou sem reação por alguns segundos, para logo em seguida dizer:

– E aí, Nina, o que está fazendo por aqui?

– Você não estava doente?

Ah, Deus, por favor, salve-me disso.

Marcelo riu sem graça. A morena curvilínea olhava para ele curiosa, esperando uma resposta.

– E então, Marcelo, responda?

Eu sabia qual era a resposta. Como sempre soube que ele é um cafajeste imprestável. Não entendia o porquê de ainda estar parada na frente dele segurando um grande aviso luminoso em minha testa dizendo: "Sou trouxa!"

– Eu vou explicar. Passo na sua casa amanhã, pode ser?

Controlei a minha ânsia de gritar com ele. E com aquela songamonga me analisando de cima a baixo. Quem ela pensava que era?

– Por que você faz isso comigo? O que eu fiz de errado pra você me tratar assim? Me diz?

Eu não podia ter dito isso.

– Pô, Nina... Eu gosto de você e tudo... Mas... Será que eu preciso explicar alguma coisa? – falou com uma cara irônica.

Uma onda de tontura me engolfou e me senti ligeiramente tonta.

Naquele momento eu deveria dizer um monte de coisas para ele. Xingar todos os palavrões que conheço. Mandá-lo à merda. Dizer que ele não é um homem, é um merda. Um filho da mãe babaca de merda!

Mas nada saiu da minha boca. Eu o observei com o olhar ficando cada vez mais distante. As vozes, a música, os carros passando... tudo foi ficando cada vez mais distante.

Senti um toque em meu braço e me virei para olhar.

– Vamos pra casa? – Manu pegava meu braço e começava a me puxar. – Esse cretino não merece mais um segundo seu.

Eu deixei que me levassem.

Chegamos ao estacionamento. Nathan me deu um beijo no rosto. Fui posta dentro do carro. Manu dirigiu para casa em silêncio. Subiu comigo até meu apartamento. Perguntou se eu queria que ela dormisse lá. Respondi que não. Perguntou se eu tinha certeza. Eu disse que sim. Me deu um beijo e foi embora. Eu tranquei a porta, me encostei nela e deslizei até o chão.

Senti um vazio sufocante. E esperei pelas lágrimas... Que não vieram. Nem chorar eu conseguia.

Estava paralisada.

Marcelo me fez de idiota. Me enrolou, mentiu, inventou toda essa história de que estava doente só para sair com outra mulher?

Me sentia um lixo. Mais uma vez eu fui enganada. Mais uma vez.

Ai, que raiva de mim mesma!

Fiquei horas sentada no escuro pensando em todos os homens que eu já tive. Na forma como eles me trataram, em todas as vezes que perdoei traições por achar que o amor estava acima de qualquer coisa. Em como me submeti a humilhações, em como mendiguei amor, carinho e atenção.

E não consegui entender por que eu aceito esses homens. Por que só atraio homens errados, tortos e mentirosos.

As horas foram passando e eu ainda ali sentada no chão da sala, ao lado da porta de entrada. O apartamento todo escuro. Melhor assim, pois não queria me olhar no espelho e dar de cara com a trouxa que eu sou. Eu seria capaz de partir o espelho em mil pedaços de ódio... de mim mesma.

Foi um dia longo. Longo e cansativo. E dolorido.

Só queria que ele acabasse logo.

Adormeci ali.

A segunda-feira amanheceu nublada, parecendo querer fazer pano de fundo, combinando com a minha tristeza.

Não sentia a menor vontade de levantar do chão frio. Minhas costas doíam, minha cabeça latejava, mas era o coração que mais sofria. Eu só queria ficar ali pensando no meu caos particular.

Manu me ligou logo cedo querendo saber como eu estava. Em seguida, Pam ligou também.

– Oi, amiga. Manu me ligou ontem à noite para me contar do canalha. Mas que filho da mãe, hein? Inventar que estava doente, que estava no hospital, só para sair com outra? É muita canalhice!

– Pois é. Ele fez isso.

– E por que você não cuspiu na cara daquele safado? Eu teria cuspido.

– Não vale a pena.

– Nina, você vai sair dessa. Como sempre saiu de todas as demais. Bola pra frente, amiga. Conte conosco, está bem?

– Obrigada, Pam. Sei disso.

– A gente se fala mais na Noite do Batom. Vamos beber todas e detonar com o Coringa. A orelha dele vai ferver de tanto que vamos falar mal dele.

– Vamos sim. E você e Domênico, estão bem?

– Tudo certo. Vou viajar daqui a uns dias. Preciso ir à Brasília resolver umas questões da empresa... Acho que vou fechar um cliente grande lá.

– É mesmo? Puxa, que legal! Você merece.

– Obrigada. Estou precisando mesmo de novos clientes e de dinheiro.

– Você está precisando de dinheiro? Até parece.

– Ah, digo, por causa dos apartamentos que queremos comprar.

– Seu apartamento me parece bom e ainda é tão novo... Pra que mudar?

– Dom acha que devemos investir, e mudar para um apartamento maior é uma maneira de investir nosso dinheiro.

– Hum... Se Domênico diz, então, você deve acatar. Ele é um excelente empresário.

Fiquei pensando em Pâmela e na vida que ela tem. Tudo sempre dá certo para ela. Desde sempre. Foi assim com a escola – passava de ano com muita facilidade. Tem uma família grande e unida. Se formou em contabilidade. Trabalhou em várias empresas bacanas. Ficou independente cedo, comprou um apartamento grande em um bairro bom com seu próprio dinheiro. Casou-se com um cara legal e que a ama mais que tudo neste mundo. Ela merece tudo o que conquistou. Com certeza. E devo me sentir feliz por ela.

Olhei para o relógio e levei um susto.

Droga! Estou atrasada. Me levantei sem a menor vontade de ir trabalhar. Se eu pudesse, passaria o dia inteiro casa. E a semana. E o mês...

Certo. Tenho que ir mesmo. Não tem jeito.

Me arrastei para a clínica para atender minhas clientes. A primeira do dia era quem?

Sim, Melanie!

Como adoraria cancelar a massagem dela! Tenho certeza de que ela vai perceber meu estado de espírito, vai perguntar, especular até eu abrir o bico.

E não deu outra.

– Eu avisei você – falou com certa satisfação escondida nas palavras, depois de eu ter contado o encontro da noite anterior.

Confessando: Detesto gente que fala: "Eu avisei! Eu disse!". Parece que sentem prazer em dizer tais palavras.

– É, você e Campinas inteira me avisaram. Mas eu estava apaixonada por ele. Me diz qual mulher escuta um conselho quando está apaixonada?

– Ai, Nina! Quando você vai aprender... Ai, ai! Doeu. Vai com calma!

Eu apertei de propósito mesmo. Burguesinha metida a sabe tudo. O que ela sabe da minha vida, afinal?

Terminei a massagem dela mais cedo do que de costume. Ela reclamou um pouco. Eu dei a velha desculpa de que não estava bem e que a compensaria na próxima sessão.

Assim que ela saiu da clínica, olhei minha agenda e vi que minha próxima cliente era só para depois do almoço. Sem pensar, peguei minha bolsa e saí para dar uma volta. Ficar sozinha me sufocava. Os pensamentos me sufocavam e eu precisava ver gente. Me sentir gente. Me sentir normal. E fugir da minha realidade.

Caminhei pelo bairro olhando algumas vitrines, sem parar em frente de nenhuma delas. Alcancei uma praça bonita e arborizada e me sentei em um dos bancos.

Imediatamente uma música da Legião me veio à cabeça:

"Quem inventou o amor? Me explica por favor. Quem inventou o amor? Me explica por favor. Vem me diz o que aconteceu. Faz de conta que passou. Quem inventou o amor?..."

E, então, eu chorei. Deixei minhas lágrimas correrem livremente, lavando a minha dor.

As pessoas passavam, fingiam que não me viam e seguiam com suas vidas. Ninguém se interessou em saber do meu sofrimento. Estavam ocupadas demais com seus problemas para me notar ali no meio do caminho.

Não me importei com o fato e continuei sentada no banco daquela praça chorando feito criança.

Tentei imaginar uma conversa com meu pai. Ele seria a pessoa perfeita para me ajudar a sair dessa. Pensei no que ele me diria, nas palavras certas, nos abraços carregados de carinho.

– Ei? – gritou alguém me chamando a atenção.

"Será que é comigo?"

– Oi, moça.

Abri os olhos e procurei quem me chamava.

– Aqui. – Ele acenou para mim de dentro de um carro.

Demorei para reconhecer e forcei meus olhos, que ainda estavam molhados, para identificar quem era.

– Quer carona? – me perguntou ele.

– Não. Obrigada.

Procurei dentro da bolsa um lenço para secar meus olhos. Não encontrei.

Olhei novamente para frente e o vi descendo do táxi. Ele se despediu do motorista e veio caminhando na minha direção.

Era o meu Adorável Desconhecido – o passageiro do táxi.

– Olá – disse sentando-se ao meu lado.

– Oi.

Ele olhou meu rosto, que deveria estar um pouco inchado por causa das lágrimas. Limpou uma que corria livremente debaixo do meu olho esquerdo e afirmou:

– Espero que entre hoje e o último dia que nos encontramos seus olhos tenham parado de lacrimejar por algum tempo – brincou. – Problemas com o DJ?

Eu ri por ele se lembrar de mim e daquela nossa conversa.

– Não... Mas eu continuo a mesma trouxa de sempre.

– Vamos tomar um café? Tem uma padaria aqui perto. Depois de um café, você vai ver que o problema não é tão grave assim.

– Tudo bem.

Assim, caminhamos em direção à padaria.

– Quer falar sobre o que está fazendo você chorar?

Balancei a cabeça afirmativamente. Ele era tão gentil. Sua voz, tão acolhedora... Impossível não despejar tudo o que me sufocava.

Limpei a garganta pensando em como começar.

– Outro relacionamento que não deu certo...

– ...E que machucou você.
– É. Em que eu me machuquei mais uma vez.
– E o DJ, deu notícias?
– Não, nunca mais soube dele. Naquele dia, depois que cheguei em casa, peguei todas as coisas dele e joguei pela janela. Sei que ele foi lá recolher tudo porque, no dia seguinte, quando sai para trabalhar, não tinha mais nada na calçada.
– Ou vai ver que algum catador de lixo passou por lá e se deu bem.
– Pra mim não importa o que aconteceu. Nem com ele nem com as roupas dele. Quero mais é que se exploda. Ele e todos os homens do planeta.
– Puxa, fizeram tão mal assim pra você?
– Pisaram no meu coração. Brincaram com meus sentimentos e me fizeram de idiota de uma forma tão egoísta que até agora eu não entendo o porquê.
– Chegamos – avisou ele.
Entramos. A padaria era pequena, mas bem charmosa. Escolhemos uma mesa de canto, perto de uma grande janela de vidro. A vista era para um jardim de inverno com várias plantas e uma fonte jorrando água.
Depois de fazermos os pedidos, eu continuei a falar:
– Eu conheci Marcelo há alguns meses e foi paixão à primeira vista. Ele me envolveu de tal forma que não resisti e me entreguei de corpo e alma. Acontece que só eu me entreguei. Ele apenas me usava como a última opção, caso não encontrasse ninguém melhor. Se nada desse certo, ele tinha a mim, sabe como é?
– Por que você se permitiu?
– Porque eu o amava. Porque ele, de alguma forma, me queria e fazia eu me sentir desejada, bonita... Eu sabia que ele me enrolava, que fazia de mim o que bem entendia. Só que tudo tem um limite. E o limite foi ontem, quando liguei para ele para combinarmos de sair e ele disse que estava doente. Saí mesmo assim com minha amiga Manu. Fomos à Festa da Uva em Vinhedo. Quando estávamos indo embora da festa, dei de cara com ele agarrado com outra mulher.
Fiz uma pausa para respirar melhor e receber o café que a garçonete trazia em uma bandeja.
– E eu ainda fui falar com ele. Fui tirar satisfação. O canalha riu da minha cara... perguntando se eu ainda não tinha sacado qual era a dele. Que mau caráter! Como pode ser tão frio? Tão egoísta? Me explica por que os homens fazem isso?

– Existem homens e homens. Nem todos usam as mulheres dessa forma.

Dei de ombros como quem diz: duvido!

– E agora, o que você vai fazer?

– Sei lá. Estou me sentindo a pior das criaturas. Estou me sentindo humilhada, constrangida, impotente... a autoestima está lá embaixo... E não é só em relação a Marcelo. Marcelo foi a gota d'água. Sinto falta do meu pai, sinto falta de ter minha mãe como amiga, de estar mais próxima dela. Sinto falta de ter uma família para quem correr em momentos como este. Eu sou sozinha. Tenho apenas duas amigas... – Senti novamente as lágrimas invadirem os meus olhos. – que têm suas vidas... E eu só queria ter alguém que me amasse, que desse certo...

Ele me ofereceu seu lenço, que eu aceitei. Chorei um pouco em silêncio. Ele apenas me observava.

– Eu sou uma idiota, sabe?

– Você não é idiota. Por que fala assim de você mesma?

– Olha só para mim! – Dei um sorriso sem graça. – Sou uma estúpida que acredita em todos os homens. Sou uma idiota, insegura e nada interessante.

– Você pode recomeçar.

– Estou cansada de recomeçar. Cansada. Tenho vinte e oito anos! Até quando vou ficar nessa de recomeçar? Será que é tão difícil assim achar alguém que queira um relacionamento sério e para a vida inteira?

– Você conhece o conto das areias?

Balancei a cabeça negativamente, bebendo meu café. Ele continuou.

– Do alto das montanhas, nasceu um rio claro, transparente, que corria livremente. Esse rio fez uma longa viagem e, no decorrer de sua existência, percorreu países diferentes, sulcados por vales extensos e férteis. Por fim, chegou diante das areias de um deserto imenso. Ele tinha encontrado muitas dificuldades que sempre soubera ultrapassar. Tentou, então, atravessar esse último obstáculo do seu jeito habitual. Grande foi sua surpresa quando percebeu que toda a arte e toda a ciência que possuía não tinham agora qualquer utilidade para ele. Suas águas desapareciam nas areias tão rapidamente quanto ele as lançava. Apesar de todo o seu esforço, não conseguiu atravessá-lo. Quando já estava exausto de tanto tentar, ele escutou uma voz baixinha, que veio do deserto, através das areias: "deixe o vento carregá-lo...". Então, o rio relaxou, evaporou e choveu do outro lado do deserto.

– É lindo – respondi admirada.

– Às vezes é preciso parar e ouvir o que o universo está preparando para nós. Que tal deixar um pouco a autopiedade de lado e ouvir o que o seu universo está tentando lhe dizer?

– Eu não sinto pena de mim mesma!

Ele riu e balançou a cabeça.

– Não culpe os homens pelo seu insucesso. Aliás, não culpe ninguém. Mas observe. Conheça a si mesma antes de tentar conhecer os outros. Analise qualidades e possíveis melhorias, como o rio que tentou atravessar as areias do deserto, e tente de outra forma. Ou deixe o universo conspirar. Foi quando o rio parou de tentar e entendeu a mensagem que o universo lhe mandou que ele conseguiu atravessar o deserto. Quem sabe você não está lutando contra um destino maior, que o seu universo quer lhe dar?

– Obrigada por ser sempre tão gentil quando eu não mereço.

– Só por ser um ser humano você merece. E por ser mulher você merece mais ainda. – Ele voltou a sorrir e seu sorriso me aqueceu. – Não se subestime, nem se despreze dessa forma. Você consegue sim. Basta tentar de um jeito diferente.

– Fugindo dos cafajestes?

– Ou transformando um cafajeste num *gentleman*.

Continuamos nosso café, que, em seguida, virou um almoço, até às duas horas da tarde, quando precisei voltar à clínica.

Ele me acompanhou até lá.

– Obrigada pela companhia, por me ouvir, por ser tão gentil. Você... Gente! – exclamei me dando conta. – Sabe que até agora eu não sei seu nome?

– Eu também não sei o seu nome. – Ele riu. – E para que precisamos saber os nossos nomes?

– Para eu saber quem você é.

– Eu sou a pessoa que ouve seus problemas.

– É verdade. Mas eu preciso saber seu nome. Não posso passar a vida inteira lhe chamando de meu Adorável Desconhecido.

– Ah, você me chama assim? Eu chamo você de a Garota do Táxi.

– Menos mal. – Eu ri. – Melhor que A Surtada.

– Não pensaria isso de você.

– Então, qual o seu nome?

– Adorável Desconhecido – brincou ele.

– Não vai falar? Então, falo o meu. Sou a...

Ele colocou a mão em meus lábios.

– Não fale. Eu não quero saber... agora.

– Por que não?

– Se a gente se cruzar por aí novamente, tomaremos outro café e, então, falaremos nossos nomes.

– Ah, assim não vale. Pra que esse mistério?

– Eu gosto de mistérios. Você não?

– Confesso que não. Além do mais, você sabe onde eu trabalho e eu não sei nada sobre você. Estou em desvantagem.

– Prometo que só passarei por aqui se for necessário. Não vou forçar um encontro casual com você.

Será que ele assistiu àquele filme *Escrito nas Estrelas* e decidiu fazer igual?

Ah, quer saber? Eu vou entrar na brincadeira. Já que é para pensar diferente, que comecemos por essa.

– Ok. Eu aceito. Vamos deixar nossos nomes para o próximo encontro casual. Agora, tenho que ir.

– Foi bom rever você, Garota do Táxi.

Eu sorri feliz.

– Sim, foi bom ver você também, Adorável Desconhecido.

Ele se aproximou e me deu um beijo no rosto.

– Se cuida.

– Pode deixar. E se eu nunca mais ver você... Obrigada pelo carinho com que me tratou. Tenha uma vida maravilhosa.

– Foi um prazer.

E ele saiu caminhando pela calçada. Logo atravessou a rua, seguiu reto por mais uma quadra e, depois, virou à esquerda, desaparecendo no meio da cidade, como o rio que evaporou, e se liquefez dentro de algum táxi por aí.

Subi correndo para a minha sala a fim de me preparar para a próxima cliente. Abri a porta, bati a mão no interruptor e... nada. Olhei para o lado de fora e vi que estava iluminado.

Ué, só eu que estava sem luz? Ou será que foi a lâmpada que queimou?

Fui conferir a luz do banheiro e também não funcionou. Tentei o rádio e nada.

É, estava sem luz mesmo.

Desci para o térreo para descobrir com o porteiro o que poderia ter acontecido.

– Boa tarde, Luiz. Tudo bem?

– Tudo ótimo, Dona Nina. E com a senhora?

– Estou bem. Obrigada. Você sabe se aconteceu algum problema com a rede elétrica? Estou sem energia.

– A companhia de luz cortou sua energia. O técnico saiu daqui agorinha.

– E você sabe por quê?

– Sei não, senhora.

– E por que você não me avisou?

– Porque a senhora não me perguntou.

Olhei para ele completamente indignada. Agradeci e saí para a calçada.

Era tudo o que eu precisava. E o que ia fazer com minhas duas clientes?

A primeira estava para chegar e eu não podia atendê-la no escuro.

Olhei para um lado, depois para o outro, em busca de uma solução.

"Tonhão? Está me ouvindo?", pensei olhando para o céu. "Sei que o seu negócio é arrumar marido, namorado... E não quero abusar nos pedidos, mas, assim, será que poderia abrir uma exceção e me ajudar com essa? Uma luz. Me dê uma luz!"

Tornei a olhar para o céu. Fechei os olhos para que a prece fosse o mais rápido possível para o santo. Em seguida, abri os olhos lentamente, torcendo por um milagre e olhei para os lados em busca de alguma coisa. Lá no final da rua, eu avistei uma lojinha de produtos religiosos, onde também vendiam velas.

Pisquei os olhos várias vezes. Sim, eu estava vendo uma loja onde vendiam velas!

Ô, meu santo, muito obrigada. Agora só falta o marido, hein!

E, se for com a mesma rapidez da loja de velas, eu agradeço.

Corri até a loja e comprei algumas velas ao mesmo tempo em que bolava a história para contar para as minhas clientes. Depois eu resolveria com a companhia de energia essa história absurda de cortarem a minha luz assim do nada.

Voltei correndo para a sala e, mal deu tempo de organizar as velas, uma cliente bateu na porta.

– Oi, Nina.

– Oi, Estela. Como vai?

– Estou bem. Ué, que novidade é essa? Velas?

– Sim. Hoje eu preparei o ambiente para você relaxar e esquecer todos os seus problemas. Espero que goste.

– Eu amei!

"Ufa!", pensei aliviada.

Depois que atendi minhas duas clientes, que amaram a novidade e pediram para que ela fosse incorporada em todas as sessões, liguei para a companhia de luz para resolver a questão da energia:

– É um absurdo vocês cortarem a minha luz assim sem avisar – falei num tom indignado para a atendente do SAC.

– Só um segundo, senhora, que estaremos verificando.

"Estaremos verificando", odeio os gerúndios dos SACs, call centers, etc.

– Verificar o quê? Não tem o que verificar. Tem de mandar o técnico aqui para religar a energia ainda hoje – falei mais exaltada.

Aquilo era um absurdo, minha gente! Um absurdo!

– Senhora, a sua energia foi cortada por falta de pagamento. São cinco meses em aberto.

– Como?

– Cinco meses sem pagar a conta de luz. A senhora tem interesse em quitar as contas em atraso?

– Você está falando sério?

– Sim, senhora.

– Mas eu não recebi a conta, como poderia pagar se eu não recebi a conta.

– E a senhora não deu falta? Deveria ter ligado para pedir a segunda via.

Cinco meses sem pagar a conta de luz. Foram os cinco meses em que só tive olhos e cabeça para Marcelo.

Maldito Marcelo! Até a conta de luz ele me fez esquecer de pagar.

– Sim, e o que eu preciso fazer?

A moça me explicou direitinho como pagar as contas em atraso e eu voltei para minha casa.

O bom de ser uma profissional autônoma é isso: às vezes estou livre às quatro da tarde para fazer o que me der na telha.

E o que me deu na telha naquela tarde foi ir para casa, me enfiar debaixo do edredom e ficar lá até o mundo acabar.

Tudo o que eu queria era dormir para não ter que pensar mais no dia anterior.

No caminho de casa, parada em um semáforo, o meu carro morreu. Dei partida. Nada de funcionar. Tentei novamente e nem coceguinha.

"Ah, não! Fala sério! Mais essa? Vamos lá, Kelvin, não faça isso comigo. Seja um carro bonzinho e funcione."

Tentei dar a partida de novo e... nada.

– Que merda de inferno astral é esse? – esbravejei dando um soco no painel do carro, que rangeu com a batida.

Por que quando uma coisa errada acontece outras mil também resolvem acontecer?

Isso não é engraçado, Senhor Universo. Definitivamente não é.

Sorte que eu estava em um leve declive e consegui manobrar e parar em uma vaga que tinha mais adiante.

Assim que estacionei, desci do carro e fiquei olhando para ele. Não entendo nada de carros e nunca sei o que fazer quando essas coisas acontecem.

Não dava para pedir ao santo novamente. Eu precisava de um carro que funcionasse e não de um marido.

Apelei para as amigas.

Peguei o celular e liguei para Manu.

– Oi, Nina! – atendeu Manu, alegremente.

– Ai, Manu. Preciso de um help. Kelvin resolveu pifar de novo. Estou no meio da rua e sem um puto pra pegar um táxi. Vem me salvar, amiga?

– Onde você está?

– Na Avenida Norte-Sul, quase chegando na Dr. Moraes Sales.

– Estou indo. Em quinze minutos estarei aí.

Esperei por Manu sentada dentro do carro. Depois, saí do carro e esperei em pé do lado de fora. Ligando para a oficina mecânica. Andando de um lado para o outro, até que ela chegou mais de meia hora depois com Nathan a tiracolo.

"Certo, respire fundo, Nina. Definitivamente hoje não é o seu dia."

Eles estacionaram atrás do meu carro e desceram.

– Oi! – Manu me deu um beijo.

– Oi – retribuí o beijo. – Oi, Nathan. Tudo bem?

– Olá, Nina. Estou bem e você?

– Atravessando uma tempestade.

– Percebe-se – falou com um sorriso torto.

Notei que ele vestia a mesma calça de tecido xadrez do dia anterior e uma camiseta preta básica, que realçou o branco de sua pele.

Notei também que seu cabelo continuava todo bagunçado e que a barba por fazer lhe caía muito bem.

Ah, e foi impossível não perceber o seu perfume amadeirado quando ele me beijou na bochecha.

E me explique por que estava notando tantas coisas naquele carinha?

– O que aconteceu? – perguntou Manu.

– Não faço a menor ideia. Simplesmente parou de funcionar.

– Bateria? – especulou ela. – Quando você trocou a bateria pela última vez?

– Sei lá. Não entendo nada de carros. Só sei dirigir.

Esperei Nathan complementar a minha frase "e mal, diga-se de passagem" ao observar os quase noventa centímetros de distância da calçada. Mas ele não disse nada.

– Você não tem cabos de bateria para fazer uma chupeta? – perguntou Nathan para Manu. – Se for bateria, a gente resolve o problema agora.

– Não, Nathan, no meu carro não se faz chupetas. Nem tenho esses cabos que você falou.

Óbvio que Manu jamais permitiria que roubássemos um pouco da energia da bateria do Precioso.

– Não esquenta. Já chamei Carlão, meu mecânico, que sempre me salva quando meu carro decide tirar umas férias. Ele está vindo pegar.

– E vamos ficar aqui esperando por ele? – perguntou Manu.

– Não precisa. Ele tem a chave reserva justamente para não ter que ficar esperando. Virou um hábito, sabe?

– É verdade. Eu sempre me esqueço disso... Então, vamos embora – anunciou Manu rapidamente, antes que Nathan sugerisse que Precioso rebocasse meu carro até a oficina mais próxima.

– E para onde vamos? – perguntou Manu quando já estávamos dentro do carro.

– Eu quero ir pra casa me enfiar debaixo das cobertas e ficar lá até amanhã de manhã.

– Se enfiar debaixo das cobertas nesse calor? – perguntou Nathan zombando de mim. – Achei que estivesse com dor de cotovelo, não doente.

– Ah, você entendeu. Meus últimos dias foram pesados demais. Só quero fechar os olhos e dormir.

– Que tal pegarmos um filme na locadora e assistirmos na sua casa? Adoro aquela TV gigante que você tem e quase não usa.

– Não estou a fim, amiga. Sério mesmo.

– Nós não vamos deixar você sozinha, alimentando a solidão. Não é mesmo, Nathan?

– Opa! Contem comigo.

– Onde tem uma locadora para pegarmos um filme? Sabe se tem alguma perto da sua casa, Nina?

– Hum... – falei tentando ganhar tempo. Não estava exatamente a fim de assistir filmes com Nathan. Nem de recebê-lo em minha casa. – Não sei... Acho que não tem nenhuma no meu bairro.

– Tem que ter! – rebateu Manu.

Ave, como é difícil enrolar essa garota!

– Claro que deve ter. Todo bairro tem uma locadora – observou Nathan. – Onde você costuma pegar filmes?

Ai, merda! Eles não iam desistir. Que droga de dia! Queria ficar sozinha, puxa vida!

– Quase não vou a locadoras. Tenho TV por assinatura.

– Sim, mas uma coisa não impede a outra – rebateu Nathan.

"Cala a boca!", pensei fuzilando sua nuca transversalmente para ter certeza de que a glândula pineal seria destruída, dizem que é lá que fica nossa alma. Assim, nem em outra vida ele voltaria para me azucrinar.

– A gente pode ver a programação da sua TV, então. Nina tem todos os canais de filmes. Deve estar passando algum legal – falou Manu para Nathan.

– E também não tem nada para comer em casa. Nem refrigerante tem para oferecer – me apressei em informar. Era minha última tentativa de fazê-los desistir.

– Não esquenta com isso. Eu e Manu acabamos de almoçar.

Bela tentativa.

– É mesmo?

– Eu convidei Nathan para ir ao La Bella Nona comigo.

– La Bella Nona? Uau! Então devem estar sem fome mesmo – comentei com uma voz aguda demais.

– Qualquer coisa a gente pede uma pizza ou passa no mercado – disse Manu, sempre encontrando uma solução para tudo. – O importante é que você não fique sozinha. Você precisa conversar, rir, se distrair, esquecer o que passou. E é em momentos assim que os verdadeiros amigos se fazem presentes.

– "Todos se afastam quando o mundo está errado. Quando o que temos é um catálogo de erros. Quando precisamos de carinho, força e cuidado." – Nathan recitou um trecho da música da Legião Urbana.

– O *livro dos dias*... Essa música é linda, apesar de triste e densa – comentou Manu.

– Não sabia que você curtia Legião – comentei admirada.

– Gosto de algumas músicas – respondeu ele se virando para o banco de trás para me olhar nos olhos.

Seu olhar durou alguns segundos. E me deu a impressão de que ele queria falar alguma coisa a mais. Mas, rapidamente, se virou para frente e ficou quieto.

– Ele mandava muito bem – falei interrompendo uma longa pausa que se formou enquanto Manu dirigia distraída.

– Quem mandava bem? – perguntou Manu.

– Renato Russo. Ele escreveu letras lindas e que continuam atuais até hoje.

– Renato era o máximo. Um gênio, um poeta moderno e louco. Sou suspeita em falar dele porque eu...

– Olha lá! Uma locadora – avisou Nathan. – Vamos parar e escolher um filme?

Depois de ter pensado no trecho da música recitado por Nathan, resolvi ceder e aceitar a companhia deles. Estava precisando mesmo de força e cuidado.

Por que não? Que se exploda a depressão, a dor de cotovelo, a galhada crescendo na minha testa.

Melhor mesmo não ficar sozinha... Melhor não ficar sozinha *mesmo*.

– Vamos – respondi por fim.

– Uh-hu! Demorou – brincou Nathan.

Manu estacionou em frente da locadora e saltamos do carro.

Dentro da locadora, cada um queria pegar um filme diferente. Eu queria ver um romance (apesar de não estar nos melhores dias para tal), Manu queria um suspense e Nathan queria um policial.

Demoramos muito para escolher dois filmes. Em seguida, fomos para a minha casa.

– Não! Eu não posso mais beber nada. Amanhã tenho que tabra... trabra... ooops! Tá difícil...

– Xiii, lá vem Nina falando em trabalho de novo – reclamou Nathan tentando encher meu copo com mais tequila.

Eu já estava bêbada. Assim como Manu. Pâmela e Domênico estavam tentando não passar do estágio "alegrinhos" porque tinham que trabalhar no dia seguinte sem cara de ressaca.

Claro que não assistimos aos filmes. Manu ligou para Pam, que veio com Dom e com algumas garrafas de tequila e comida mexicana de algum lugar que já não lembro o nome. Ficamos no tapete da sala bebendo e comendo tacos.

Falando muita besteira também. Mas é isso que os amigos fazem quando se reúnem para conversar.

A certa altura, levantei do tapete e fui cambaleando para a cozinha levando alguns pratos vazios. Manu e Pam vieram atrás de mim deixando Nathan e Dom conversando.

– Vocês nem imaginam quem me achou perdida numa pracinha hoje pela manhã – disse para as duas que me olharam intrigadas.

– O Coringa – chutou Manu.

– Infelizmente não – deixei escapulir.

– Infelizmente? – perguntou Pam.

– Não... Quis dizer felizmente – corrigi para não levar bronca. – Felizmente.

– Ãh-hã – debochou Manu.

– Algum de seus ex-trastes? – arriscou Pam.

– Não. Vocês não vão acertar nunca.

– Então fale de uma vez.

– Meu Adorável Desconhecido: o passageiro do táxi.

Manu e Pâmela se olharam e começaram a cantar o melô do passageiro:

– "Vou de táxi. Cê sabe. Tava morrendo de saudade. Mas não lembro do teu nome..."

Elas também ensaiaram uns passinhos e riram muito.

– Sério isso? – perguntou Manu depois que o show acabou.

– Siiiiiim – falei empolgada.

Desde que meu Adorável Desconhecido surgiu em minha vida, ele virou uma espécie de mito. Algo lindo, inalcançável e por quem nós suspiramos todas as vezes que falamos dele.

– Eu estava sentada em uma pracinha perto da minha clínica chorando por causa de Marcelo. Ele estava passando de táxi e me reconheceu.

– E aí? – perguntou Manu.

– Ele desceu, dispensou o táxi e me convidou para tomar um café na padaria. Eu estava toda borocoxô... E ele usou de todo o seu cavalheirismo, gentileza, compreensão – suspirei. – Ai, ai. Será que ele é uma espécie de anjo da guarda caído?

– Gente, mas é muita coincidência! – exclamou Manu.

– Faz tempo, né? Quando foi que aconteceu o primeiro encontro de vocês? – perguntou Pam.

– Foi no dia que descobri o lado negro do Lúcio Darth Vader.
– É verdade.
– Dessa vez você perguntou o nome dele?
– Perguntar eu até perguntei, mas ele preferiu não dizer para manter o clima de mistério. Daí, se um dia nos encontrarmos de forma casual novamente, aí sim revelaremos nossos nomes.
– Que doido! – exclamou Pâmela.
– Que romântico... – suspirou Manu.
– Você não é romântica para achar alguém romântico – brinquei com Manu.
– Eu acho isso o máximo. Adoro esses mistérios.
– E eu acho isso muito doido – reforçou Pam. – Tome cuidado com esse cara. De anjo caído e sem asas a "maníaco do parque" é um pulinho.
– Fique tranquila. Ele é um cara legal. Além do mais, Manu o conheceu naquele dia...
– Pera lá! Corrigindo: Eu só o vi de longe, na calçada da padaria, quando fui pegar você. Não conheci ninguém.
– Bom, mas e aí?
– Aí nada gente! Terminou nisso. Ele foi embora e eu voltei pro trabalho.
– Muita coisa junto... Nathan que ressurge das cinzas, Nina que flagra o cafajeste com a boca na botija, o passageiro que aparece novamente... – listou Pam.
– Que bom! A vida é assim mesmo: movimentada! – filosofou Manu.
– Movimentada... Bem que eu queria um movimento também. – Pam pensou alto.
– O quêêêê? Como tem coragem de dizer isso? – perguntei me levantando da banqueta e indo até a pia. – Sua vida já é bastante movimentada, Pam. Você não para. Está sempre em reunião, viajando, no celular o tempo todo, frequentando festas badaladas... – disse me virando para Pâmela e Manu.
Vi que as duas nem me davam ouvidos e que cochichavam baixinho sobre algo que supostamente eu não deveria ouvir.
– Ei, quem cochicha o rabo espicha! O que vocês duas estão falando aí? – perguntei me juntando a elas.
– Pâmela está contando que quer ser mãe em breve.
– Jura? Que alegria! – vibrei. – Dom deve estar radiante.
– É... Bem, por enquanto, ele ainda não sabe desse meu desejo.
– Por quê? – perguntou Manu.

– Acho que ele ainda não está preparado. Além do mais, é um desejo besta. Melhor esquecer. Falei besteira.

– Não é desejo besta nada – defendeu Manu.

– É verdade. Quer saber, vou lá falar com ele – anunciei levantando e derrubando a banqueta. O barulho me fez pular.

– Não vai não – ordenou Pam me segurando pelo braço.

– Tudo bem por aqui, meninas? – perguntou Nathan entrando na cozinha. – Ouvimos um barulho e, como vocês estão altinhas, viemos ver se está tudo em ordem.

– Está tudo bem – informou Manu com uma voz pastosa por conta da bebida.

– Ei, Dom, por que você...

– Amor, está na hora de irmos para casa. Está tarde demais para uma segunda-feira – me cortou Pam.

– Eu estava falando – ralhei ofendida olhando para Pâmela.

– Dom...

– Deixa a Nina falar – resmungou Dom com Pâmela.

– Ela só quer encher o saco. Não vê que está bêbada? Vamos, amor? – pediu Pam empurrando Dom para fora da cozinha com um sorriso forçado e me fuzilando com o olhar.

– Meu, você é muito lerdinha mesmo, hein? – me repreendeu Manu depois que eles deixaram a cozinha. – Ela não quer tocar no assunto na frente de Dom. Não viu que ela se arrependeu até mesmo de comentar conosco? – disse fazendo um gesto com as mãos como se eu fosse uma idiota que não percebe o óbvio.

– Por alguns instantes, achei que vocês estavam cochichando de mim quando fui até a pia... Mas não importa agora... Bom, de qualquer forma eu acho isso uma tremen... ter... tremenda bobagem – disse com dificuldade.

– Aí tem coisa. – Manu pensou alto.

– Hã? – perguntei sem entender seu *insight*.

– Tchaaaaau gente. Estamos indo – Pam gritou lá da sala.

– Tchau, Pam, tchau, Dom – gritamos de volta sem sair da cozinha. Manu me olhava com cumplicidade e eu ainda boiando.

– Me explica melhor esse seu "aí tem coisa".

– Meninas, prontas para mais uma rodada de tequila? – perguntou Nathan entrando na cozinha, esfregando as mãos e ostentando um sorriso iluminado no rosto.

– Só se for agora. – Manu pulou da banqueta animada, abraçando o amigo.

– Estou dentro. Preciso beber muito para compensar o dia de gata borralheira que eu tive.

– Você é muito azarada, amiga – comentou Manu rindo.

– Põe azarada nisso. Desconfio seriamente que Marcelo se reuniu em segredo com a companhia de luz e com o Kelvin para me boicotar.

– Cruzes! – falou Manu se benzendo...

– E pelo visto conseguiu, hein! – comentou Nathan.

Ele se sentou no tapete da sala ao meu lado. Manu, rindo, sentou-se do outro lado e apoiou a garrafa de tequila na mesa de centro.

– Tudo o que eu quero é acordar amanhã e descobrir que foi um pesadelo. Que nunca me envolvi com Marcelo, que eu não o amo e que sou livre. Ou, ainda melhor, me espreguiçar, olhar para o lado e ver que Mark Ruffalo está ali na cama oferecendo o meu café da manhã, já tendo arrumado nossos seis filhos para a escola.

– Mark Ruffalo? – perguntou Nathan sem entender.

– Nina é apaixonada por esse tal de Mark Ruffalo.

– Ele é seu amigo?

– Mark Ruffalo amigo de Nina?

– Ué, ela não é apaixonada pelo cara? Ou melhor, ela não era apaixonada por Marcelo?

– Você não sabe quem é Mark Ruffalo? – perguntei horrorizada.

– Não faço ideia.

– Ele é um ator de Hollywood.

– Ator de Hollywood?

– É – respondi.

– Achei que tivesse vinte e oito anos – devolveu.

– Vai catar coquinho antes que eu me esqueça – respondi com raiva.

Nathan encheu nossos copos de tequila gargalhando gostoso com minha indignação e eu ri de volta.

Não é que podia ser agradável estar ao lado dele?

– Amanhã será um novo dia, Nina! – disse ele levantando seu copo.

Nós o imitamos e bebemos tudo em um só gole.

– Nathan, o que o homem faz para esquecer uma mulher? – perguntou Manu.

Nathan olhou para o teto antes de responder, como buscando inspiração.

– Em alguns casos, não tem outro remédio senão deixar o tempo passar. É como tentar curar gripe em um dia. Não dá.

Poeira

Meu dementador particular: Marcelo.
Um momento bom: quando planejamos a OFI.

– Me explica – pediu Manu.

– Você está amando? – perguntei, curiosa como sempre.

– É meninas, nós, homens, também sofremos por amor – desabafou Nathan.

– Ela deixou você, não foi? A tal da Mariza.

– Elisa – corrigiu ele. – Elisa com S.

– Hum... – Manu revirou os olhos fazendo pouco caso do nome da ex de Nathan. – Elisa com S. Mariza com Z... Whatever. Ela lhe deu um pé na bunda com P maiúsculo, não foi?

– Pô, Manu! Coitado dele. Não fale assim... "Deu um pé na bunda"... Que horrível!

– Antes tivesse sido um pé na bunda – falou Nathan, virando seu copo de tequila novamente. Ele fez uma careta engraçada depois que engoliu a bebida e limpou a boca com as costas da mão. – Só de pensar nisso me dá enjoo – acrescentou.

– Vamos lá, conta tudo... Desabafa com a gente, Nathan... – incentivei. Na verdade, eu estava morta de curiosidade.

– Você já enrolou demais para me contar a história do seu casamento – reclamou Manu.

– Não é o meu assunto preferido – disse ele.

– Quando você se casou? – perguntou Manu.

– Ok – disse levantando o copo de tequila. – Vocês venceram... Eu vou contar.

Vibramos de alegria e tomamos nossas tequilas com ele, batendo os fundos dos copos na mesa.

A bebida desceu rasgando, me deixando mais leve e com a cabeça girando.

– Eu e Elisa nos conhecemos em uma galeria de artes onde expus algumas de minhas obras, aqui em Campinas. Ela trabalhava na galeria como avaliadora de artes e logo se tornou admiradora do meu trabalho. Começamos a sair todas as semanas para tomar cerveja e falar de artes em geral e, quando vimos, estávamos completamente apaixonados. Nunca conheci alguém tão doce e sensível como Elisa. Além de culta, ela era inteligente, segura e topava fazer uns programas malucos, tipo saltar de paraquedas, andar de balão ou soltar pipas.

Ele fez uma pausa e riu de alguma lembrança que preferiu não dividir com a gente. Manu aproveitou para mudar de posição e eu senti raiva dessa Elisa por ser inteligente, culta e por topar programas malucos que eu aparentemente jamais toparia.

Confessando: Às vezes me acho certinha demais. Não fumo, nunca usei drogas, não faço nada radical ou que cause boas doses de adrenalina em minhas veias... Queria fazer algo mais radical algum dia, só para quebrar esse meu rótulo de certinha. Acho que vou começar a pensar no assunto.

– Vai, Nathan, desembucha... – antecipei quebrando aquele silêncio.

– A galeria onde ela trabalhava pediu que ela passasse um ano em Paris para aprender mais sobre História da Arte...

– Hum, deixe-me adivinhar – cortou Manu. – Ela foi para Paris e nunca mais deu notícias.

– E em qual momento vocês se casaram? – emendei.

– Ei, vocês querem que eu conte ou não? – perguntou Nathan.

– Queremos – dissemos em coro.

– Então, calem a boca! – ordenou, fingindo ter ficado bravo.

Rimos mais porque estávamos bêbadas do que da situação em si. Nathan notoriamente não estava muito confortável em falar daquilo.

– Bom, antes de ela se mudar para Paris, nós nos casamos. Coisa simples. Não teve festa nem nada disso. Elisa preferiu se casar no civil com um jantar entre amigos e parentes na casa dela mesmo.

– E eu não fui convidada por quê? – reclamou Manu.

– Elisa sentia muito ciúme de você. Eu falava muito em você, toda hora tinha uma história sua ou nossa para contar... Chegou num ponto em que ela a odiava sem nem mesmo conhecê-la. E também me proibiu de falar seu nome. – Ele deu de ombros. – Na época não me importei, estava apaixonado e, de qualquer maneira, você continuaria morando em minha memória e coração.

– Proibiu de falar meu nome? Que ridícula! Quem essa idiota pensa que é? – perguntou Manu.

Eu ri muito disso.

Sem graça, eu sei. Lembre-se de que eu estava de porre. Além do mais, bêbado, você sabe, costuma rir de tudo.

– Fica quieta, Manu – pediu Nathan empurrando Manu que caiu para trás.

– Ei, seu grosso! – reclamou Manu rindo. – Fique sabendo que você não tem mais moral comigo. Proibiu de falar meu nome... Fala sério! Só acredito porque é você quem está me contando. E você ainda quer que eu acerte o nome da sua ex? Com S e tudo? Dá um tempo, Nathan!

– Pois é... A gente fica bobo quando está apaixonado – se defendeu ele.

Eu sabia muito bem do que ele estava falando.

– Tá, tá, tá... Mas conta logo o que a Elisa com S fez, cacete! – pedi, entrelaçando os dedos, ansiosa. – Vocês se casaram e foram para Paris? Diz que sim! Isso é muito romântico – falei suspirando.

– Calma! Casamos justamente para ir morar em Paris. A galeria de Elisa providenciou casa, carro... Tudo. E ainda pagava um bom salário para ela.

– Você virou um gigolô? – gritou Manu gargalhando.

– Magrela tonta! Até parece que não me conhece. Você bebeu demais, Manu, e já está falando besteiras.

– Tá, e daí? O que você fazia em Paris enquanto a Elisa com S trabalhava? – perguntou Manu.

– Eu pintava, ué! Me matriculei em uma escola para estudar História da Arte também. Fiz amizade com Alain, um de meus professores, que também pintava, e fizemos algumas exposições juntos na galeria de Elisa.

– Uau, isso deve ter sido bacana! – comentou Manu. – Você deve ter arrasado na capital francesa.

Nathan não respondeu. Só bebeu mais um golão.

– E quando aconteceu tudo isso? Preciso me situar no tempo – falou Manu.

– Há seis meses voltei de Paris. Morei lá por dois anos.

– Certo. Então é recente.

– Sim.

– E o que aconteceu, afinal?

– Como disse, fizemos amizade com Alain e passamos a frequentar a casa dele. Ele e a esposa também frequentavam a nossa. Éramos bons amigos e tudo ia bem. No início de agosto do ano passado, a galeria fez um *vernissage* para abrir minha terceira exposição. A imprensa estava presente, assim como outros avaliadores, colecionadores... Eu estava muito bem. Era o meu momento, Manu. E você acertou. Eu realmente estava arrebentando na capital francesa. E tudo daria certo se não fosse... – Ele riu olhando para o copo de tequila vazio.

– Não fosse o quê? – perguntamos em coro, nos aninhando arregaladas, como crianças ouvindo histórias de terror em noite de tempestade.

– Tá bom, lá vai... – Suspirou e soltou o ar forte pelo nariz dizendo: – Em certo momento do coquetel, percebi a ausência de Elisa e fui procurá-la. Preocupado, pensei que pudesse estar passando mal ou algo assim. Ela tinha passado mal uma noite daquela semana. No dia, até me iludi com a hipótese de uma gravidez... Enfim, fui até o banheiro das mulheres, esperei alguns minutos e, como Elisa não saía, pedi a uma senhora que estava entrando para verificar. Ao sair, ela me informou que não tinha mais ninguém no banheiro. Então, fui até os fundos da galeria, onde ficava o escritório dela. Vi do início do corredor a porta entreaberta, coisa estranha, pois Elisa é claustrofóbica e gosta de espaço, deixa sempre a porta aberta. Ao me aproximar, vi uma luz fraca, provavelmente do abajur que havia em sua mesa, e percebi algumas sombras pela fresta da porta.

Manu mordia os lábios e eu não conseguia mais desatar os nós de meus dedos apertados, ansiosa por saber o desfecho da situação. Realmente parecia um conto de horror, tipo vai abrir a porta e achar um lobisomem comendo as vísceras de Elisa, algo assim.

Como sou exagerada!

– Pensei na possibilidade de assalto, uma vez que Elisa guardava algumas telas valiosas justamente no escritório – continuou ele. – Afinei os passos para não fazer barulho e fiquei na dúvida se deveria voltar e chamar a polícia ou seguir adiante... Já havia esquecido completamente que Elisa havia sumido e, na minha cabeça, só pensava se eu deveria enfrentar o assaltante ou chamar a polícia... Peguei um cinzeiro de vidro pesado que tinha em uma cômoda no corredor e segui disposto a nocautear o ladrão, se necessário...

– Gente, ai... Pera aí, preciso fazer xixi...

– Cacete, Manu, você só pode estar de sacanagem! Tô aqui entortando meus dedos e você pensando em fazer xixi?

– É rapidinho – disse ela, já fechando a porta do banheiro sem trancar.

– Nathan, me conta, vai... O que houve? Você conseguiu bater no ladrão?

– Nathaaaaaaaaaaaaan nem pense em contar pra ela primeiro – gritou a mijona do banheiro através da fresta da porta, já se levantando, apertando a descarga e correndo de volta para perto da gente.

– Nossa, nem lava a mão! – falei sem realmente me importar, pois estava muito curiosa.

– Não enche, Nina, você não está curiosa? Eu também, já arranquei todas as peles aqui do meu lábio... Vai, Nathan, conta logo. Conta.

– Então, eu fui até o escritório com o cinzeiro de vidro disposto a nocautear o ladrão e sutilmente fui abrindo a porta com a ponta do dedo indicador da outra mão, empurrando a maçaneta... A porta fez um rangido alto que certamente foi ouvido de lá de dentro, e eu, sem opção, empurrei-a de vez, abrindo-a totalmente. Elisa estava ali, com Alain.

– Com o seu amigo? – perguntou Manu sem poder acreditar. – Fazendo o quê?

– Então não era um ladrão? – perguntei sem entender.

Manu me olhou de soslaio e eu fiquei quieta.

– Pois é... – disse Nathan encarando novamente o teto para não deixar as lágrimas escorrerem.

– Eu não acredito! – exclamei horrorizada, sacando finalmente o que Alain e Elisa com S estavam fazendo juntos.

– Vaca-filha-da-boa-mãe! – xingou Manu.

– E aí, rolou briga? – quis saber.

– Pegou como, beijando? – perguntou Manu.

– Não, Manu, transando mesmo, em cima da mesa... Silenciosamente para que ninguém ouvisse, aparentemente deliciados com o perigo do risco.

– Mas que vaca! – repetiu Manu levando as mãos à boca. – Justamente no seu grande dia aquela lambisgoia depravada faz isso com você, Nathan?

– Gente, transando? – disse incrédula. – Como assim?

A princípio, pensei que eles estavam dando uns beijinhos... Transando? Caraca!

– Não preciso explicar os detalhes, certo? – falou Nathan com um olhar triste.

Dava para sentir que ainda doía muito. E eu o compreendi perfeitamente.

– Tudo bem. Pule essa parte, então.

– É isso meninas, as mulheres também traem e são cruéis quando querem.

– Mas e aí? Continua pelo amor de Deus – pediu Manu.

– Não teve briga não, Magrela. Quando abri a porta e vi que eram eles e não um ladrão, virei as costas, sabe-se lá com que forças, e voltei para o coquetel. Adélia, esposa de Alain, estava lá entre os convidados... Eu olhava para ela e pensava que ela era feliz por não saber de nada.

– E você não contou?

– Pra quê? – Ele deu de ombros.

– E aí você veio embora?

– Elisa chorou dizendo que havia se apaixonado por Alain, mas que também me amava muito. Não queria se separar. Pediu perdão... Eu tentei perdoá-la, mas não consegui. A dor de ser traído era maior do que eu. Sei lá, acho que se fosse só sexo, seria mais fácil, mas dizer que estava apaixonada por ele, e saber que aquilo já deveria ter acontecido várias vezes, talvez até mesmo em nossa casa... Não deu. Então, voltei para o Brasil e ela ficou lá.

– Ela disse que amava você? – perguntei, pasma. – E ainda queria ser perdoada por ter dado pro seu amigo durante o seu *vernissage*? Muito baixo. – Aproveitei para destilar meu veneno, sem pensar muito.

– Eu não a julgo nem a condeno por suas escolhas. Cada um sabe o que faz com sua vida – filosofou Nathan.

– Mas você continua casado? – perguntou Manu.

– No papel, sim. O processo é burocrático.

– Que loucura! – exclamei, pasma com a história de Nathan.

– Você ainda gosta da Elisa com S? – perguntou Manu.

Nathan fez uma pausa antes de responder, criando aquele suspense. Manu e eu olhávamos sem piscar, ansiando pela resposta.

– Eu ainda não a esqueci completamente... Acho que é coisa de gente traída.

– Em outras palavras, você ainda gosta dela – constatou Manu.

– Mas tá tudo bem. Como disse... o tempo cura, não é mesmo? O tempo cura... – ecoou pensativo. – Não é estranho ver como a vida segue apesar das nossas feridas e da dor que sentimos no peito?

– Que merda, isso sim! – "Filosofei". – Por que amamos quem não merece o nosso amor?

– Porque vocês são dois idiotas – afirmou Manu, certíssima, mais uma vez.

– Você ama aquele babaca? – Nathan me perguntou. – Fala a verdade, o que você vê em homens como ele?

– O que você sabe pra falar de Marcelo?

– Tudo. Manu me contou.

Olhei para Manu com raiva.

– Depois do flagrante de ontem eu tive que contar a história toda, né? Foi o assunto do almoço – justificou-se.

– Pô, Nina, você é bonita, independente, parece ser bem resolvida... não gaste seu tempo com caras desse tipo não – disse Nathan.

– É o que sempre falo, mas ela nunca me ouve.

– Ah, claro, ainda bem que vocês me disseram isso. Amanhã mesmo vou pegar a minha agendinha de telefones dos homens do tipo legal, que sejam sinceros, românticos na medida certa, que gostem da fruta, e que queiram realmente um relacionamento sério culminando com casamento, café da manhã na cama e os seis filhos prontos para a escola! Ai, que alívio, obrigada por me alertarem! – debochei...

Fez-se um silêncio. Acho que eles estavam analisando se eu estava brava ou não.

– Cacete, gente, eu não tenho culpa se me apaixono pelos caras errados, né? – Bati forte com o copo na mesa. – E dói demais ser rejeitada e fingir que tudo está perfeitamente bem na terra de Poliana, se querem saber – falei exaltada.

Meus olhos se encheram de lágrimas. Apoiei a cabeça entre os joelhos e fitei o tapete da sala.

– Dói demais... – falei baixinho para mim mesma.

– Eu entendo você, Nina – me consolou Nathan, passando a mão em minhas costas.

Eu o olhei agradecida. Alguém me entendia. Isso para mim já era um alívio.

– Me desculpa – eu disse.

– E por que eu deveria desculpar você, mulher? Estamos no mesmo barco – emendou Nathan.

– Então, me diz o que você está fazendo para esquecer a maldita Elisa com S? – pedi, desesperada por uma fórmula secreta que eu tomasse e cinco minutos depois fizesse o efeito desejado.

– Deixando o tempo passar e seguindo com a minha vida.

– Não funciona comigo. Eu só penso em Marcelo se atracando com aquela morena e isso me dá certa agonia, pois o vejo seguir em frente e eu parada... na mesma estação, como diz Caetano naquela música. É difícil...

– Mas não impossível – me cortou Manu. – Está na hora de agir.

– Agir? – perguntei tediosa.

– Sim. Está na hora de cortar o Coringa dos infernos de vez da sua vida. Topa? – perguntou muito séria.

– Topar, eu topo... me diz apenas como – respondi *quase* confiante.

– E você... – Manu se virou para Nathan. – Topa esquecer a vaca da Elisa com S?

Novamente ele não respondeu de imediato. Ficou pensativo por um tempo e respondeu:

– Não tenho muitas escolhas. Confesso que já tentei de tudo... até sair com outras garotas eu saí. Mas só vejo Elisa na minha frente e isso tá me deixando maluco.

– Ótimo! Você precisa esquecer essa mulher – falei convicta de que estava dando um bom conselho.

– E você, Magrela, também topa esquecer seu ex?

– Ih, assunto proibido. Vai levar patada. Quem avisa amigo é.

– Eu gostava de Betão – confessou Manu. – Não é nenhuma novidade... Mas já o esqueci há muito tempo. E ele é uma página muito bem virada no livro da minha vida.

Nós a olhamos sem falar nada. Pensei em perguntar se de vez em quando não batia um vento e voltava a página, mas esse assunto foi sempre evitado por Manu, então, decidi deixar quieto.

– De boa, gente! É sério. Por que esconderia algo de vocês?

Eu sabia que ela estava falando a verdade.

– Ei, Nathan, diz... Você topa ou não? – perguntou Manu saindo pela tangente, como sempre faz quando iniciamos o assunto Betão.

– Eu preciso muito fazer alguma coisa ou então vou continuar definhando – respondeu Nathan com tristeza na voz.

Homens morrendo de amor são tão raros que me deu até vontade de abraçá-lo.

– Que mané morrer de amor! – Manu, com seu jeito truculento de ser, mandou essa sem se sensibilizar com a dor de cotovelo alheia.

– Deixa de ser fria, Magrela. Homens também amam e também sofrem por amor.

Manu deu de ombros sem acreditar. Para ela os homens são seres insensíveis e egoístas.

– Tá bom, então, hora de organizar esta zona – disse ela.

– Como assim? – perguntei. – O que está passando por debaixo desses cabelos cuidadosamente hidratados?

– Um plano agressivo e infalível para esta semana inteira. Nina, rápido, caneta e papel, por favor – pediu Manu, parecendo um general.

– É pr... Ui, quase caí. – Ri tentando me equilibrar em pé. – É pra já, chefa!

Trançando as pernas, fui até o meu quarto pegar o que ela pediu.

– Aqui está – disse entregando um caderno e várias canetas e batendo continência com a mão errada.

– Certo – disse Manu escolhendo uma folha de papel ainda não rabiscada ou amassada. – Hoje é segunda-feira. Nosso programa vai começar amanhã e vai até a próxima terça.

Eu e Nathan olhávamos curiosos para Manu, que falava sem respirar.

– De terça a sexta durante o dia nós trabalhamos e não há muito o que fazer. Logo, nosso plano será focado no período noturno.

– Certo – disse tentando acompanhar o raciocínio de Manu, sem dificuldades até aquele momento.

– Amanhã nós vamos ao cinema.

– Que cinema, Magrela! – recriminou Nathan. – Você quer que eu me esqueça de Elisa me levando ao cinema? Me leve pra Cancun, pra Ibiza... Qualquer lugar, menos ao cinema.

– Ok, ok. Entendi – disse ela riscando democraticamente a palavra cinema da folha. – Então, vamos fazer...

– Que tal irmos ao Open Bhar? Lá tem música ao vivo. É muito bom – sugeri.

– Algum de seus ex-trastes frequenta o recinto?

– E eu lá sei. Acho que não – disse dando de ombros.

– Eu não vou opinar. Estou por fora das baladas de Campinas – avisou Nathan. – E nem curto tanto baladas, mas, se quiserem ir...

– Fechado. Terça vamos ao Open Bhar cantar muito. E na quarta...

– Vamos pra São Paulo – sugeri.

– Boa! – apoiou Nathan. – Fazer o quê? Assistir a um jogo do Tricolor no Morumbi?

Nós olhamos para ele sem responder.

Futebol? Fala sério!

– Me desculpa. Não está mais aqui quem falou – disse ele brincando.

– Eu consigo folgar na tarde de quarta. Podemos ir pra Sampa logo depois do almoço e, chegando lá, vamos direto pro Mercado Municipal – continuou Manu.

– Comemos um tradicional sanduba de mortadela. – Se entusiasmou Nathan.

– Isso mesmo. Depois fazemos um esquenta em algum boteco e vamos ao Bali – sugeriu Manu. – Dizem que é ótimo e faz tempo que quero conhecer essa balada.

– Mais uma balada? – perguntou Nathan. – Já que não querem assistir ao futebol, não rola um museu? Masp, Pinacoteca...

– Que museu o quê! – recriminou Manu. – Nosso lance é agitar, entendeu? E na quinta... – continuou Manu ignorando o lado culto de Nathan.

– ...na quinta tem a Noite do Batom – me apressei em dizer.

– Essa é sagrada – reforçou Manu.

– Noite do Batom?– questionou Nathan.

– É a nossa noite. Minha, de Nina e de Pam. A gente se reúne para falar mal do universo masculino em geral – explicou Manu.

– Então essa semana não vai ter, certo? – quis saber ele.

– Vai sim. E você e Domênico serão nossos convidados especiais. Perguntaremos tudo o que sempre quisemos saber sobre os homens e nunca tivemos coragem de perguntar. E vocês terão que responder sem mentir – avisei.

Ele me olhou curioso.

– Tudo?

– Tudo – reafirmei sustentando seu olhar.

– Hum, hum – pigarreou Manu. – Estou aqui, lembram? – reclamou ofendida.

– O que é, Magrela? – brincou Nathan.

– Vocês dois aí... – zangou-se. – Bem, na sexta a gente pode ir a um restaurante diferente. Alguma comida exótica. O que acham?

– Não – disse Nathan. – Chega desse negócio de baladas. Na quinta nós vamos voar de balão.

– Quêêêêêêêêêê? – perguntamos juntas.

– Tá louco! – neguei.

Lembre-se de que sou certinha e que nunca fiz nada radical.

Se bem que eu prometi pensar no assunto.

– É sim... Vamos sim... Vamos pra Piracicaba e passaremos a manhã voando de balão.

– E a Noite do Batom? – perguntei.

– Esta semana não vai ter.

– Nathan, eu trabalho – avisou Manu.

– Só até quarta – disse desafiando a chefona Manu. – A partir de quinta, vocês duas vão tirar os dias para fazermos algo mais emocionante do que ir a baladas.

– Manu, traz o balde, ele bebeu demais – brinquei ainda em negação.

Cancelar a Noite do Batom, pedir para enforcar quinta e sexta... Nathan havia bebido demais mesmo.

– Nina, sabe que pode ser uma boa? Cara, nós merecemos esse tempo para nós mesmas... Eu tô dentro, mas só vou se Nina for! – chantageou Manu piscando o olho direito em minha direção.

– Eu tenho minhas clientes, gente!

– Que se danem as suas clientes. Vamos nos divertir um pouco, Nina – animou-se Manu com aquela ideia louca.

– E a gente vai até Piracicaba só pra voar de balão? Vamos até lá, voamos de balão e voltamos? – perguntei tentando mostrar o absurdo que era aquele programa. – Que coisa mais sem graça!

– É o máximo, se você quer saber. Muito legal, você vai ver – se animou Nathan.

– Eu...

– ... Eu vou. É o que você tem que dizer – me cortou o recém-autopromovido a chefe, Nathan. – Se você não entrar no clima não estará se entregando para esquecer o seu... Como vocês chamam os homens mesmo?

– Trastes, cafajestes, enroscos... Tem vários apelidos, é só escolher – lembrou Manu.

– Gente, o plano original era para o período noturno. Sair à noite e trabalhar de dia – falei tentando manter a sanidade naquela conversa. – Por que mudaram tudo?

– Ué, mudei o plano... pra melhor. E aí, topam?

– Eu topo – disse Manu animada. – E Nina também. Só temos que dar a ela uns minutos para digerir a ideia.

"Minhas clientes vão me matar. Elas odeiam quando tenho que cancelar os horários. Além do mais, tenho o boleto de conta de luz que prometi pagar, tenho consulta no dentista, preciso também passar na oficina para pegar o

Kelvin e também preciso de dinheiro. E, para isso, preciso trabalhar!", – pensei desesperada com a hipótese de não trabalhar por três dias inteiros.

"É. Infelizmente não vai dar. Só preciso convencê-los disso."

– Mas e a Noite do Batom? Ela é sagrada – falei, me agarrando nessa desculpa.

– Se fosse sagrada você não teria faltado tantas vezes por causa do Coringa – respondeu Manu, na lata.

Ai! Essa doeu.

– Gente, não vai rolar – avisei decidida. – Preciso trabalhar. Vamos voltar com os programas noturnos. Sejamos adultos responsáveis.

– Larga a mão de ser bitolada com trabalho, mulher. Vamos aproveitar essa oportunidade pra sair da rotina, pra fazer algo diferente.

– Para de me chamar de mulher! – reclamei zangada com Nathan. – Me chama de Nina.

Ele ergueu os braços, como dizendo "tudo bem".

– Nina, dois dias não vão deixar você mais pobre nem mais rica. Vamos lá? Entre no clima e vamos curtir. Vocês dois precisam sair dessa cidade cheia de lembranças do passado, ver outros lugares, se divertir intensamente... e curtir a vida. Entendeu? E, se precisar de grana, eu empresto – concluiu Manu.

– É, Nina. – Nathan reforçou meu nome. – Manu está certíssima. Vai nos fazer um bem danado respirar novos ares. Eu também empresto uma grana se precisar. Aliás, o passeio de balão é por minha conta.

– Não. Nada disso. A gente divide – protestou Manu.

– Eu faço questão – disse ele irredutível.

Pelo visto não teria saída.

– Tá bom, tá bom, vocês venceram... Batata frita... – brinquei. – Se é para o bem de todos e a felicidade geral da nação, diga ao povo que EU VOU! – bradei levantando uma faca, confundindo o Dia do Fico com o Grito do Ipiranga, mas que diabos... Estava bêbada. Sóbrios, eles se esqueceriam dessa loucura. Pode anotar aí.

– Uh-hu! – vibrou Manu, gargalhando pela minha confusão histórica.

– É isso aí, mulher. Ops! Digo, Nina. Nina, Nina, Nina... Boa decisão. Nós vamos detonar! – se entusiasmou Nathan. – O que acham de mais um brinde?

– Bora beber – brincou Manu enchendo nossos copos.

– À vida, meninas, que por ser tão curta deveríamos aproveitá-la melhor – sentenciou o novo chefe da nossa turma. Uma turma de bêbados é o que eu quero dizer.

– À vida – brindamos virando mais um...

– E o que faremos no fim de semana? – perguntei.

– Nós vamos fugir deste lugar – disse Nathan com uma piscadela. – Se a ideia é respirar novos ares, vamos fugir daqui.

– Ai, adorei! – exclamou Manu. – Fugir para onde?

Imediatamente minha cabeça entrou em alerta. "Fica muito longe daqui? Quanto custa? Eu não tenho dinheiro."

– Topam um passeio de trem?

– Já disse que topo. Adoro aventuras – vibrou Manu.

"Meu Deus, lá se vai a minha poupança!", pensei apavorada.

– E você, Nina, topa? – Nathan me tirou dos meus devaneios.

– Vocês não estão falando mais do balão? É outro?

– O plano é o seguinte: depois do passeio em Piracicaba, partimos com tudo o que precisamos para fazer uma viagem de cinco dias. De Piracicaba vamos para Curitiba...

– ...Curitiba? Mas é longe demais! – gritei fazendo contas.

– Continue, Nathan – ordenou Manu, não dando a mínima bola para o meu apavoramento.

– A gente vai curtindo a viagem. Parando em cidadezinhas para comer, descansar... Lá em Curitiba, pegaremos o trem para Paranaguá. São cento e dez quilômetros de pura emoção – explicou animado. – Na volta do passeio, podemos explorar um pouco de Curitiba, jantar em Santa Felicidade, passear naquelas vinícolas maravilhosas, conhecer os pontos turísticos... No sábado de manhã, partimos para Santa Catarina, sem destino, só rodando pelas praias e, na terça, a gente volta para Campinas.

Suspense no ar.

Números em minha mente.

Contas para pagar. A da luz, a consulta do dentista, o conserto do carro, as parcelas da minha cama...

É. Não vai dar. Não tenho dinheiro.

– E então? – perguntou ele diante do nosso silêncio.

– Cara, tinha me esquecido desse seu lado aventureiro. Eu topo, claro.

– Pessoal, na boa... Sem condições – disse balançando a cabeça negativamente. – Marcelo já me deu muitas despesas. Eu consigo esquecê-lo por aqui mesmo e sem gastar nada.

– Sem condições por quê?

– Dinheiro, né? Não sou rica para sair viajando do nada pelo país. Eu trabalho, gente, e tenho contas para pagar – disse bufando.

Será que era muito difícil para eles entenderem o óbvio?

– Lá vem ela com a mesma ladainha – reclamou Manu.

– Há quanto tempo você não tira férias? – Nathan me perguntou.

– Hum... Cinco anos ou mais.

– Pronto! Essas são as suas férias. Pense dessa forma. Você está se dando de presente uns dias para descansar e curtir um pouco – sugeriu. – E não esquenta com esse lance de grana... a gente dá um jeito.

Puxa, não é que ele podia estar certo? Férias... Eu realmente *precisava* de umas férias.

– Não tenho outra saída, certo? – perguntei me sentindo vencida.

Manu balançou a cabeça.

"Caraca! Vou tirar férias!"

– Tá certo, tá certo... Eu topo – disse contendo uma pequena empolgação que queria surgir em mim.

Por outro lado, não estava muito convencida de que se tratava de uma boa decisão.

– Aeeeeee! Vamos brindar? – pediu Manu.

– Ótima decisão, Nina. Tenho certeza de que iremos nos divertir muito, né Magrela?

– Com certeza e com cerveja! – Manu aproveitou o trocadilho.

Nathan encheu mais uma vez os nossos copos com tequila. Aquela garrafa não acabava?

– Ao nosso plano – sugeriu ele, levantando seu copo.

– Espera aí! – pediu Manu olhando para cima, como se estivesse tentando se lembrar de algo.

– Que foi? – perguntei.

– Shiu! – Pediu silêncio com o dedo em frente à boca.

– O que deu nela? – cochichou Nathan em meu ouvido.

– Sei lá. Melhor deixá-la quieta. O médico disse para não contrariar – brinquei baixinho.

– Já sei! – disse Manu em uma voz alta demais. – Vamos fazer um brinde à OFI!

– OFI? – perguntamos em coro.

– Operação Faxina Interna – explicou Manu. – O nome da nossa semana.

– Só você mesmo, Manu. – Nathan riu.

– À OFI – disse Manu levantando seu copo de tequila.

– Gente, eu estou tonta demais. Está tudo girando – falei depois de beber aquele copo de virada.

– Eu também – concordou Manu.

– Temos que ter uma música. O melô da OFI – sugeri me animando com aquela maluquice.

– Eu sei qual vai ser o melô da OFI – falou Manu com uma voz muito pastosa.

– Diz aí.

Nathan também demonstrava estar bêbado.

– Vamos lá, cantem comigo – pediu, tentando se colocar de pé. – Um, dois, três..."Tire suas mãos de mim..."

– "...eu não pertenço a você. Não é me dominando assim. Que você vai me entender. Eu posso estar sozinho, mas eu sei muito bem aonde estou. Você pode até duvidar. Acho que isso não é amoooooor. Será só imaginação? Será que nada vai acontecer? Será que é tudo isso em vão? Será que vamos conseguir venceeeeeeeeeer?"

Caímos no chão rindo daquela cantoria desafinada.

– Perfeito, Magrela, perfeito – disse Nathan batendo com a mão espalmada na mão de Manu.

– A gente vai arrebentar nessa semana. Vamos botar pra quebrar e beber todas – se entusiasmou Manu. – Vamos apagar esses dois imbecis da vida de vocês. Eu juro.

– Obrigado, Magrela, pelo empenho. A gente vai conseguir.

Eu os fitei me questionando se esqueceria Marcelo em sete dias... Levei meses amando e agora teria que esquecê-lo em sete dias?

Me pareceu tão impossível!

– Gente, que horas são? Já deve passar das três da manhã... Eu preciso dormir ou não vou ser ninguém amanhã.

– Xi, vou dormir aqui – avisou Manu. – Estou sem condições de ir embora.

– Xi, perdi minha carona – reclamou Nathan.

– Dorme aqui. Não tenho a menor condição de levar você pra casa – sugeriu Manu sem me consultar.

– Eu peço um táxi. Não vou dar trabalho.

– Nada disso. Dorme aqui – ordenou ela, assumindo seu posto de chefe novamente.

Eu já estava cambaleando no corredor em direção ao meu quarto quando ouvi Manu perguntar:

– Nathan pode dormir aqui, Nina?

Não lembro qual foi, ou se houve, minha resposta. Já estava com noventa por cento do meu cérebro dormindo.

Poeira

Meu d[illegible]ntador particular: Marcelo-traste-coringa.
Um momento bom: quando meu carro quebrou (novamente).

Um barulho muito distante tentava me acordar a todo custo. Metade de mim o ignorava completamente. A outra metade, a que ouvia, fingia não escutar.

O barulho insistente vindo do meu despertador – que eu gosto de chamar de *desesperador* –, conseguiu me acordar depois de quase dez minutos tocando alto, implacável e ininterruptamente.

Desesperador!

Eram sete da manhã e eu tinha cliente marcada para as oito e meia.

Minhas pernas me levaram ao banheiro, o pijama saiu do meu corpo, minha mão direita ligou o chuveiro enquanto a esquerda fechava a cortina do box... Minhas pernas cruelmente me posicionaram debaixo da ducha forte e gelada.

Tive a consciência de que estava no banho e aos poucos meu cérebro foi tomando conta da situação. Banho frio é a única coisa que me acorda em dias assim.

Depois do banho, olhei no espelho para escovar os dentes e me assustei.

Ai, meu Deus, quem é essa mulher no espelho?

Aquela não podia ser eu. Cruz-credo!

“Cabelos molhados, cara amassada e... essas olheiras, o que elas fazem aqui?”, pensei passando os dedos por elas, tentando em vão apagá-las ou tirá-las dali de alguma forma.

“Gente, para o mundo que eu quero descer!”

Estava parecendo a Linda Blair nas cenas mais assustadoras do filme *O Exorcista*.

O que tinha acontecido com os meus peitos? Não é possível que a lei da gravidade tinha vindo bater em minha porta no auge dos meus vinte e oito anos!

"Meus peitos não podem cair. Eu ainda não me casei!"

Me olhava no espelho completamente apavorada. Como isso foi acontecer?

Teste da caneta.

Precisava fazê-lo *naquele momento*.

Saí em direção à sala para pegar uma caneta, pensando em quanto deveria custar uma aplicação de silicone.

Sabia que tinha uma caneta na sala. A que Manu pediu para fazer aquele plano maluco... Como é mesmo o nome que ela deu ao plano? OLI? OMI? Moli?

– Aaah! – gritei histérica com o susto, tentando arrancar a toalha do cabelo pra me cobrir. – O que você está fazendo aqui?

– Colhendo maçãs – respondeu Nathan com um ar de deboche.

– Ai, meu Deus! Vocês dormiram aqui? – perguntei.

– Não se lembra, mulher? Desculpa, Nina – apressou-se em dizer – E desculpa também pela liberdade, mas eu usei seu banheiro ontem à noite pra tomar uma ducha. Estava precisando.

Nathan só estava de calça xadrez, descalço e de cabelos bagunçados. Sua camiseta estava jogada no assento do meu sofá ao lado do vestido de Manu. E Manu estava usando uma camisola minha. Mas isso perdeu a importância assim que me deparei com o peito desnudo de Nathan.

Pele branca. Sem pelos. Barriga levemente definida... Nada de lei da gravidade por ali.

Como essa tal de gravidade é injusta com as mulheres!

– Nina? – me chamou ele de volta à Terra.

Será que Nathan e Manu... Gente, será que tinha rolado alguma coisa entre eles?

– Nina, você está bem? – perguntou Nathan se aproximando de mim.

Dei um passo para trás assustada.

– Eu... preciso... Ai, meu Deus. Estou nua! – E saí correndo de volta para o banheiro.

"Meu Santo Antônio! Isso tudo é muito louco!", pensei ofegante, me trancando no banheiro.

Que vergonha! Sair de calcinha pela casa e dar de cara com Nathan só de calça e com aquele peito desaforado de fora não estava nos meus planos matinais.

Fiquei tão atrapalhada que acabei me esquecendo completamente do teste da caneta e até mesmo dos meus peitos caídos.

– Nina. – Nathan bateu na porta.

– O quê?

– A sua campainha está tocando. Você vai atender ou quer que eu atenda pra você?

"Campainha uma hora dessas? Mas o que está acontecendo aqui?"

E a pessoa ainda é insistente, pois não para de tocar.

Me enrolei em um roupão e saí do banheiro.

– Oi. – Nathan sorriu parado em minha frente, se divertindo com minha cara de assustada. – Deve ser o leiteiro.

– Devem ter errado de apartamento. Não estou esperando ninguém – falei me dirigindo à porta.

Só nessas horas lembro que preciso urgente de um olho mágico na minha porta. Abri uma frestinha para ver quem era.

– Oi, gatona! Posso entrar?

Eu abri a porta sem reação e fiquei olhando... O que poderia ser pior do que descobrir que seus peitos estão caindo?

Sim! Marcelo.

Marcelo com seu perfume bom me envolvendo e me trazendo recordações de noites fantásticas estava em minha casa às sete horas da manhã.

– Pelo visto você não perdeu tempo – surpreendeu-se Marcelo entrando sem ser convidado.

Olhei de relance para Nathan e percebi que aquela situação o divertia bastante. Estava de braços cruzados fazendo pose de macho. Me deu uma vontade imensa de arrastá-lo porta afora para me deixar sozinha com Marcelo. Porém, não me movi. Teria que remover também o corpo de Manu pelos cabelos e estava sem forças para tanto.

Marcelo me analisou de cima a baixo com a cara fechada. Eu vestida de roupão. Nathan numa pose de "tá olhando o que palhaço?", só com a calça xadrez, descalço, de cabelos bagunçados e sem camisa. E olhou mais adiante para Manu, que dormia só de camisola no tapete da sala. Babando ao lado da garrafa vazia de tequila.

– E ainda trouxeram uma amiga para a festinha. Quem diria, hein?! Você com essa cara de santinha fazendo festinhas...

– O quê? – gritei. – Não é nada disso que você está pensando – apressei-me em dizer.

Ave, Lola! Essa frase é tão clichê. Poderia ter sido mais inteligente que isso.

– E eu de consciência pesada – continuou Marcelo com ironia. – Achei que poderia vir aqui, conversar com você e esclarecer aquele mal-entendido. Mas, vendo isso... – Ele apontou com os olhos para mim, Nathan e Manu – Eu perdi completamente a vontade.

– Não tem mal-entendido nenhum – ouvi Nathan dizendo. – Ficou muito claro o tipo de cara que você é. Pode ir embora que Nina não está interessada em ouvir suas explicações – disse estufando o peito para parecer maior.

"Eu estou sim! Eu quero entender tudinho", só pensei, não falei. Não sei por que cargas-d'água eu estava muda e completamente estática na presença de Marcelo.

– Quer saber? Não tenho nada pra fazer aqui – decretou Marcelo com desprezo, dando-me as costas e indo embora.

– Ele não entendeu nada – balbuciei para Nathan. – Marcelo, volte aqui! – pedi gritando com a porta ainda aberta.

Fui solenemente ignorada. Só ouvi o barulho da porta do elevador abrir, fechar e levá-lo talvez para sempre da minha vida.

– Fecha essa porta, Nina. Deixa esse babaca pra lá – aconselhou Nathan, me puxando e fechando a porta com um pé.

– Mas eu tenho que explicar. Ele está pensando que eu, você e Manu fizemos uma espécie de orgia aqui, e não foi nada disso – falei desesperada.

– E você está preocupada com ele? – perguntou Nathan incrédulo. – Já esqueceu o que ele lhe fez?

– O que será que ele queria aqui?

– Quer mesmo que eu responda?

– Ãh?

Eu queria muito saber o que Marcelo tinha a me dizer. E se ele quisesse voltar? E se ele, de repente, se desse conta de que sou a mulher da sua vida?

Em um segundo, imaginei Marcelo de joelhos me pedindo perdão e eu voltando para ele.

Sorri feliz com esse pensamento.

– Tá rindo de quê? – Nathan me trouxe à realidade.

– Hein?

– Está rindo de quê?

– Eu não estou rindo – afirmei enrubescida.

– Ah, Nina. Posso até imaginar o que se passa aí nessa cabecinha.

– E eu posso até imaginar o que aconteceu aqui nessa madrugada – rebati tentando virar o jogo.

– Isso você nunca vai saber – debochou ele. – Tem café?

Eu o olhei com raiva, sem responder.

– Estou atrasada. Acho melhor acordar Manu. Ela dorme feito uma pedra e se não a acordarmos ela vai perder a hora.

– Deixe-a dormir mais um pouco. Ela está muito cansada – disse ele com uma piscadela.

Fui para o banheiro com raiva.

Onde estava com a cabeça quando topei esse plano doido de Manu? Passar sete dias da semana com Nathan ia ser demais para mim. Não ia aguentar suas ironias e piadinhas sem graça o tempo todo.

E Marcelo? Como ele estava lindo!

Meu coração chegou a ficar apertado de tanta dor e angústia por vê-lo e por tudo o que aconteceu.

Seria tão fácil se tivéssemos um botãozinho de esquecer instalado em nosso coração. Era só apertar e tudo estaria resolvido.

E eu nem gastaria todo o dinheiro que ia gastar naquela empreitada maluca em que me meti.

Escovei os dentes pensando em todas essas coisas e me arrumei de qualquer jeito para trabalhar.

Quando estava saindo, vi Nathan sentado na minha cozinha lambendo alguma coisa.

– Achei esse treco aqui – ele me mostrou o dedo melecado de chocolate e o prato quase limpo. – Quer um pouquinho? Está muito bom. Foi você quem fez?

– Ei! Essa aí é a minha sim...

Desgraçado! Ele lambeu toda a cobertura de chocolate da minha simpatia.

– Sua o quê?

– Nada – disfarcei.

Nem a pau que eu diria a ele o que era.

– Junto do chocolate tinha um santo e essa folha aqui. Você sabe do que se trata? – perguntou, segurando a folha melecada de chocolate e um sorriso irônico estampado no rosto.

Era óbvio que ele estava tirando uma onda com a minha cara.

– Não mexe nisso!

– Não sabia que você era chegada numa macumbinha, "mãe Niná".

– Não é macumba, seu idiota vesgo.

– É o quê? – insistiu ele.

– Não é nada.

– Um prato de chocolate, um santo, uma vela e uma folha de papel não é nada? Espero que não tenha pedido pro santo transformar Marcelo em um príncipe encantando. Porque, se for, melhor mudar de santo – disse rindo e lambendo o dedo.

– Me dá isso aqui – pedi arrancando o prato e os demais itens de perto dele e jogando tudo, com exceção do prato e do meu santo, no lixo. – Você não tem educação, não? Sair mexendo nas coisas dos outros...

– Se você tivesse comida na geladeira eu não teria encontrado sua macumba escondida atrás da porta.

– Você é muito petulante mesmo! Escuta aqui, estou saindo pro trabalho. Não se esquece de acordar Manu e pedir a ela que tranque a porta com a cópia da chave que ela tem. Estou levando a minha, fui.

– Fique tranquila que eu comando tudo por aqui. Nos vemos à noite.

– Fui – insisti me virando.

– Ei? – me chamou ele.

– Que é?

– Tenha um bom-dia, tá? – disse ele com bigode de chocolate, fazendo graça.

Me virei e saí possessa.

Miserável! Ia jogá-lo do balão ou amarrá-lo ao trilho do trem. Que petulante! Mexendo nas minhas coisas sem permissão. Quem ele pensava que era?

Desci pelo elevador, chaves do carro em punho, direto para a garagem. Caminhei até a minha vaga e... vazia.

– Droga! Esqueci que meu carro está no Carlão. Vou ter que pegar um táxi.

Saí do prédio ligando para Carlão do celular.

– Alô, Carlão? É Nina. Tudo bem?

– Como vai Nina? Quer saber do carro, não é?

– É. Estou precisando tanto dele. Teve conserto?

– Teve conserto sim. Troquei o filtro de combustível, as velas e os cabos. Tá funcionando que é uma beleza. Quer passar aqui ou quer que eu leve mais tarde pra você?

– Sério que era só isso? Mas nós não trocamos isso tudo da última vez?

– Não, Nina. Da última vez eu troquei a bobina.

– Ah, é verdade. – Fingi que entendia. Nem lembrava mais o que tinha acontecido da última vez. E não sei a diferença entre vela, bobina, bomba, etc. Se pudesse, tinha carro automático só para diminuir o número de pedais. – Eu passo aí. Estou precisando dele para ir ao trabalho. Deixa tudo ajeitado que estou chegando.

– Pode deixar.

– Obrigada, Carlão.

Parei um táxi e fui para a oficina mecânica, que fica perto de casa. Eu a escolhi justamente por esse detalhe.

No curto caminho, sorri imaginando que o AD poderia estar sentado ali comigo no banco traseiro, me acalmando de todo o estresse que passei com Nathan e Marcelo.

"Onde estaria ele agora?", pensei enquanto o táxi estacionava em frente à oficina.

– Olá! Bom dia – cumprimentei assim que avistei Carlão.

– Aqui está ele. Prontinho pra rodar. Aproveitei pra dar uma limpadinha.

– Beleza. Acerto no final do mês. Tudo bem? Tô sem grana no momento.

– Fica tranquila, Nina. Precisando é só ligar.

– Você é um anjo, Carlão – disse beijando sua face em um espacinho sem graxa. – Um anjo protetor das motoristas que ficam a pé.

Ele riu com gosto.

Carlão é um senhor que tem idade para ser meu avô. Ele é um fofo e me socorre desde que comprei o Kelvin, um carro já usado, há alguns anos.

Dei partida e dirigi para a clínica. Mal cheguei e a primeira cliente do dia chegou logo atrás de mim. E, depois dela, chegou a outra, depois alguns fornecedores de produtos para massagem, e, assim, o dia passou quase despercebidamente.

Manu ligou no meio da tarde para combinar o horário de encontro no Open Bhar.

Merda! Eu já tinha me esquecido dessa tal de OFI!

Tentei persuadir Manu de todos os jeitos e maneiras possíveis e imagináveis a esquecer aquilo... Sem sucesso. Por fim, marcamos para as oito e meia. Ela avisou que Pâmela e Domênico também iriam.

Voltei correndo para casa para me arrumar. Ao entrar em casa, me surpreendi com a organização. Estava tudo arrumadinho e limpo. Fiquei encucada, pois Manu não faz o tipo prendada. Ela já dormiu inúmeras vezes em casa e, quando sai, não dobra nem o cobertor que usou.

Será que tinha sido Nathan?

Homens não fazem isso. Deve ter sido Manu querendo se mostrar para Nathan. Aposto! E aposto que ela está a fim dele.

"Será que rolou alguma coisa entre eles?", pensei sentindo um leve desconforto.

Ao olhar em cima da mesa de jantar, vi meu Santo Antônio da simpatia frustrada de pé segurando um pequeno *post-it*.

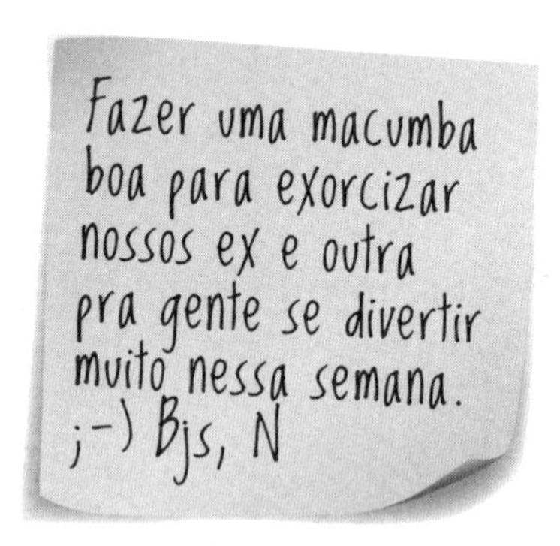

Como ele é engraçadinho!

E ainda ousou fazer graça com o meu santo. Sem noção mesmo.

Amassei o bilhete, joguei no lixo e entrei no banho.

Tomei um daqueles banhos bem demorados. Acendi um incenso, apaguei a luz e deixei a água morna cair em minhas costas.

Eu precisava daquilo. O dia não tinha sido fácil. Estava com Marcelo martelando em minha cabeça o tempo todo. Uma droga, porque eu já estava me conformando com ele ser cafajestão e com a ideia de esquecê-lo... E se ele quisesse voltar?

– Ai, Santo Antônio... – disse segurando o santo com as duas mãos. Sim, eu também tenho um no meu boxe. – Eu quero tanto aquele homem! Por que as coisas têm de ser assim? Me responde, por favor?

O santo, claro, não me respondeu. Só me olhava com seus olhinhos pequenos. Confiava muito no meu santo. Era preciso apenas controlar minha ansiedade e esperar. O resto ele ajeitava tudo com o Chefe lá de cima.

– Tudo bem. Sem pressão. Vamos lá.

Me vesti voando porque demorei demais no banho e acabei me atrasando. Jeans, sandálias de salto e uma blusinha. Penteei os cabelos, passei perfume e me olhei no espelho. Estava básica. Tudo bem, não estava a procura de ninguém mesmo.

De qualquer forma, e só para não perder o hábito, caprichei na lingerie. "Vai que algo acontece e eu estou com as típicas calcinhas saco-de-batata-superconfortáveis-brochantes?"

Peguei as chaves do carro e desci para a garagem. Dessa vez, ele estava lá, limpinho e funcionando. Ainda velho, mas companheirão. Meu poderoso Kelvin.

Dirigi tentando compreender que diabos tinha acontecido comigo de manhã. Foi como se toda a minha lógica me abandonasse quando Marcelo entrou pela porta da minha casa. Ter ficado parada sem me posicionar foi muito patético da minha parte.

Quando dobrei a esquina, meu carro parou subitamente. Morreu, como na tarde anterior.

– Ah, por favor, não brinque de morrer de novo, Kelvin. Você saiu da oficina hoje de manhã!

Dei a partida e nada.

– Por favor! – pedi desesperadamente. – Por favor, por favor, por favor.

Kelvin nem se abalou com meu desespero. Continuou em silêncio, ignorando completamente nosso trato de ele só quebrar durante o dia e perto de alguma oficina.

Eu estava no meio de uma avenida e não tinha para onde ir. Liguei o pisca alerta e rezei para nenhum carro bater em mim.

Deu uma vontade enorme de chorar. Sério. Que desespero e que droga de azar era aquele? Nada estava dando certo comigo.

Olhei pelo retrovisor e notei que os carros estavam parados no semáforo da quadra de trás.

Era hora de agir. Caso contrário, ficaria naquela avenida até alguém me resgatar.

Ou até algum carro bater com tudo na minha traseira.

Coloquei no ponto morto, saltei do carro e comecei a empurrá-lo para o meio-fio. Xingando muito. Porque ninguém merece um carro desses.

Antes mesmo de me aproximar do meio-fio, veio uma nova leva de carros. Alguns tirando um fino de mim. Outros buzinando sem piedade. Como se eu estivesse ali por diversão.

Povo sem paciência, sem gentileza!

Entrei no carro para não ser atropelada e esperei até o sinal fechar novamente para poder empurrar o carro.

Na terceira tentativa, e já encharcada de tanto fazer força, um carro parou me oferecendo ajuda.

– Precisa de ajuda? – disse uma voz de dentro do carro. Olhei para trás.

Um táxi.

Um passageiro.

Pasmem, o MEU Adorável Desconhecido.

Já não me espantava mais. Tive a certeza de que Deus me enviava ele quando precisava. Sorri, deixando o choro sair de alívio, raiva e contentamento, tudo misturado.

– Ei, é você? – perguntou ele com espanto. – Espere aí que vou ajudar você. O senhor para ali no meio-fio, por favor, e vamos ajudar essa moça a tirar o carro dela do meio da rua – pediu ele ao taxista, que prontamente o atendeu.

Eu olhei para o céu, ri sozinha e agradeci em pensamento

– Ô, meu Santo Antônio, o que você está tentando me dizer, hein?

– Vamos lá. Deixa que a gente empurra, e você guia o carro para o meio-fio. Vamos conseguir. Fique calma – disse ele tomando conta da situação.

Eu obedeci. Entrei no carro e o guiei enquanto eles empurravam.

Quando o carro já estava estacionado, ele me perguntou:

– Ficou sem combustível?

– Não. O tanque está cheio. Acho que pifou de novo. Ontem ele aprontou a mesma coisa e me deixou na mão. Eu o peguei hoje de manhã na oficina e ele rodou bem o dia todo. Não sei o que aconteceu.

– Excesso de uso, de repente – brincou ele.

– Ah, não fala assim. Ele é velhinho mas funciona.

– Funciona?

– Quer dizer, não nos últimos dois dias.

– E o que você quer fazer com o carro, deixá-lo aí e dar um jeito amanhã?

– Não! Ele é velho, mas é meu – disse defendendo meu patrimônio. – Quero levá-lo embora. Vou chamar o mecânico.

– Tudo bem. Posso lhe fazer companhia?

– Imagina. Não quero atrapalhar seus planos. Eu ligo pra minha amiga Manu, ela vem aqui me ajudar.

– Eu não tenho planos. Estava voltando pra casa. Se quiser, posso ficar.

– Tem certeza?

– Absoluta.

– Você é quem sabe. Acho que vai demorar aqui... E, depois, estava indo me encontrar com meus amigos em uma bar lá em Sousas.

– Entendi. Eu fico até você resolver a questão do carro e depois sigo pra minha casa.

Carlão demorou mais de meia hora para chegar. Manu e Pâmela me ligaram umas quinze vezes preocupadas comigo. Elas já estavam no Open Bhar há um tempão.

– Já que não tem planos, não quer ir ao Open Bhar comigo? Meus amigos são muito legais e você vai gostar.

– Tem certeza? Eu topo – animou-se ele.

– Claro! Vamos chamar outro táxi então?

No caminho, iniciei uma conversa:

– Você só anda de táxi ou é coincidência? – perguntei curiosa.

– Eu não dirijo. Quer dizer, até sei dirigir, mas eu sofri um acidente há muito tempo e fiquei com trauma de dirigir.

– Entendo.

Ficamos em silêncio alguns segundos. Eu pensava o que deveria perguntar, que assunto puxar, pois não sabia muito do meu desconhecido, só eu desabafava e chorava as minhas tragédias.

– Você está melhor? – me perguntou ele.

– Eu?

– É. Seu coração está menos apertado? Ontem você estava tão abalada que fiquei preocupado com você. Passei o dia todo pensando em como você estaria.

– Passou?

– Não sei por que, mas me preocupo com você. Desde aquele dia em que você entrou no meu táxi por engano, você se tornou especial para mim.

Fiquei eternamente agradecida ao escuro que fazia e que escondia minhas bochechas enrubescidas.

Vamos combinar, faz tempo que passei da idade de ficar com as bochechas ardendo quando um homem fala algo lindo para mim.

"Diga algo lindo para ele também", pensei aflita.

– Não precisa se preocupar comigo – disse por fim.

Não foi aquela frase de impacto, eu sei. Aliás, nunca sei o que dizer nessas horas.

– É involuntário. Quando vejo, estou pensando em como você está. Se você está longe dos cafajestes, se está feliz... Essas coisas.

– Ei – disse me lembrando de uma coisa. – Da última vez que nos vimos, combinamos de revelar nossos nomes, caso nos encontrássemos novamente. E olha só: aqui estamos!

– Que rápido, né?!

– Muita coincidência! Meu nome é Nina e o seu? – disse de uma vez, antes que ele propusesse que só valeria se passasse mais de uma semana entre os encontros casuais.

Não aguentaria passar mais um tempão chamando assim o meu Adorável Desconhecido.

– Nina... que nome lindo! Combina com você – disse sorrindo.

– E você?

– Eu me chamo Alexander. Alexander Dantas – falou, me estendendo a mão para um cumprimento.

Estava resolvido o mistério das letras AD do lenço.

"Alexander Dantas", experimentei seu nome em pensamento.

– Então, o mistério está esclarecido. Já sabemos nossos nomes – disse tentando parecer descontraída.

– Só nos resta saber o que o destino quer nos dizer com esses encontros inusitados – disse Alexander me olhando nos olhos com a voz mais baixa e mais grave do que o normal.

Poeira

Meu dementador particular: Nathan e sua arrogância.
Um momento bom: ter cantado as músicas da Legião.

Não era o momento certo para ficar muda, travada e empacada. Eu pensava desesperadamente em qualquer coisa para falar e quebrar aquele clima de espera, mas nada de interessante me veio à cabeça.

Apesar de estar desesperada para arrumar um namorado bacana e ter com ele um relacionamento sério, que dure a vida toda, e que ele me dê os seis filhos e uma vida familiar feliz, eu não sou a melhor pessoa do mundo para conquistar alguém. Nunca sei o que dizer, nem como chegar num cara. Em vez de jogar o cabelo para o lado, abrir um sorriso e soltar palavras bonitas, fico feito uma estátua olhando para o nada, com vontade de sair correndo.

Alexander seguia me olhando, pacientemente, esperando uma atitude minha.

Confessando: Eu me senti ridícula. Sou uma mulher adulta, madura, vivida. Posso perfeitamente retribuir o olhar de um homem interessante ou responder um comentário de um homem interessante sem ficar vermelha ou com cara de idiota.

Fui mais covarde do que imaginei. Olhei para o lado e disse:

– Estamos quase chegando. Você conhece o Open Bhar? Tenho certeza de que irá gostar dos meus amigos.

Graças ao bom santo, o motorista do táxi chegou ao bar rapidinho e nós nos ocupamos com outros assuntos.

– Oi, gente! – cumprimentei meus amigos quando nos aproximamos da mesa. – Quero apresentar meu amigo Alexander.

– Oi, Alexander – falaram todos nos olhando com "cara de ué".

Manu e Pam me lançaram um olhar interrogativo do tipo: "Sua safadinha! Não estava com dor de cotovelo por causa de Marcelo?".

– Deixa eu apresentar meus amigos. Esses são Pâmela e Domênico, o casal vinte – informei apontando para os dois. – Manu e Nathan.

– Olá! – Alexander retribuiu os cumprimentos. – Espero que não se incomodem com minha presença. Acabei encontrando com Nina por acaso no meio da rua. – Ele me olhou e sorriu. – E ela me convidou para vir. Espero que não se importem – justificou-se.

– Ei... Você é...

– ... O passageiro do táxi. Sim, é ele mesmo – completei a afirmação de Manu. – E, por favor, não cantem a musiquinha – implorei com medo de pagar mico.

– Que musiquinha? – perguntou Nathan.

Manu se levantou e veio cumprimentar Alexander com um abraço.

– Que alegria conhecer você. Não sabe o quanto nós três já falamos em você.

Nathan e Dom trocaram um olhar sem entender direito o que estava acontecendo ali.

– Muito prazer, Alexander. Você é um cara muito especial para nós – disse Pam, cumprimentando Alexander com um beijo no rosto.

– Sou?

– Claro que é. Aparecer na vida de nossa amiga nas horas mais difíceis e ajudá-la com palavras de conforto... Só pode ser alguém muito especial.

Tive a certeza de que, apesar de toda a simpatia, Pam e Manu cuidariam de examinar minuciosamente seu perfil psicológico e decidir se batia com o "maníaco do parque" ou não.

– Puxa, obrigado – disse Alexander ficando vermelho com o elogio.

– Sente-se conosco – convidou Manu. – Você tem apelido?

– Eu? – perguntou surpreso.

É que ele ainda não conhecia Manu. Ela não gosta de chamar ninguém pelo nome. A não ser como no meu caso, que o nome é pequeno demais para criar um apelido.

– Não, não tenho apelidos.

– Ah, tudo bem! Vou chamar você de Alê – informou ela, já se fazendo íntima dele.

Manu arrumou uma cadeira para Alexander e o colocou ao lado dela. Eu me sentei ao lado de Nathan.

– Quem é esse? – Nathan, sem perder tempo, me perguntou num sussurro.

– Uma longa história – me limitei a dizer.

– Mais um... traste?

– Alexander? – Ri com gosto. – Alexander é um *gentleman* sussurrei de volta.

– Que raro! Ei, gostou do meu bilhete? – perguntou com seu sorriso irônico.

– Não tenho nada a dizer a respeito – respondi olhando-o com desdém.

Um garçom chegou com mais uma rodada de chope para todos bem a tempo de Pam propor um brinde:

– Vamos brindar esse encontro feliz?

– Vamos. E vamos brindar a nossa OFI também.

Todos brindamos e sorrimos. Alexander sem entender direito o que era uma OFI; Dom e Nathan sem entender direito o que Alexander fazia no meio de nós; e eu sem entender direito o motivo de tantos tropeços e desencontros na minha vida.

Manu engatou um papo com Alexander, enquanto eu, Pam, Domênico e Nathan conversávamos sobre outros assuntos.

– Onde vocês se encontraram desta vez? – perguntou Pam, não se segurando de curiosidade.

– No meio da avenida. Eu estava tentando empurrar meu carro pro meio-fio...

Contei meu encontro com Alexander e, de quebra, expliquei toda a história para Nathan, que fez mil perguntas até sanar sua extensa curiosidade, que ia desde a distância dos carros que tiravam fino de mim até o caráter de Carlão que não resolveu o problema do carro definitivamente.

– É, no mínimo, bizarro – comentou ele por fim.

– Esse cara é esquisito – sussurrou Dom, com sua usual desconfiança. – Fica ligada, Nina.

Mais um para reforçar o perfil "maníaco do parque" de Alexander.

– Ele pode ser esquisito e tudo mais... Mas, vamos combinar, ele é bonitão! – elogiou Pâmela.

– O que é isso, amor? – surpreendeu-se Dom.

– Ué! Só estou dizendo que o cara é bonito.

– E pelo jeito nossa amiga ali está interessada no sujeito – comentou Nathan diante da conversa animada de Manu e Alexander.

Manu interessada em alguém? Mais especificamente em Alexander? Será que isso vai terminar bem?

– Está com ciúme? – Cutuquei Nathan nas costelas.

– Eu? Ciúme da Magrela?

– É. Pela sua cara e pelo que deve ter rolado ontem de madrugada na minha casa... Acho que você está com ciúme sim.

– Ãh-hã, entendi... Então você está curiosa para saber o que rolou ontem na sua casa e está jogando esse verde para ver se colhe maduro? Vai morrer sem saber – provocou ele.

– Não estou nem um pouco curiosa – disse dando de ombros.

Era ridículo ele achar que eu estaria com ciúme dele com Manu. Please, né?

– Manu estava contando da semana de vocês – Alexander falou para mim em um momento de falta de assunto.

– É a nossa OFI, Operação Faxina Interna.

– Esse nome é, no mínimo, divertido. E tem espaço para mais gente ou é algo exclusivo de vocês três? – perguntou Dom.

– Você também está precisando esquecer alguém? – perguntou Pâmela.

– Não, amor, não quero esquecer ninguém. Só estou brincando.

– Este é o primeiro dia da nossa OFI – explicou Manu. – Se quiserem ir nos demais dias, a programação é a seguinte: amanhã à tarde, vamos a São Paulo, almoçaremos por lá e, à noite, vamos ao Bali, uma balada ótima de Sampa. Quinta, tem passeio de balão em Piracicaba. De lá, seguiremos para Curitiba, onde faremos um passeio de trem até Paranaguá. Sábado, domingo e segunda exploraremos o litoral catarinense. E, na terça, voltaremos para Campinas – contou com entusiasmo.

– Isso me parece mais umas férias – disse Dom.

– Vocês não trabalham, não? – perguntou Pam horrorizada com aquela esbórnia.

– Você podia ir junto, amor, que tal? – falou Dom para Pâmela.

– Eu? Você está brincando? E a empresa?

– É o que eu disse a esses dois – me juntei a Pam. – Tenho minhas clientes, contas pra pagar... Mas eles nem deram bola. Acabei embarcando.

– Vai ser legal – comentou Nathan. – Vamos nos divertir e, como Domênico falou, vamos tirar umas férias ao mesmo tempo. Estamos vivendo, meninas, vivendo e curtindo a vida.

– Eu concordo com Nathan – comentou Alexander. – Fazer umas loucuras de vez em quando só faz bem à saúde.

– Vem com a gente, Alê?

A mesa repentinamente fez um silêncio sepulcral.

Manu convidou Alexander para a OFI com o maior e o mais belo de seus sorrisos.

E Alexander, para variar, estava completamente fisgado pelo charme dela. Ele e muitos homens que estavam à nossa volta também pararam uns segundos para admirá-la. Escondidos de suas companhias, claro!

– E, então? – Ela mesma quebrou o clima. – O que acha?

Alexander ainda olhava para Manu com aquele ar fascinado, pensando em uma resposta.

Só naquele momento, longe da penumbra dos bancos traseiros ou da vista embaçada pelas lágrimas, pude notar o quanto Alexander era lindo. Seus cabelos negros, com alguns fios grisalhos, combinavam muito bem com os olhos castanhos e os traços fortes de seu rosto. A única ressalva era o barbeado muito bem feito, que, sinceramente, eu dispenso em qualquer homem, e que não combinava muito bem com aquele ar sexy dele. Analisando o restante, bem rapidamente para ninguém me pegar no flagra, concordei com Pam que Alexander é um moreno muito charmoso e de tirar o fôlego.

"Seria ele o meu Mark Ruffalo?", pensei.

Opa! Que pensamento era aquele?

– Você está falando sério ou convidando por educação? Olha que eu vou! – disse Alexander por fim, trazendo os demais de volta à realidade. Inclusive eu.

– Mas é pra vir mesmo – reforçou Manu.

Nathan me olhou de esguelha não muito contente.

Alexander me olhou diretamente nos olhos e respondeu:

– Até o fim da noite eu decido – avisou com um olhar matreiro.

Certo, o que estava acontecendo? Manu estava dando em cima de Alexander? E Nathan, ela não estava a fim dele? Ou foi só uma curtição e já passou?

E essas encaradas fortes que Alexander estava me dando? Ele era assim mesmo ou estava tentando me dizer algo?

E se Manu estivesse a fim de Alexander, e Alexander estivesse a fim de mim? E se eu, de repente, ficasse a fim de Alexander?

Meu Santo Antônio, que confusão! Não queria isso para mim. Só quero um namorado normal, que não me traia e que me ame pelo resto da minha vida.

– Precisamos tirar uma foto para nos lembrar do primeiro dia desta semana que, com certeza, será maravilhosa – anunciou Manu.

Manu adora tirar fotos.

Ela fez a produção, colocando uns em pé e outros sentados. Chamou o garçom, ensinou como manusear a máquina e correu para nosso lado.

– Ficou ótima! – disse ela olhando no visor da sua máquina digital.

– Depois eu mando para vocês. Disse Pâmela olhando para o visor da sua máquina digital. Máquinas digitais eram a última novidade tecnológica do momento. Só Pam que tinha, pois havia comprado em sua última viagem aos Estados Unidos. E a gente babava naquele item de luxo.

– Vamos dançar essa música, Pam? – convidou Dom, antes que Manu começasse com mais disparos.

Estava tocando "Veraneio vascaína" e a pista bombava.

– Boa, Dom – animou-se Manu. – Está na hora de liberar geral. Ei, vocês dois aí – disse ela para mim e Nathan. – Chegou a hora da faxina. Vamos lá lavar a alma?

– Demorou – respondeu Nathan. – Mas seria pedir muito a gente ficar num cantinho mais afastado? É que odeio aglomerações.

Manu revirou os olhos para cima e disse um "tá bom, seu chato!".

– Vão indo vocês que eu vou ao toalete – pedi.

Eles foram em direção à pequena pista do bar, onde uma banda superanimada tocava rock dos anos oitenta. Eu segui para o banheiro, mas não estava com vontade de usá-lo, queria mesmo era ficar sozinha. Encostei a cabeça na parede fria revestida de azulejos cor-de-rosa choque. Fechei os olhos com força, tentando escapar dos pensamentos indesejados que começavam a invadir minha cabeça.

Marcelo.

Marcelo, Marcelo, Marcelo.

É vergonhoso dizer isso, eu sei. É vergonhoso até pensar.

Mas é que eu sentia tanto a falta dele. E ainda por cima doía demais sentir a traição pesando sobre meus ombros, a humilhação dançando em minha volta e minha autoestima lá no chinelo, se arrastando atrás dos meus passos como chiclete recém-pisado.

Me sentia um caco. Um nada. Sem vontade nenhuma de ir dançar com meus amigos. Fingir alegria, fingir diversão, quando queria muito estar em casa sozinha com meu controle remoto e uma xícara de café.

– Vai demorar aí? – alguma infeliz bateu na porta do box me tirando do meu momento "autopiedade" ou "autoflagelo".

– Já estou saindo – respondi contrariada, dando descarga pra disfarçar..

Enrolei mais alguns segundos e voltei para o bar. Fui para a mesa, não para a pista. Não tinha jeito, estava sem ânimo algum para dançar. Além de estar totalmente descrente daquela semana aceita quase por coerção.

Bebendo meu chope e observando as pessoas, deixei meus pensamentos irem para onde quisessem. Chega uma hora que canso de lutar contra eles, sabe? E aí eu acabo relaxando e permitindo que eles dominem minha mente da forma que desejarem.

Minha insegurança e a raiva de ser assim foi o primeiro pensamento que brotou.

Talvez se eu não tivesse sido tão ciumenta, tão obsessiva com Marcelo. Se eu tivesse deixado ele mais livre... Quem sabe se eu tivesse sido de outra forma poderíamos estar juntos.

Argh! Como esses pensamentos me torturavam.

Mas minha insegurança não reinou por muito tempo na terra dos pensamentos indesejados. Pâmela veio em minha direção:

– Ei, o que você está fazendo aqui sozinha?

– Estou desanimada.

– Como assim? E a tal semana que está começando? E os planos de eliminar aquele traste do seu coração?

– Você acredita mesmo nisso? Acha mesmo que a gente esquece um amor em uma semana? – disse com ironia. – Esse papo todo é uma bela desculpa que Manu arrumou pra badalar, pra curtir... pra estar perto de Nathan.

– Manu e Nathan? Não viaja. Ela está a fim é do passageiro. Não viu o jeito que ela olha pra ele? Conheço bem esse olhar. Era o mesmo que ela dava pra... Você sabe quem.

Pâmela também percebeu o mesmo que eu percebi. Só me restava saber qual era a de Alexander.

– Eu vi. Só que você não sabe o que rolou ontem de madrugada em casa.

– E o que foi?

– Eu não sei.

– Ué! Não entendi. O que rolou?

– Não sei se rolou alguma coisa. Quando acordei, ela estava dormindo só de camisola no tapete da sala e Nathan, só de calças, no sofá.

– E aí você já imaginou todo um cenário de sexo selvagem entre os dois?

– Pode ter acontecido, não pode?

– Eu duvido. Eles são amigos há muito tempo.

– Sei lá. Achei estranho.

– E se aconteceu? Ela é solteira. Ele está sozinho...

– Ele é casado, sabia? – falei num tom de reprovação.

– Só no papel, Nina. Nem vem com falso moralismo pra cima de mim – disse Pam em tom de reprovação. – A menos que... – ela me lançou um olhar questionador.

– Iiiih, pode parar, tá? Nada a ver.

– Você está com ciúme de Nathan com Manu?

– Óbvio que não – disse mais amarga do que queria. – Nathan é um idiota, um metidinho que se acha.

– Hum... Entendi tudinho – debochou ela.

– Você costuma ser mais inteligente que isso, Pam.

– Ok. Não está mais aqui quem falou.

Manu não demorou muito para se juntar a nós.

– Posso saber por que as duas estão aqui sozinhas?

Pâmela sinalizou com a cabeça em minha direção.

– O que foi?

– Não estou animada – respondi dando de ombros.

– Não está animada por quê?

– Hum... Você sabe.

– Afe! – Ela revirou os olhos para cima. – Olha, mal começamos nossa OFI e você já está assim?

– Não estou bem, Manu, só isso.

– Não está bem por que, se está tudo certo? Você está entre amigos, se divertindo num bar superlegal, uma banda maravilhosa tocando músicas bacanas pra gente cantar, dançar e relembrar dos velhos tempos...

– Eu sei... só que não consigo entrar no clima.

– E você está esperando que aconteça o quê? Alguém passar a mão na sua cabeça e falar que Marcelo é muito legal, que tudo foi um grande equívoco e que daqui a pouco ele vai entrar pela porta deste bar com um buquê de flores pra você, Nina? Acorda pra vida, cara! Está parecendo criança mimada que não ganhou o pirulito do pediatra.

– Manu! – recriminou Pâmela.

– É o que ela quer ouvir, Pam! Quer se iludir, não está vendo?

– Dá pra respeitar meu momento? – pedi com certa raiva. – Eu estou sofrendo.

– Nina, seu "momento" já dura alguns anos, será que você pode perceber isso e também respeitar o esforço que estou fazendo em nome da sua felicidade? Não percebe o que estamos fazendo por você?

– Tem certeza de que é por mim? – retruquei sem refletir no que ouvira.

– Nina, estou deixando meu salão e minhas clientes pra ficar uma semana inteira ao seu lado, pra que você possa se divertir e esquecer de vez aquele imbecil que só usou você. Parou pra pensar nisso? Parou?

– Sei bem que não é só por minha causa, Manu. Ou vem dizer que vai ser um sacrifício muito grande pra você viajar para lugares legais e se divertir por uns dias. Ah, me poupe desse seu discurso!

– Mas você é muito egoísta mesmo. Enquanto estiver aí lambendo suas feridas e olhando pro seu umbigo, não vai esquecer ninguém, muito menos valorizar quem está do seu lado.

– Quer saber? Vou pra casa – disse emburrada e irada com aquela ceninha de Manu.

Disparei em direção à porta.

– Nina, volta aqui! – pediu Pâmela ao mesmo tempo em que recriminava Manu.

Parei na calçada com os olhos cheios d'água.

Quem Manu acha que é? A dona da verdade? A gostosona que tem o homem que quiser aos seus pés? A *expert* do universo masculino?

"Droga!", pensei limpando os olhos cheios de lágrimas com as mãos. Odeio brigar com as minhas amigas.

– Nina! Nina, espera!

Nathan vinha correndo em minha direção.

– O que aconteceu? Vi você e Manu discutindo... Eu vi demais ou vocês brigaram mesmo?

– O que você quer? – perguntei ríspida demais.

– Ei, só quero tentar ajudar. Não podemos começar nossa OFI assim, não é mesmo?

– Oi – disse Alexander, surgindo do nada e parando ao lado de Nathan. – Está tudo bem? – perguntou com uma voz cheia de preocupação e ternura.

Lembrei do meu pai, meus olhos se encheram de lágrimas de novo.

– Quer conversar? – sugeriu olhando para os lados. – Tem uma loja de conveniência logo ali. Topa um café?

Concordei com a cabeça.

– Legal – reclamou Nathan voltando para o bar, aparentemente sentindo-se excluído.

Caminhamos até o posto em silêncio. Uma brisa agradável nos acarinhava o rosto e secava minhas lágrimas como um sopro amoroso que meu pai dava em meus olhos quando eu chorava. Ele dizia que chorar fazia bem, que eu não deveria nunca ter vergonha de fazê-lo.

Ficar ao lado de Alexander já não era mais tão confortável e inocente como das outras vezes. Agora, procurava pelas palavras certas, movimentos corporais que não mostrassem segundas intenções de minha parte.

O que mudou? Por que eu já não o enxergava com os mesmos olhos de antes?

Já não sabia se preferia Alexander na penumbra do banco traseiro de um taxi ou ali, com aquela doçura instigante.

Ao entrar na loja, escolhemos uma mesinha alta com duas banquetas para sentar. Pedimos dois cafés.

– E, então, o que aconteceu?

– Eu amo Manu. Eu a considero como uma irmã, mas, às vezes, ela exagera. Ela foi cruel comigo. Também nem sei onde estava com a cabeça quando aceitei participar dessa semana maluca. Sair por aí curtindo a vida adoidado, fingindo ter dezoito anos, sem responsabilidades, sem compromissos, fingindo estar tudo bem...

– Ei... – Ele colocou a mão direita sobre a minha esquerda. Eu me sobressaltei. – Acalme-se – sugeriu docemente.

– Desculpa. Eu não estou bem. – Tentei sorrir, mas não consegui. – Acho que há um fundo de verdade no que Manu me disse. Realmente, essa minha fase já dura anos, quem sabe até a minha vida toda. Posso tentar arrumar milhares de desculpas, como a morte física do meu pai e a presencial da minha mãe muito cedo em minha vida, mas o fato é que não estou conseguindo fazer limonada dos limões que estão sendo atirados em minha direção. Quem sabe eu nem esteja tentando, né? – falei, dessa vez ruminando e refletindo sobre as palavras de Manu, deixando as lágrimas rolarem pelo meu rosto.

– Olha, Nina, é sempre bom observar nossos comportamentos e observar o que podemos melhorar. A vida deveria ser uma evolução constante. Mas não se puna ou se julgue tanto. Passar pelo que você passou e tentar se divertir como se nada tivesse acontecido não dá. É humanamente impossível.

Deus, como ele era compreensivo! Como ele me entendia!

"E que bom que ele sempre está por perto quando eu mais preciso. Será que vai ser sempre assim?", pensei, logo em seguida recriminando meu pensamento.

Minha melhor amiga estava a fim dele. Não eu.

– Obrigada – agradeci.

– Por quê?

– Por aparecer quando mais preciso e ser sempre tão gentil. Sabe aquela experiência de Ciências na qual colocamos uma mão na água quente e outra na água gelada e, depois, colocamos as duas ao mesmo tempo na bacia com temperatura ambiente?

– Sei – respondeu ele com ar de psiquiatra sem entender seu paciente.

– Então, parece que, desta vez, eu era a água gelada, Manu era a água quente, e você apareceu como a água em temperatura ambiente. Centrado. Eu, no caso, a mão na água gelada, me sinto aquecida. Na medida certa, não na água quente, entende?

– Gente, o que será que eles colocaram aqui, pelo amor de Deus! – disse ele cheirando a minha xícara de café com ares de preocupação. Depois riu gostoso. – É sempre um prazer estar ao seu lado, mesmo na figura de um balde morno.

Gargalhei encabulada e bebi o resto do meu café filosofal. De alguma maneira que não sei explicar, eu já me sentia melhor. Alexander tinha o dom de me acalmar.

– Por que você sempre aparece do nada quando eu estou me sentindo um lixo? Quem é você, afinal?

– Não fala assim, você não é um lixo.

– Não fuja da minha pergunta. Quem é você? O que você faz da vida?

– Você quer saber quem eu sou? Ou o que eu faço?

– Primeiro, o que você faz? – devolvi a pergunta.

– Sou um cirurgião plástico muito famoso.

– Puxa, que bacana! Não era o que imaginava.

Ele sorriu triste.

– Seus olhos brilharam só de saber o que eu faço. E o que eu faço não traduz quem eu sou de verdade – disse ele.

– E quem você é de verdade?

– Isso você terá que descobrir aos poucos. Posso contar maravilhas a meu respeito, mas quem garante que estarei falando a verdade? Não se conhece uma pessoa em um dia, em um relato... Muitas vezes é preciso até mais que uma vida para se conhecer alguém. Meu pai sempre mencionava um ditado que dizia que para se conhecer bem alguém é preciso comer uma saca inteira de sal com esse alguém.

– Ué, mas isso dá pra fazer em um mês... – disse sem fazer muita conta.

– É, mas o ditado se refere a tempos antigos, quando uma saca de sal era uma unidade monetária e realmente usada como nosso dinheiro hoje. Naquela época, uma saca de sal tinha sessenta quilos. Um dia sentamos para fazer as contas. Ele gosta de demonstrar as teorias na prática. Considerando uma dieta de cinco gramas de sal por dia, se não me falha a memória, são aproximadamente dezesseis anos pra comer tudo. No fim das contas, meu pai concluiu que o ditado era falho. Muitas vezes nem uma vida inteira era tempo suficiente para conhecer a nós mesmos, quem dirá a outras pessoas.

– Uau! Acho que aquela cheirada no meu café filosofal também inspirou você! – disse gargalhando solto.

– Hahahahaha, é verdade. Mas, voltando ao ponto, não é mistério. É a realidade. E, se quer saber a verdade, não sou um cirurgião famoso, sou apenas mais um. Falei pra ver qual seria sua reação. Não importa qual a sua profissão. Importa quem você é de verdade como ser humano. É assim que penso.

– Certo. E como vai ser daqui pra frente? Vamos continuar nos encontrando por acaso? – perguntei sem conseguir impedir um pensamento de que eu gostaria de vê-lo mais vezes. Também não consegui impedir minha boca de pronunciar a emenda catastrófica. – E, por favor, não pense que estou com segundas intenções.

Que beleza de desenvoltura com os homens, não acha?

– Vamos deixar fluir. Já sabemos nossos nomes. Sei onde você trabalha, conheço seus amigos, vamos nos divertir esta noite... É assim que nasce uma amizade. Se quiser, podemos trocar nossos números de telefones... Se quiser, acho que consigo viajar com vocês nessa semana, embora acredite que não deva.

"Ele disse 'amizade'. Ouviu, Nina?"

"Então, não alimente esperanças."

– Por que não?

– Porque não tenho intimidade pra viajar com vocês. E acho que não terá o efeito esperado se eu estiver junto. Vocês três ficarão mais à vontade sem mim. Além do mais, vi que a ideia não agradou tanto o seu amigo Nathan, por mais que ele tentasse disfarçar.

– Que bobagem, Nathan é um cara boa gente. Mas você é quem sabe – falei encerrando o assunto. Não queria insistir para ele não pensar que estava dando mole ou algo assim. Acho que ele esperava por alguma insistenciazinha. Me senti bem por não ter dito nada.

– Está se sentindo melhor?

– Estou – suspirei.

– Quer voltar para o bar, com seus amigos?

– Quero. Preciso falar com Manu. Não fui muito legal com ela e estou envergonhada do papelão que fiz.

– Vou pagar o café, então.

Voltamos para o bar em silêncio. O vento havia parado, mas uma sensação de paz pairava no ar e no meu coração. Sorri agradecida, olhando para o nada, certa de que meu pai estava me vendo.

Alexander caminhava tranquilamente com as mãos nos bolsos da frente de seus jeans escuros. Ver seu caminhar sereno, de cabeça erguida e porte ereto, era encantador. Parece ser verdade que nosso corpo, nossa postura e nossas atitudes falam muito mais do que a boca mais tagarela que possa existir.

Ao entrar no bar, avistei meus amigos sentados à mesa. Domênico e Nathan conversavam enquanto Pam e Manu estavam em silêncio.

Pareciam emburradas e distantes.

– Oi – disse de pé ao lado da mesa. Alexander sentou ao lado de Manu e sorriu para ela. – Manu, me desculpa, não fui nada legal com você. Sei que você está fazendo o melhor por mim. Quero muito esquecer Marcelo. Quero muito ser feliz e me sentir bem. Você foi amiga e me disse o que eu precisava ouvir. Aliás, vocês sempre dizem, eu que sou uma burra teimosa que não aprende nunca. Quando você me disse toda aquela verdade na lata, reagi de forma grosseira, na defensiva e sem refletir. Me desculpa.

Manu levantou não contendo as lágrimas e me abraçou apertado.

Os demais aplaudiram nossa atitude e se levantaram emocionados também nos abraçando, como um time de futebol comemorando um gol da vitória aos quarenta e seis minutos do segundo tempo.

– Ai, Nina, me desculpa também, fui tão grossa e insensível com você – me pediu ainda abraçada a mim, enxugando as lágrimas.

– Vamos parar de merda e curtir essa OFI maravilhosa e louca que começamos – pediu Nathan.

– Uh-hu! – completou Manu. – Vamos estourar a boca do balão! – disse sem perceber o trocadilho...

– Literalmente, mas vamos estourar só depois que ele pousar, tá? – falei arrancando gargalhadas de todos. – Vamos, moçada, vamos dançar.

Naquele momento, apropriadamente, a banda mandava "...se eu não perdi nenhum detalhe, onde foi que eu errei? AINDA ENCONTRO A FÓRMULA DO AMOR... ainda encontro a fórmula do amor... ainda encontro..."

– "Uôôôôô, a fórmula, a fórmula do amor" – gritamos todos, indo para a pista, ignorando alguns olhares de desaprovação.

Curar um coração partido não é fácil e nem acontece de um dia para o outro. Eu sei. Vou precisar de muita determinação e de pensamento positivo para não esmorecer.

Porém, aquele peso que sentia quando estava no banheiro ia, a cada música cantada por mim, deixando meus ombros mais leves. E eu estava me divertindo muito.

A banda era maravilhosa. Tocaram muitos rocks dos anos oitenta e noventa. Parecia que eu, Manu e Pâmela havíamos voltado à época do colégio. Eu já havia me esquecido do quanto é bom dançar daquele jeito. Cantando até ficar rouca, dançando e sorrindo. Animamos o bar inteiro!

Pâmela e Domênico estavam se curtindo demais. Não se desgrudavam nem um minuto. Eram o casal perfeito. Eu os invejava daquele meu jeito de sempre. Era bom ver que o amor pode dar certo. Que duas pessoas podem sim se amar, se dar bem e se curtir do jeito que deve ser. Naquela semana em que nosso maior objetivo era esquecer quem nos faz mal, ter um casal apaixonado à nossa volta ajudava a manter viva a esperança no amor.

Já Alexander... Uau!

Na pista, se revelou um grande dançarino. Com ginga, criatividade nos passos e movimentos. Parecia ter incorporado John Travolta no filme *Nos Tempos da Brilhantina*. Lembrei de novo do meu pai, ele adorava esse filme. Lembrei da estante da sala decorada em dia de Natal, com a caixa do filme, uma caixa de fita VHS amarelada. Olhei de novo para um lugar vazio, certo de que ele estava ali, me olhando. Sorri e voltei a dançar freneticamente, cantando todas as músicas.

Em certo momento, Alexander e Manu se afastaram um pouco do grupo para conversar e pareciam bastante entrosados.

O que era bom, certo?

Manu precisava acabar com suas teias de aranha de encalhada e aproveitar sua juventude. Ela é uma pessoa que merece muito alguém legal do seu lado. Uma pena que Betão tenha se transformado naquele poço de ciúme doentio. E que Kau... Bem, esse é outro papo.

– Parece que sobramos – comentou Nathan no meu ouvido.

– Pelo jeito, acabou virando encontro de casais esse primeiro dia da OFI – respondi.

– Mas quem tem que esquecer alguém aqui somos nós, não eles – comentou Nathan.

– Eu estou me divertindo, você não está?

Ele deu de ombros sem responder, dançando fora do ritmo.

– Vamos pegar mais bebidas lá no bar? – convidou.

– Vamos.

Seguimos para o bar, que ficava à esquerda da pista, e nos sentamos em duas banquetas.

– Seu sobrinho, Lucas, está bem? Ele é muito fofo.

– É uma figura. Adoro aquele moleque. – Nathan sorriu demonstrando orgulho.

– Você pensava em ter filhos com a Elisa com S?

– Eu pensava... Em uma ocasião, cheguei até a pensar que ela estava grávida. Acho que contei pra vocês, não foi? Mas ela não gostava da ideia.

– Quantos anos ela tem?

– Trinta e dois – buscou da memória.

– E não quer ter filhos? – perguntei horrorizada.

– Não – respondeu entristecido. – Ela não curte crianças.

– Eu penso em ter filhos. Uns quatro ou cinco. Quero uma família bem grande e bem feliz – disse reconhecendo que talvez seis seja apenas uma brincadeira que gosto de fazer para ver a cara de espanto das pessoas.

– Nossa! Vai precisar trocar de carro antes – brincou Nathan.

– E quantos filhos você pensa em ter? – insisti, feliz em não ter dito seis.

– Não penso mais nisso. Só quero esquecer Elisa. Essa coisa de amor, família... não me interessa mais. Não importa.

– Como assim? Só porque deu errado com ela não significa que vai dar errado com outra. Você não pode desistir.

– Já não me importo mais. Estou bem sozinho.

– Como? – perguntei indignada. – E nosso projeto?

– Uma coisa não tem nada a ver com a outra. Eu quero esquecer Elisa. Namorar outra pessoa está fora dos meus planos.

– E Manu? Vocês estavam se... Ou foi só sexo casual?

Ele riu com gosto.

– Curiosa. Acha mesmo que vou cair nos seus verdes? – debochou ainda rindo.

– Não é nenhum verde, seu idiota! Não me interessa em nada o que vocês fizeram ou deixaram de fazer – respondi um pouco brava.

Ele realmente achava que eu estava louca para saber o que tinha rolado entre eles na madrugada anterior.

Pois saiba que não estava.

– E você vai fazer o que da vida? Virar um cafajeste? Curtir, ficar, beijar na boca e tchau? – perguntei.

– Não é má ideia.

– Bem típico do universo masculino mesmo. Como dizem por aí: "Quanto mais conheço os homens mais gosto do meu controle remoto".

– Não seria: "Quanto mais conheço os homens mais gosto do meu cachorro?".

– Eu não tenho cachorro. Nem curto muito ter animais em casa.

– Não gosta de animais? Que pessoa mais insensível! Meu avô sempre dizia pra duvidar do caráter de quem não gosta de cachorros.

– E eu falei que não gosto? Limpe os ouvidos aí! – o reprimi. – Eu disse que não curto animais em casa. Eu gosto de animais, só que não curto ter um de estimação pra mim. Não tenho tempo nem habilidade pra cuidar de um animalzinho. Entendeu?

– Agora já sei porque está solteira até hoje.

– Só porque não tenho animais de estimação?

– Porque é insensível demais – disse ignorando minha defesa.

"Cara, como ele é chato!", pensei.

– E eu sei por que você levou uma galhada da Elisa com S – falei sem pensar.

Ele me olhou desafiadoramente.

– Porque é um chato insuportável que vê defeito em tudo – prossegui apesar de seu olhar.

Pronto, falei!

– Ok – respondeu lançando um olhar duro enquanto eu sentia meu rosto ficar vermelho.

Certo, falei besteira. Não devia ter retrucado.

Nathan ficou quieto, bebendo sua cerveja e olhando para frente. Seu semblante estava fechado e ele pareceu estar magoado com o meu comentário.

Mas ele me atacou primeiro, não foi? Me chamou de insensível, de... solteira até hoje.

Que ousadia!

– Desculpa – murmurei.

– O quê?

– Desculpa. Eu falei sem pensar. Ou pensei, mas a língua foi mais rápida.

– Ok.

Nathan se manteve fiel ao seu plano de não falar comigo. Pelo menos eu achei que ele bolou um, pois parecia irredutível. O silêncio e sua indiferença começaram a me incomodar e eu inventei uma desculpa de que iria ao banheiro só para sair um pouco do lado dele. Com certeza, na minha volta, ele ia falar comigo.

E para lá fui eu. Fiz o que toda mulher faz em um banheiro de bar: escovei o cabelo, retoquei a maquiagem, me analisei umas mil vezes no espelho e saí de lá uns vinte minutos depois exatamente igual a quando entrei.

Ao voltar para o salão do bar, reparei que Nathan já não estava mais onde eu o havia deixado. Busquei em todos os lados e não o encontrei. Olhei para a pista e vi meus amigos.

– E aí, estão se divertindo? – perguntei para Manu.

– Está demais, não está? Falei que seria ótimo vir aqui.

– Você viu Nathan por aí?

– Não. Por quê?

– Estávamos lá no bar conversando e eu fui ao banheiro. Quando voltei, ele não estava mais lá. Achei que ele estivesse aqui – resumi.

– Não o vejo há um tempão – disse sem se importar muito com o fato. – Preciso confessar uma coisa. O passageiro, desconhecido, adorável... – Ela fez uma pausa para respirar se abanando com as mãos. – Ele é tudo de bom!

– Tudo de bom?

– Tudo de bom: Lindo, inteligente, simpático, bem-humorado... Perfeito.

– Perfeito? Oi, prazer, meu nome é Nina, quem é você? Estou procurando uma amiga minha que diz sempre que não existem homens perfeitos, você a viu por aí? – disse estendendo a mão, replicando sua famosa frase que ela adora me tacar na cara quando babo por um carinha.

– Toda regra tem sua exceção – respondeu indiferente ao ataque.

– Certo. Mas e aí, vai rolar alguma coisa?

– Calma. Pra que pressa? Estamos nos conhecendo...

– Quem aí curte Legião Urbana? – perguntou o vocalista da banda antes de iniciar os primeiros acordes de "Será".

– Uh-huuu! – gritamos todos.

– Nossa música. Cadê Nathan? – gritou Manu olhando para os lados.

– Foi o que perguntei quando cheguei aqui – respondi.

– Bora dançar, legionárias. – Pâmela chegou agitando.

Nos abraçamos, girando, pulando e cantando como fazíamos na época da escola. Parecíamos umas malucas, mas nem nos importamos.

Automaticamente, esqueci o incidente com Nathan e me soltei. Comecei a minha faxina, liberando minhas neuras, meus problemas e minhas dores.

A música tem o dom de lavar a minha alma. Acho que somos todos um pouco assim, não é mesmo? Algumas pessoas dizem que os acordes musicais vibram e fazem vibrar nossos chacras, liberando energias negativas acumuladas.

A banda percebeu que a turma dos quase trinta (como eu) adorava Legião e mandou, na sequência, "Quase sem querer".

Todos da pista gritaram aprovando a playlist da banda.

Fechei os olhos e cantei com o vocalista, que nem tinha o timbre de voz do Renato Russo, mas não importava. Era bom demais soltar a voz e colocar tudo para fora.

Renato tinha o dom de compor canções que falam de nós, do nosso dia a dia, dos nossos problemas amorosos, dos nossos sentimentos, dúvidas e incertezas das coisas grandiosas da vida. E das mais sutis também. Talvez por isso suas músicas continuam tão atuais e são tão gostosas de se ouvir e cantar.

Quase no final da canção, senti meus braços sendo puxados. Abri os olhos e vi Alexander segurando minhas mãos e ele cantou olhando para mim:

– "Me disseram que você estava chorando. E foi então que eu percebi como lhe quero tanto..."

Só eu notei o olhar de Manu em nossa direção.

Apesar de ter gostado de dançar com Alexander, eu, disfarçadamente, me soltei das mãos dele e abracei Manu e Pâmela.

– Essas eram músicas de quando éramos adolescentes – falei alto para Alexander. – Legião era nossa banda favorita, e toda vez que ouvimos ficamos nostálgicas.

– Eu não curtia muito, mas acabava ouvindo de tanto que tocava na rádio – explicou ele, bem ao pé do meu ouvido.

– Agora está do jeito que Pam gosta – comentou Domênico, com mais uma garrafa de uísque recém-aberta.

– Dom, mais uma garrafa? – recriminou Pam, se afastando com Domênico para um canto.

– Domênico já bebeu demais – comentou Manu. – Pam está puta da vida com ele.

– Ele parece estar se divertindo – disse Alexander.

– Mas acho que já passou do limite – falou Manu voltando toda a sua atenção para Alexander, e eu deixei o caminho livre para ela.

Meu inconsciente voltou a procurar por Nathan pelo bar. "Será que ele foi embora puto comigo? Ele parecia ser mais adulto do que isso", pensei.

Puxa, e nem foi algo tão grave assim.

E por que eu estava me preocupando tanto com esse fato? Além do mais, estávamos ali para curtir a noite, o ambiente e entrar no clima da OFI! Se ele tinha ido embora, era bem provável que não fosse continuar nos demais dias, e aí já era a tal Operação Faxina Interna.

Melhor para mim, né?

Avistei Pâmela chateada, em pé ao lado da nossa mesa, e fui até ela.

– Tudo bem, amiga?

– Domênico exagerou em tudo, na bebida, na conta que vai custar os olhos da cara por causa dessas duas garrafas de uísque...

– Mas a conta é o de menos pra você.

– É... Sim, claro... – gaguejou ela. – Falei por falar. Vou pagar pelas duas garrafas na hora de dividir a conta, não se preocupe.

– Sei que vai e nem pensei o contrário. Fique tranquila. Ei, Dom, vamos dançar um pouco? Está tão animado lá na pista – convidei para ver se, de repente, conseguia reverter aquele clima.

– Não suporto essa banda aí que vocês tanto curtem – disse com certo desprezo. O que me surpreendeu, pois Domênico era sempre tão gentil e simpático. – Vão vocês que eu não estou a fim.

– Quer saber? Eu vou mesmo, Dom – falou Pâmela me puxando pelo braço. – Vamos, Nina. Não vou perder mais uma música.

– O que está acontecendo? É a primeira vez que vejo vocês dois se estressarem.

– Não gosto quando Domênico bebe demais. Só isso.

– "Daniel na cova dos leões" – anunciou o vocalista.

– A música de Manu! – falamos uma para a outra. Corremos para a pista e a encontramos procurando por nós duas.

– Minha música... Minha música – gritou ela em nossa direção.

– "Aquele gosto amargo do teu corpo. Ficou na minha boca por mais tempo: De amargo então salgado ficou doce. Assim que o teu cheiro forte e lento. Fez casa nos meus braços e ainda leve e forte e cego e tenso fez saber Que ainda era muito e muito pouco..."

– Vocês sabem pra quem eu canto essa música, não sabem? – perguntou Manu abraçada a nós duas.

– A gente sabe.

– Sinto muita saudade de Kau.

– A gente também.

– Será que um dia a gente vai se reencontrar?

– Tenho certeza que sim – respondeu Pam.

– Que droga! Hoje não é dia de chorar – ela enxugou uma lágrima e voltou a cantar sua música de olhos fechados, cantando bem alto para Kau ouvir onde quer que ele estivesse.

E, então, finalmente, achei Nathan, no fundo do bar, conversando com uma loira... charmosa, bonita e visivelmente interessada nele.

– "... E o teu medo de ter medo de ter medo não faz da minha força confusão. Teu corpo é meu espelho e em ti navego..." – cantava eu, no automático, olhando para Nathan, aparentemente bem à vontade com a cabelo de milho.

Ah, como odeio as loiras!

Assim, não odeio todas as loiras. Mesmo porque Pâmela é loira e eu a amo. Só odeio *algumas* loiras.

– Achei Nathan – avisei para Manu. – Olha ele lá no fundo todo assanhado com a Kátia Flávia.

– Ué, quem é aquela? – quis saber Pâmela.

– Não sei. Nunca vi mais gorda – comentou Manu.

– Gorda mesmo. Olhem só o tamanho daquelas coxas – falei.

– E a bunda? Tá mais pra dançarina de pagode que Kátia Flávia – disse Pâmela destilando todo seu veneno.

Rimos com nossa maldade.

– Não era pra ele estar aqui, se divertindo com a gente? Afinal, era esse o plano, certo? – perguntou Manu.

– Isso mesmo... Era, do verbo vai ser nem que a vaca tussa... Vou lá.

Marchei determinada até Nathan e a loira popozuda.

Alexander me acompanhou com o olhar.

– Oiê! – Cortei o clima assim que me aproximei, fazendo cara de propaganda de pasta de dente.

Ele me olhou sem falar nada.

– Não vai ficar com a gente?

– Estou bem aqui.

– Olha, eu já pedi desculpas, não pedi? O que mais você espera de mim?

– Nada.

– Você não vai ficar com a gente, é isso?

A loira nos olhava curiosa e com um sorriso congelado nos lábios pintados de cor-de-rosa.

– Se der vontade, eu vou – respondeu ele desafiadoramente.

Ô, meu santo, essa foi a pior dispensada que já levei!

– Certo – respondi. – Aproveita a noite. Espero que consiga esquecer Elisa dessa forma.

Tudo bem. Falei, mais uma vez, sem pensar.

– O objetivo é esse.

Voltei para a pista pisando fundo de raiva.

Petulante de uma figa! Se ele achava que eu ia estragar a minha noite por causa dele, estava muito enganado.

– E aí? – perguntaram Pam e Manu assim que voltei.

– Ele está num papo muito interessante com a loira popozuda lá, e não está a fim de ficar com a gente.

– Meninas, ele está curtindo. Deixem o cara que, daqui a pouco, ele volta – falou Alexander.

– É isso mesmo. Alê, me conte uma coisa... – disse Manu se virando para ele e puxando outro assunto.

Tentei continuar alegre e curtir a banda, mas não consegui. Cantava e dançava já sem muita vontade, meus pensamentos estavam longe dali.

Que droga! Era o segundo fora que levava em menos de dois dias. Tudo bem que o "fora" de Nathan não é igual a um fora de um namorado. Só que vai explicar isso para a minha insegurança.

Pra mim, a noite tinha acabado ali.

Poeira

Meu dementador particular: Marcelo.
Um momento bom: estar entre amigos.

Logo depois das onze da manhã da quarta-feira, depois da terceira e última cliente antes da nossa viagem, Manu me ligou para programar a ida a São Paulo.

– Quem você deixou em casa primeiro? – perguntei ansiosa para saber como a noite havia terminado para eles.

Para mim terminou com uma insônia insuportável. Daquelas que até passos de formiga não deixam você dormir.

O motivo?

Nathan.

Ou melhor, o fora que levei, e junto dele toda a neura de insegurança que eu insisto em remoer em noites de insônia.

– Nathan, claro – respondeu ela.

– Você levou Alexander na casa dele? – perguntei surpresa.

– Sim – respondeu com uma alegria contida. – E adivinha...

– O quê?

– Ele é seu vizinho.

– Meu vizinho?

– É. Ele mora no seu bairro. Umas quatro ruas para baixo do seu prédio.

– Nossa, que coincidência! Quer dizer, mais uma, né? Você não acha estranho Alexander ter aparecido três vezes na minha vida do nada?

– É, no mínimo, curioso – disse ela sem se empolgar. – Nina, preciso que você me fale a verdade.

– Sobre o quê?

– Você está a fim dele?

– Eu? – gritei. – Como assim?

– Preciso saber se você está a fim dele. Responda sim ou não.

E agora? Eu não estava exatamente a fim dele. O jeito misterioso dele é que mexia comigo mais do que deveria. Sem falar que ele é um moreno tudo de bom, bem do jeito que eu gosto.

Tipo o meu Mark Ruffalo.

– Não – disse sem muita convicção. – Não estou, mas, pelo jeito, você está.

– Ah, quer saber? Não vou negar. Eu estou... estou... – disse procurando pela palavra certa. – ...encantada com ele. Vamos combinar, ele é um charme. Todo gentil, educado, lindo e simpático... Homens como Alê são tão raros hoje em dia.

– Raro é ver você toda derretida por um cara.

– Não estou toda derretida – se defendeu Manu. – Estou interessada em conhecê-lo melhor. E, esta noite. vai ser ideal pra isso.

– Como assim?

– Ele vai junto – vibrou ela numa voz fina.

– Ué, ele disse que não iria... Não entendi.

– Eu o convidei, dá licença?

– Ah, tá. Como quiser.

– Bem, se vamos sair daqui a duas horas pra Sampa, melhor desligar, né? A gente fofoca mais quando estivermos na estrada. Pego você no horário combinado. E não se atrase.

– Fica tranquila, chefe.

Confessando 1: Durante a insônia, eu perdi a empolgação de seguir com esse projeto. Sim, é por causa de Nathan. Nosso desentendimento da noite anterior quebrou o clima.

Confessando 2: Agora que Manu declarou que estava a fim de Alexander, eu... Bem, eu precisava me policiar mais para não ficar a fim dele também.

Pouco depois do horário combinado, Manu ligou avisando que estava em frente ao meu prédio e que era para eu descer que estávamos atrasados.

Ao me ver se aproximar do carro, Alexander desceu e abriu a porta para mim.

– Oi – disse ele de pé a centímetros do meu rosto. Usava um jeans surrado, camiseta polo listrada e óculos escuros. O perfume de sua loção pós-barba me intimidou e fiquei sem reação.

Senti minha barriga se contrair e me segurei para não lhe revelar meu melhor sorriso.

– Sei que ontem eu disse que não iria com vocês – disse Alexander, parecendo ansioso. – Mas Manuela insistiu e, bem, se for incômodo pra você, me avise que moro aqui perto, posso ir pra casa na boa.

– Relaxa, Alexander. Está tudo bem – disse, me mostrando indiferente ao seu charme. – Desta vez você não vai precisar me consolar por nada. Assim espero – brinquei.

– Vai ser muito bom sim. Quero ver você sorrindo muito. Mas, se precisar conversar, estarei por perto.

– Obrigada.

Entrei no carro e me acomodei no banco de trás, cumprimentando Manu e Nathan.

– Dormiu bem?

Demorei para perceber que a pergunta de Nathan era para mim.

– Ah, você voltou a falar comigo?

– Vocês não estavam se falando? – se intrometeu Manu, dando partida no carro.

– Nathan, olha bem nos meus olhos – pedi seriamente. – Se quiser que esta semana seja algo decente e agradável para todos nós, é melhor a gente ter uma conversa agora.

Nathan me olhou e um leve brilho cruzou seus olhos.

– Adoro mulheres decididas – zombou ele como se nada tivesse acontecido na noite anterior.

– Vamos conversar, então? – tornei a perguntar.

– Magrela, dá uns minutos pra gente resolver um assunto pendente lá fora? É rapidinho.

Manu desligou o carro meio a contragosto.

– Depois eu conto – respondi ao olhar interrogativo de Manu, enquanto saía do carro de punhos cerrados, pronta para a briga.

– Ninguém merece! – reclamou Manu. – Por favor, não demorem.

Nathan caminhou uns dez metros e parou na calçada, embaixo de uma árvore.

– Estou ouvindo – falou cruzando os braços.

– Como assim “estou ouvindo”? Você não tem nada pra dizer? Pedi desculpas, reconheci minha grosseria... Você que ficou bancando o putinho longe da gente, nos ignorando o resto da noite. Acho que você tem muito a me dizer e, se não começar a falar de uma vez, volto pra minha casa agora mesmo.

– Tá certo – falou abrindo os braços. – Também peço desculpas, pois eu comecei a brincadeira. Não deveria ter provocado. Daí você tocou na minha ferida e eu fiquei chateado. No fundo no fundo, você falou a verdade, e ela às vezes dói.

– Tudo bem – disse me desarmando.

– E eu não estava ignorando você, estava conversando com uma amiga da minha irmã que está se mudando para a Europa e queria algumas dicas.

– Você não tem que me explicar nada – respondi.

– Amigos novamente? – perguntou com uma voz gentil.

– Sim.

– Pronta para viver os melhores dias da sua vida?

– Vem cá, você só tem essa calça? – perguntei olhando, mais uma vez, para sua calça xadrez, que, dessa vez, fazia par com uma camiseta de malha preta e o mesmo tênis iate preto.

– E você esqueceu sua fantasia de *cowgirl* em casa?

– Ah, não me enche!

– Vem cá me dar um abraço – disse me puxando para si.

Nathan é um pouco mais alto que eu. Quando ele me abraçou, minha cabeça se encaixou em seu pescoço e pude sentir seu cheiro. Ele exalava um cheiro de roupa limpa bom, misturado com seu perfume amadeirado de sempre. Me senti acolhida (e perdida) naquele abraço.

O fora que levei de Marcelo estava bagunçando meus sentimentos. Uma hora foi Alexander e, depois, até o insuportável do Nathan estava fazendo meu ar ficar mais denso.

– Vamos, senão a Magrela vem aqui nos dar uma bronca.

Concordei me desvencilhando do abraço discretamente.

Voltamos para o carro e, mal havia me acomodado no banco de trás, Manu começou o interrogatório:

– Resolveram o problema?

– Sim, está resolvido – respondi.

– Podem me contar o que aconteceu?

– Assunto nosso, Magrela.

– Já que estamos embarcando nessa jornada juntos, é melhor estipular algumas regras – anunciou a chefe da Operação Faxina Interna. – Regra número um da OFI: durante esta semana, não teremos segredos uns com os outros, combinado?

– Eu também estou incluído nessa regra número um? – perguntou Alexander.

– Claro. Nos dias em que estiver com a gente, terá que nos contar tudo.

– Acho melhor ir pra minha casa, então – comentou Alexander, fingindo que estava tentando abrir a porta do carro para sair.

– Eu, se fosse você, iria mesmo – cutucou Nathan. Mas só eu percebi que ele estava falando sério.

– Nathan e Nina, contem tudo – pediu Manu, livrando seu príncipe da saia justa.

– Melhor falar logo ou não teremos paz – avisou Nathan.

– É que nós trocamos umas farpas no bar ontem. Mas está tudo resolvido – expliquei resumidamente.

– Que tipo exatamente de "farpas"? – insistiu Manu.

– Do tipo "feio, bobo, cocô, titica" – falei.

– Ah não! Titica não. Aí você pegou pesado sua "chatonilda" – brincou Nathan.

– Você é um comediante frustrado, sabia, Nathan? – perguntou Manu tentando ficar séria. – E resolveram a pendenga?

– Fique tranquila, chefe, que está tudo esclarecido e resolvido.

– Hum... Ótimo. Então podemos partir? – perguntou Manu dando partida no carro.

– Sim, chefe! – respondemos em coro.

A viagem até São Paulo costuma durar no máximo cinquenta minutos e, apesar do agradável papo entre Manu e Alexander, eu preferi dormir um pouco e recuperar a madrugada mal dormida. Ou não dormida. Tentei me acomodar no banco de uma forma que não incomodasse Nathan e apaguei.

Quando Manu me acordou, já estava escurecendo.

– Hã?! Onde estamos? – perguntei assustada, levantando a cabeça de supetão. Eu havia dormindo no ombro de Nathan, aninhada igual um cão tosado em dia de inverno quando volta para sua cestinha.

Aliás, como eu fui parar no ombro dele?

– Na Vila Olímpia – respondeu Manu.

– Caramba! São seis e meia da tarde! – exclamei olhando o relógio. – Por que estamos andando por São Paulo? Aconteceu alguma coisa?

– Um caminhão tombou ocupando todas as pistas da Bandeirantes, perto da entrada de São Paulo. Levaram horas para removê-lo e o congestionamento estava gigantesco – explicou Manu.

– E o Mercadão? Desistiram?

– Então, por causa da hora, decidimos que era melhor vir direto pra zona sul.

Por que ela está falando no plural? Decidimos quem, cara pálida?

– Ainda bem que Alê me fez companhia, porque, se dependesse de vocês dois... Acorda o Nathan aí.

Alexander. Entendi o motivo do plural.

Havia me esquecido completamente que "Alê" estava no carro.

– Nathan, acorda que já chegamos – disse chacoalhando Nathan pelo braço.

Ele tinha tirado os óculos para dormir e, quando acordou, olhou para mim tentando ajustar o foco. Passou as mãos várias vezes pelos cabelos tentando, em vão, colocar alguma ordem e recolocou os óculos, voltando a ser Nathan novamente.

Eu o observei com curiosidade. De perfil, parecia um adolescente. De frente, com seu ar irônico (que tanto detesto), parecia um rebelde petulante sem causa.

– Ué, e o Mercadão, *c'est fini*? – perguntou Nathan olhando para fora, percebendo que não estava no centro da cidade. – Onde estamos?

– Na Vila Olímpia – explicou Manu. – É o bairro onde fica a Bali. Só que chegamos cedo demais. Alguma sugestão do que fazer ou para onde ir?

– Podemos ir a algum barzinho fazer um esquenta. O que acham? – sugeriu Alexander.

Eu ainda estava me situando devido ao sono. Olhava para Nathan curiosa, analisando sua testa enrugada e os cabelos caindo de forma desordenada. Ouvia a voz calorosa de Alexander e tudo me parecia muito confuso.

Em algum momento, depois de termos rodado o bairro por umas cinco vezes ou mais, eles optaram pelo Rabo de Peixe, um bar tradicional e supergostoso da Vila Olímpia.

– Quer dizer que vocês três terão uma semana para resolver problemas sentimentais? – perguntou Alexander quando já estávamos acomodados no bar.

A essa altura eu já havia acordado completamente e ido ao banheiro dar um tapa no visual.

– Eu não tenho problemas sentimentais nenhum para resolver – se defendeu Manu. – Só estou aqui como amiga e como fiscal.

– Não tem problemas sentimentais... – falou Nathan com deboche. – Você é toda problemática, Magrela. Como se eu não a conhecesse... – debochou com um sorriso irônico. – Aproveita esta semana para curar suas neuras.

– Eu sou problemática? De onde você tirou isso?

– Você não está com o coração partido, mas que tal aproveitar a semana para repensar em sua opinião formada sobre os homens? – sugeriu Nathan.

– E, se der tempo, reveja também a neura que você tem com seu carro. Isso não é normal – disse eu, ajudando Nathan.

– Que opinião formada sobre os homens você tem? – quis saber Alexander.

– Melhor não entrarmos nesse detalhe – disfarçou Manu.

– Regra número dois da OFI: Não podemos fugir dos nossos problemas. Temos que falar sobre eles até saná-los – falou Nathan imitando uma voz mista de Manu e locutor de rádio AM.

Rimos da sua encenação.

– Além disso, se a regra número um é que não devemos ter segredos – completou Alexander –, pode desembuchar Manu.

– Gente, eu estou muito bem. Não tenho problemas financeiros, sentimentais nem nada muito sério que me preocupe. Além do mais, sou muito bem resolvida. Não sou o foco desta semana...

– Se é bem resolvida, porque está sozinha há tanto tempo? – perguntou Nathan não se dando por satisfeito com a resposta padrão de Manu.

– Por opção – desconversou Manu.

Me sentia tensa com aquela conversa. Manu estava encurralada diante daquelas perguntas. Ao mesmo tempo em que não fazia sentido ela impor regras para sermos sinceros, ela não queria se expor na frente de Alexander, contrariando assim suas próprias regras.

– Manu – comecei, tentando mostrar para ela que estávamos todos no mesmo barco –, eu não sou exemplo pra nada. Minha vida sentimental é um prato cheio para umas três gerações de Freuds e Jungs. Sou ciumenta, obsessiva, amo demais, me entrego demais... Você sabe quem eu sou e o quanto está sendo difícil estar aqui me expondo diante de Nathan e Alexander, pessoas amigas, mas que eu não conheço muito bem... Sem falar na dor que sinto por ter sido enganada mais uma vez. Se você quer nos ajudar, deixe que a gente ajude você também. E aproveita que é de graça.

Nathan e Alexander me olharam admirados.

– Nina, você é uma mulher de coragem – elogiou Alexander, e eu sorri em agradecimento.

Sorri de uma forma muito imparcial. Que fique bem claro!

– Eu também estou me expondo aqui – Nathan tomou a palavra. – E não me sinto mal por isso. Fui bem sincero quando topei essa parada com vocês. Estou a fim de me curar de um amor que não deu certo e seguir caminhando. Eu vou me entregar e dar meu máximo pra conseguir perdoar, curar feridas e ficar livre de tantos sentimentos ruins que carrego. Tente você também, Magrela.

– É verdade, até mesmo as mais longas caminhadas começam pelo primeiro passo – disse Alexander para Manu.

– Ai, tá bom. Vocês venceram – falou Manu passando as mãos nos cabelos. – Como uma cervejinha iria me ajudar neste momento...

Manu não estava bebendo porque era a motorista da noite. E isso já era previsto, pois ela não deixa ninguém dirigir Precioso mesmo. Alexander, cavalheiro como sempre, resolveu lhe fazer companhia no suco e no energético.

– Quer que eu dirija pra você? – se ofereceu Nathan.

– Se pudesse, eu dirigia, mas, já que o negócio é falar a verdade, saibam que tenho um trauma não resolvido com direção e que talvez precise ir até a décima geração de Freuds e Jungs pra sanar – disse Alexander com ares de quem implorava para que não perguntássemos mais detalhes naquele momento.

– Obrigada, meninos, pela oferta. – Manu sorriu meio irônica, fingindo estar agradecida. – Tudo bem. Vai sem cerveja mesmo.

– Eu sabia que ela não ia deixar você dirigir o Preciso – cochichei para Nathan, que riu com gosto do meu comentário.

– Bem, vamos lá. Eu fui casada com Betão...

– Comece do começo, Manu. E o começo é antes de Betão – pedi.

Ela me fuzilou com o olhar, me recriminando. Eu sabia que estava tocando em seu ponto mais fraco.

E o objetivo da OFI não era esse?

– Meu primeiro amor foi meu melhor amigo. Muito clichê, eu sei.

– Se é clichê é porque acontece muito e não há motivos pra se envergonhar disso – falou Alexander.

– Desse cara aí você nunca me contou, Magrela.

– Não se trata de vergonha. Trata-se de arrependimento. – Manu bebeu de seu energético e fez uma careta. – Kau era nosso amigo. Meu, de Nina e de Pâmela. Tínhamos até um nome, né, Nina?

– Éramos os Lokes – falei ao mesmo tempo em que via em minha mente nós quatro usando a camiseta oficial do grupo. Era preta com "Os Lokes" escrito em letra cursiva dourada.

– Nós estudávamos juntos na mesma sala e eu me apaixonei por ele – continuou Manu. – Foi um amor platônico. Gostava dele, mas tinha medo de me declarar por achar que perderia a nossa amizade, que era muito forte. Achava que ele ia me rejeitar ou que nosso grupo não seria mais o mesmo. Enfim, muitas neuras de uma adolescente apaixonada que só conversava sobre isso com as amigas.

– Até aí tudo normal – comentou Nathan. – Alguma vez você se declarou pra ele?

– Não. Quer dizer, sim. Mas isso foi bem mais tarde...

Olhei para Manu e sorri tristemente. Sabia toda aquela história e sabia que não estava sendo fácil para ela se abrir daquela forma. Mas, mesmo assim, ela foi em frente:

– Quando ainda estávamos no colégio, decidi não falar nada e esperava que aquela paixão passasse mais cedo ou mais tarde. Kau era muito carismático, muito dado, sabe? Amigo de todo mundo. Tinha muitas amigas nas outras salas... Elas procuravam por ele no intervalo para contar de seus problemas, era convidado para todas as festinhas, recebia bilhetinhos... Eu não sabia lidar muito bem com aquele assédio. Sentia ciúme dele com as outras meninas. Eu o queira só pra mim, no máximo para nós três. – Ela sorriu ao escutar seu próprio comentário. – Mas era impossível, pois ele era assim e gostava de ser como era.

– Eis aí um grande erro do ser humano. Quando a gente ama alguém tenta de alguma forma aprisionar a pessoa amada pra ser só nossa – filosofou Alexander.

Fiquei vermelha com o comentário de Alexander. A carapuça me serviu direitinho.

– E o que aconteceu depois? Cadê esse cara que nunca conheci? – perguntou Nathan.

– O tempo passou e eu conheci Betão no último ano do segundo grau, como era chamado na época. Hoje é ensino médio, né? Ainda era apaixonada por Kau, só que não via chances de acontecer algo entre nós e resolvi ceder aos xavecos de Betão. Viver de amor platônico já não dava mais e eu comecei a namorar Betão. Dois anos depois, nos casamos. Foi isso.

– Parabéns, Manu. Você conseguiu falar dos seus sentimentos...

– Ainda não acabou – disse eu, cortando Alexander.

– Nina! – Manu me olhou estupefata.

– Conta tudo – ordenei.

– Está burlando nossa regra, Magrela? – brincou Nathan.

– Conta pra gente a sua história. Vamos lá, vai lhe fazer bem. Não guarde nada que a machuque... – pediu Alexander.

– Ai, vocês... Preparem-se, hein! Vou fazer o mesmo depois. Quero saber de todos os podres...

– A gente conta – brincou Nathan mais uma vez.

– Quando decidi que iria me casar, fui à casa de Kau. Fui lá para convidá-lo para ser meu padrinho.

– Deixa só eu acrescentar um detalhe? – pedi interrompendo-a. – Quando acabou o ensino médio, cada um de nós cursou uma faculdade diferente. Nossa rotina mudou e nos afastamos um pouco por conta disso. Ainda nos víamos, mas não era tão frequente. E, quando Manu começou a namorar Betão, Kau se afastou mais um pouco também, não foi, Manu?

– É. Ele se afastou mesmo... Mas voltando, eu fui na casa dele convidá-lo pra ser meu padrinho e ele meio que surtou. Disse que eu estava louca, que não deveria me casar com Betão. Que ele sabia muito bem que tipo de homem Betão era, que eu estava fazendo tudo errado... Pedi pra que me desse um motivo real pra não me casar... – Lágrimas começaram a escorrer dos olhos de Manuela enquanto relatava sua conversa com Kau. – Então, ele disse que me amava, que fui seu primeiro e único amor e que não queria me perder.

– Por que ele nunca falou? – perguntou Alexander.

– Quando a gente tem dezenove anos tudo parece muito mais complicado do que realmente é... Kau também tinha as mesmas neuras que eu. Achava que eu ia rejeitá-lo, que nossa amizade acabaria ou que eu ia rir dos sentimentos dele...

– Por que você não ficou com ele, já que o amava? – quis saber Nathan.

– Eu fiquei superconfusa na época. Pensei muito, conversei com Nina e com Pam sobre o que eu deveria fazer... Kau passou a me procurar com mais frequência tentando me persuadir a ficar com ele... Mas não tive coragem de largar Betão. Estava tudo preparado para o casamento. Fui fraca demais. Pensei nele e não em mim. Pensei no tanto que Betão sofreria e não no quanto eu estava sofrendo. Quando disse pro Kau que iria mesmo me casar, ele me respondeu que não ia compartilhar daquele meu erro, recusando, obviamente, o convite de ser meu padrinho. Foi a última vez que eu o vi. Depois disso, ele trancou a faculdade, foi embora de Campinas e nunca mais tivemos notícias dele.

– Tá vendo o que a falta de comunicação faz com as pessoas? – disse Nathan.

– Nathan! Seu insensível – briguei com ele.

– Ué? Estou errado? Se Manu tivesse dito na época da escola que gostava do cara, nada disso teria acontecido.

– E o que aconteceu com Betão? – quis saber Alexander.

– Depois que nos casamos, ele se transformou em outra pessoa. Uma pessoa que eu não conhecia. Na verdade, acho que ele se revelou como realmente era. A paixão e a vontade de que tudo desse certo me cegou um pouco no período do namoro. De qualquer forma... Ele se mostrou ciumento, possessivo, machista... Bem que Kau avisou que não daria certo. Nos separamos pouco tempo depois de nos casarmos. A separação foi bastante traumática e nós não nos falamos mais.

– Tiveram filhos?

– Não.

– E o que você sente hoje? – perguntou Alexander.

– Sinto um arrependimento muito grande. Arrependimento não por ter me separado de Betão, mas por não ter ao menos tentado com Kau. Poderia até não ter dado certo entre mim e Kau... Mas o que me mata foi não ter tentado, não ter dado uma chance a nós dois. Nunca saberei.

E amor, você ainda sente? – insistiu Alexander.

– Não sei... Acho que não. Sinto muita saudade, arrependimento, raiva de mim mesma... É uma mistura de sentimentos.

– Já tentou procurar por ele?

– Nós já fizemos de tudo, né, Nina? Acho que os pais dele ainda moram em Campinas, mas perdemos o contato. Ele, pelo que entendemos na época, jogou uma mochila nas costas e foi para a Europa.

A viagem repentina de Kau nos pegou de surpresa. Manu casou arrasada e se sentindo culpada pela partida dele. Por muito tempo, nós voltamos à casa dos pais dele para saber notícias e eles só diziam que ele estava bem e que não tinha previsão para voltar.

– Caramba! O cara gostava mesmo de você, Magrela! Pra ter surtado desse jeito. Será que virou monge budista no Tibete?

– Vai debochando Nathan, que sua hora vai chegar e aí sou eu que vou zoar muito – disse ela numa mistura de ironia e raiva.

Nathan tratou de ficar quieto.

– Tenho que concordar com Nathan. Kau devia gostar mesmo de você, Manu. Ir embora só pra não ver você casando com outro cara... Isso é amor de verdade – Alexandre comentou.

– Muito poético pro meu gosto – disse Manu um pouco azeda com o final da história deles.

– Se duvidar ele deve estar igual a você: sozinho – comentei. – Só espero que ele não tenha aversão ao sexo feminino como você tem ao masculino.

– Eu não tenho *aversão* ao sexo masculino. Os homens, a cada dia que passa, me mostram que só pensam com a cabeça de baixo.

– Não generaliza Magrela – disse Nathan defendendo sua classe.

– Pelo que entendi, você se casou muito jovem. Com seu primeiro namorado, não foi? – perguntou Alexander para Manu, que concordou acenando com a cabeça. – E não quis tentar outra relação?

– Você nunca mais ficou com um homem depois do Betão? – perguntou Nathan, chocado.

– Tive alguns paqueras que não me acrescentaram nada e que nem me dou o trabalho de lembrar. Como disse, estou bem sozinha.

– Cruzes! O que lhe fizeram?

– Você sabe, Nathan.

– Vocês duas precisam dar uma chance ao sexo masculino. Nem todo homem é canalha, meninas. Querem ver? Manu, quantos homens você conhece?

– Ah, sei lá, Nathan, o que é isso agora?

– Vai, cara, responde. Uns dez mil homens?

– O que é isso, claro que não!

– Uns mil homens?

– Claro que não...

– Cem homens?

– Ai, Nathan! Aí não. Acho que um pouco mais.

– Mas ficou com mais de cem homens? Uau, Magrela!

– Não, seu besta. Você perguntou quantos eu conhecia e não com quantos eu fiquei.

– Tô brincando. Vamos fazer assim. Vamos exagerar e dizer que você conhece mil homens, tá? E que tenha ficado com todos eles, tá bom?

– Hum.

– Vai, Manu, caramba, para efeitos científicos apenas. Acompanhe meu raciocínio. Você conhece e já "pegou" mil homens – alfinetou Nathan.

– Hum...

– Alexander, meu caro amigo, qual é a população do mundo?

– Ih, sei lá... Sei que já passamos dos sete bilhões...

– Vamos ajudar a conta e dizer que somos sete bilhões, dos quais, para efeitos científicos, três bilhões e meio são do sexo masculino... – disse sacando seu celular e teclando algo...

– Se meu poderoso celular está correto, Manu, você já copulou com 0,000035% dos homens deste planeta.

– Copulei uma vírgula, Nathan, você está usando apenas suposições pela causa científica, lembra? – indignou-se Manu.

– Tá, tá, tá, tá – disse Nathan dando pouca importância –, o fato é que, Manu, 0,000035% de um espaço amostral masculino não lhe dá subsídios cabais de dizer que TODOS os homens não prestam, ou que TODOS pensam só com a cabeça de baixo. Talvez os cem, vamos falar agora de números mais reais ainda, que você conheça ou os dois com quem você copulou...

– Ai, Nathan, aí também não, né... – cortou Manu, sem sucesso.

– ...Os três ou quatro com quem você copulou não podem ser tomados como base científica para suas afirmações totalitárias. Elementar, minha cara Watson – finalizou Nathan com ares de Sherlock Holmes, sob nossos olhares perplexos.

– Suspende a bebida de Nathan – brincou Alexander.

Pensei, então, que, tomando-se essa análise por base, meus quatro ou cinco insucessos amorosos não queriam dizer que tudo dá errado para mim. Talvez fosse a forma de encarar as situações que deveria ser diferente, já que os fatos são uma constante.

– Tem muito cara aí querendo um relacionamento sério. Se vocês se fecharem dessa forma, não vão perceber as oportunidades. E, me desculpa, Manu, mas ninguém é feliz sozinho. Imagino que você deva sentir um vazio muito grande – completou Nathan.

– Não, não sinto. Além disso, senhor matemático, quantas pessoas sozinhas você conhece para afirmar que ninguém é feliz sozinho, ou está apenas fazendo uma autoanálise, meu bem? – rebateu Manu na mesma moeda.

Devo confessar que mandou bem, mas me decepcionei com a insistência de sua negação.

– Vamos lá, Manu, não convenceu! Olha aqui nos meus olhos e diz que não sente um vazio de vez em quando – desafiou Alexander.

– Que sente felicidade plena, que se sente realizada e completa mesmo estando sozinha.

Eu sabia que Manu estava tentando aumentar o tamanho da peneira para tapar aquele sol, mas não adiantou... E Alexander acabou arrancando o pouquinho que restava em suas mãos.

A mesa ficou em silêncio à espera da resposta de Manu.

Que não veio.

– Eu sabia – afirmou Alexander, dando um tapinha na mesa –, quem cala consente.

– Pô, Magrela, desabafa aí. Não tenha vergonha de contar suas angústias pra gente. Prometo que não vou queimar seu filme pra nenhum amigo meu. Sua fama de inconquistável será preservada.

Manu se levantou e, como uma flecha, tomou a direção do banheiro sem falar nenhuma palavra.

– Manu? Ai, Manu, deixa disso, vai? – falou Nathan, tarde demais.

Fui atrás da minha amiga para saber o que se passava:

– Abre a porta. Me deixa falar com você – insistia eu, sem sucesso, batendo na porta do banheiro, ouvindo seus soluços. Soluços tão altos que até uma mocinha, que parecia ser a gerente, veio me perguntar se estava tudo bem, se queria que chamasse um médico ou qualquer coisa do gênero.

– Você tem gelol? – perguntei para espanto da menina – É, gelol... pra dor de cotovelo.

A menina saiu sem entender muita coisa, mas minha gracinha fez Manu bradar lá de dentro:

– Dor de cotovelo é o cacete, sua insegura de meia tigela. Vai pra mesa que já vou voltar, deixa eu me recompor – disse em um tom de aceitação e alívio.

E assim eu fiz.

– O que ela tem? – perguntou Nathan.

– Sei lá. Daqui a pouco ela volta.

E, quando voltou, ela, então, confessou:

– Tá bom... Eu... Eu não sou feliz. Tá bom assim? – gemeu como se tivessem cortando sua pele. – Quer dizer, não sou plenamente feliz. Faço o que gosto, amo meus amigos e minha família, mas me falta algo sim... Eu não quero passar por esta vida sem sentir a felicidade plena.

– O que falta pra você ser feliz? – perguntou Alexander.

– Uma paixão. Não, uma paixão não. Um amor. É... Um grande amor – disse tirando o foco da mesa e nos olhando nos olhos com olhar de gratidão.

Foi a primeira vez que vi esse olhar em Manu. Na hora, pensei que perdera um pouco o ar de poderosa, mas lhe deu um ar de mulher madura, de mulher segura, de mulher humana. Um ser humano como outro qualquer. Com defeitos e qualidades, vontades e desencantos, e aquele brilho no olhar de quem se sente no mesmo nível de todos nós.

Essa é minha amiga Manu: uma mulher forte, batalhadora, independente, moderna, capaz de mover o mundo pelos amigos. Mas que também precisa de um amor para se sentir completa.

Areia

Meu dementador particular: Alexander.
Um momento bom: o amanhecer.

A revelação de Manu me causou uma alegria imensa.

Minha amiga é uma pessoa normal! Eu vibrava por dentro.

Aquela negação cega de Manu era um ponto fora da curva. Pense comigo: uma garota bonita, inteligente, independente, charmosa e que tem o homem que quiser aos seus pés vivendo sozinha há tantos anos? Não pode ser normal!

Eu sabia que Kau sempre fora um rasgo em seu coração. Sabia que a dor de não saber o que poderia ter acontecido acabava com ela. Logo ela, tão segura e decidida. Mas não se relacionar com mais ninguém era apenas mais uma desistência que culminaria em quê? Em raiva e frustração de, mais uma vez, não saber o que poderia ter sido.

E quer saber o mais irônico disso tudo? Ela, idealizadora da OFI, uma ação supostamente para ajudar a mim e a Nathan, acabara de se tornar a maior beneficiada até aquele momento. Acho que, quando Manu propôs a OFI, ela nem pensou no bem que faria a si mesma. Ela estava tão preocupada em ajudar a mim e a Nathan que se esqueceu de que também precisava de ajuda.

Não via a hora de contar tudo a Pâmela. Ela ia surtar! Ela também é nossa irmã de coração e sempre se mostrou bastante preocupada com Manu nesse aspecto, o assunto proibido de ser tocado.

Agora sim essa tal de OFI estava fazendo algum sentindo para mim. Era assim que devia ser e eu esperava que até o fim daquela semana eu também terminasse bem.

E terminar bem significava o mesmo que exterminar Marcelo do meu coração para sempre.

Além de aprender a gostar de homem decente, não de canalhas. Os cafajestes devem ser bem mais do que os 0,000035% lá da conta de

Nathan, mas só de pensar que existem por aí caras decentes querendo um relacionamento meio sério... Espera aí, "meio sério" não rola. É como mais ou menos grávida. Relacionamento sério, sim, foi isso o que eu quis dizer!

Confessando: Mentalmente, eu me imaginava com uma vassoura, varrendo Marcelo e todos os demais trastes de dentro do meu coração. Aquela imagem minha, com a vassoura na mão e um aventalzinho amarrado na cintura, me fazia muito bem. Eu me sentia dona da minha vida e dos meus sentimentos.

As horas passavam e nós ainda estávamos no Rabo de Peixe, em nossa terapia de grupo.

Nathan, que era avesso a baladas, estava notoriamente nos enrolando para não ir à Bali.

– Só mais uma rodada de chope com bolinho de bacalhau, aí a gente vai. Saideira, pessoal, pô!

Ele já havia dito isso umas quinze vezes e eu estava altinha por conta das tais rodadas de chope. Rindo até do que não era engraçado e falando mais do que devia.

Manu e Alexander estavam firmes no suco, apesar de darem uma bicadinha no nosso chope de vez em quando.

– Me diz, Alexander, o que você faz da vida? – disse Nathan, pela primeira vez puxando assunto direto com Alexander.

– Tenho uma loja de acessórios para celulares.

– Ah-há! Finalmente você revelou sua profissão! – disse eu alegrinha. – E isso dá dinheiro?

– Na verdade são quatro. Uma em cada shopping de Campinas, e consigo viver relativamente bem com elas.

– Você é casado? – voltou Nathan a perguntar.

Manu se ajeitou na cadeira, em estado de alerta.

Eu também esperava pela resposta com certa ansiedade.

– Não... Ainda não.

– Você tem alguém? – insistiu Nathan.

– É complicado.

– Somos perfeitamente capazes de entender o complicado – me ouvi dizendo. – Acho que chegou a hora de sabermos o que você veio fazer na OFI.

Ele riu e me encarou com seus olhos terrivelmente castanhos.

Eu fiquei levemente vermelha.

E desconcertada. Por ele me olhar daquela forma e por Manu perceber que ele me olhou daquele jeito.

– E aí, não vamos dançar? Viemos de Campinas pra isso, não foi? – perguntou Alexander tentando nos distrair. – Estou louco pra conhecer essa Bali.

– Ah-há! Você está fugindo das nossas perguntas, meu querido? Eu falei para que se preparassem, não foi? Vamos lá, fale de seus problemas pra gente! – insistiu Manu.

– Isso é maldade comigo. Eu não tenho a intimidade que vocês têm entre si, puxa – brincou ele.

– Gente, vamos pular essa balada? Sério, eu odeio baladas. – pediu Nathan. – Não vejo graça em ficar espremido num lugar fechado, sendo sacudido e levantado por ombros alheios na pista de dança, bebendo cerveja a preço de ouro e sem poder conversar direito. Puxa, gente, vamos ficar aqui que é bem mais agradável.

– As moças decidem! Por mim, tudo bem. Já vi que não vou me livrar do interrogatório mesmo – respondeu Alexander.

– Tudo bem, seus velhos! Nós não vamos à Bali. Ficaremos por aqui – falou Manu, com meu olhar de consentimento, recebendo um beijo de Nathan como forma de agradecimento.

– Beleza! Serei eternamente grato. Agora, vou ao banheiro. Me esperem para retomar o interrogatório com Alexander – pediu Nathan.

– Opa! Tenho até medo de ficar sozinho com essas duas – brincou Alexander saindo com Nathan.

– Está se sentindo melhor? – perguntei para Manu quando ficamos sozinhas.

– Ainda é difícil falar dele. Sinto uma saudade terrível e uma dor que não passa. Se amor é um sentimento tão bonito, por que ele machuca tanto?

– Porque.... – fiz uma pausa – Xi, Manu, posso pedir ajuda aos universitários, amiga? Essa eu não sei... Só sei que ele machuca mesmo. – Tentei descontrair.

– Por onde será que ele anda, Nina? Como pode ficar longe da gente por tantos anos sem dar notícias?

– Será que ele se casou?

– Sei lá... De repente se casou com alguma gringa e por isso não voltou mais. Com aquele jeitinho meigo, certamente conquistou algum coração gelado nas terras europeias e está por lá, morando em algum castelo com o brasão da família no portão, guardado pelos mais de vinte dálmatas quase sem pintas.

Babei muda.

– São caríssimos, sabia, Nina? Quanto menos pintas, mais valiosos são os dálmatas. Guarde essa! Certamente cafajestes não sabem disso, você pode fazer essa pergunta como parte de sua avaliação. Quem sabe ajuda?

– Engraçadinha! É tão estranho pensar em Kau casado com alguém que não conhecemos, que não sabemos quem é... – Fiz uma pausa para refletir se devia completar ou não. – ...e que não seja você, Manu. Vocês tinham tudo para dar certo, sempre se mostraram almas gêmeas. Ah, Manu, se você tivesse ouvido nossos conselhos na época, nada disso teria acontecido.

– Deus poderia conceder para cada ser humano uma chance. Assim, uma única chance de voltar ao passado para reparar nossos erros. Seria uma espécie de presente divino. Quando completássemos trinta anos, ganharíamos esse presente – fantasiou Manu, virando o restinho do meu chope quente.

– Quem sabe ele nos dará essa chance, mas não nesta vida – falei, pensando em qual dos erros eu escolheria. – Ainda acredito que vamos encontrar com Kau mais uma vez, e aí você pode ter a sua chance. Isto é, se você não estiver interessada em outra pessoa, né, meu bem? – brinquei.

– O pior, meu bem – devolveu Manu com perfeita imitação de algumas dondocas que frequentam seu salão –, é que a pessoa a quem você se refere parece interessada em outra pessoa.

– Ai, meu Deus, em Nathan? Está explicado o motivo de tanta demora nesse banheiro! – disfarcei ao perceber que as suspeitas de Manu eram iguais às minhas.

Odeio essas saias justas em que a vida nos coloca de vez em quando. No meu caso, de vez em sempre.

– Ah, Nina, não se faça de tonta, vai! Você já deve ter percebido os olhares que Alexander lança para você.

Confessando: Apesar de não ser agradável a situação, eu estava no teto daquele recinto no momento, igual a balão que solta da mão de criança dentro de shopping, sabe? Lá do alto, vi minha insegurança passar lá embaixo, pequenininha, quase invisível.

– Hello! – bradou Manu me trazendo de volta ao meu corpo.

– Ai, Manu, eu sei que você está interessada nele. Mas eu não estou, ok? Se ele está me olhando é porque ele quer, e não porque eu estou dando mole.

– Eu sei que você não está dando mole pra ele. Não estou recriminando você. Desencana que eu também não estou desesperada por ele. Acho que você deveria ir em frente. Uma maneira muito interessante de esquecer o Coringa.

Vi de longe que os dois estavam voltando para a mesa.

Apressei em falar antes que chegassem:

– Manu, acho que *você* deveria investir.

– Please, Nina. Sei bem qual é o meu lugar.

– Ah, Manu, deixa de ser besta. Ele não resistirá aos seus encantos. Nenhum homem resiste.

Manu deu de ombros.

– Gente, quero registrar este momento. Vamos tirar uma foto? – pediu Manu quando eles chegaram. – Ah, qual é? Nosso segundo dia da OFI precisa ser registrado – pediu diante de nossos olhares envergonhados.

Depois de várias fotos batidas, Manu se contentou, e seguimos nosso bate-papo:

– Aí, já dei todas as dicas pro Alexander – brincou Nathan.

– Quais dicas? – Manu perguntou.

– Pra escapar das perguntas que vocês irão fazer – disse ele rindo.

– É ruim, hein! – falou Manu pegando um bolinho de bacalhau na cestinha. – Diz, Alê, o que é complicado na sua vida?

– Está certo. Depois de ouvir você, Manu, e de saber um pouco sobre os problemas sentimentais de Nina, eu me sinto à vontade pra falar dos meus.

– Saiba que tudo o que ouvirmos e falarmos aqui ficará aqui, literalmente morto e enterrado no rabo do peixe – reforçou Manu com o trocadilho, tentando descontrair Alê.

– Então, vamos lá. – Ele sorriu. – Eu sou cigano e venho de uma família de ciganos.

– É mesmo? – perguntei surpresa.

– Que interessante – comentou Nathan.

– Pois é, mas nem todo mundo acha isso. Existe preconceito por parte da sociedade em relação ao nosso povo. Somos taxados de ladrões, vândalos e sequestradores de criancinhas.

– É verdade. Eu já ouvi muita gente falar isso dos ciganos – comentei.

– Nós não somos nada disso. Somos um povo muito fiel à nossa cultura, às nossas tradições e às nossas famílias. No grupo ao qual pertenço, os Rom, somos todos comerciantes e temos nossas casas. Não moramos em tendas, como é o hábito dos ciganos nômades. Nós fixamos residência em Campinas e não temos intenção de sair de lá. Apesar de, às vezes, dar vontade de sair viajando por aí, uma vez que a liberdade da vida nômade parece estar impregnada em nosso sangue.

– Bacana, Alexander. Não vejo nada de errado em sua história. Por que você disse que é complicado? – perguntou Manu.

– É nosso costume escolher o cônjuge dentro do próprio grupo. E minha mãe já escolheu minha noiva há algum tempo. Eu vou me casar no fim do ano.

Olhei descrente para Alexander e senti algo bem familiar. Novamente algo despencava dentro de mim...

"Será que homem quando brocha se sente assim?" Não consegui segurar o pensamento, que tentava ser engraçado para me consolar. – Ele vai se casar... E com uma mulher que...

– A sua mãe escolheu? – chocou-se Nathan, completando meu pensamento.

– Mas e você a conhece? Gosta dela? – perguntou Manu.

Manu parou o copo de energético a caminho da boca esperando pela resposta.

– Eu a conheço. Sei que é uma boa moça, de boa família, também é uma Rom... Só que eu não a amo.

– Também é uma o quê? – perguntou Nathan.

– Rom. Os ciganos são divididos em grupos: o Rom, do qual eu faço parte. O Calon e o Sinti. E dentro de cada grupo tem vários subgrupos. Cada grupo tem um estilo de vida, idioma e costumes que diferem bastante uns dos outros. O meu grupo, supostamente, é o que preserva mais as tradições, principalmente a do casamento – explicou ele rapidamente para que entendêssemos um pouco sobre os ciganos.

– Muito interessante. Um universo à parte do nosso – comentou Nathan.

– Mas, vem cá – falou Manu. – Não foge do assunto não. Você vai se casar mesmo assim? – perguntou Manu, azul de tão chocada.

– Vou. O dote já foi pago.

– Dote? – gritou ela, cuspindo energético em Nathan, que fez uma cara feia e começou a se limpar com a mão.

– Sim. A família do noivo deve pagar um dote para a família da noiva.

– É sério isso? – perguntou Nathan, cruzando os braços sobre o peito.

Minha boca estava seca. Algo de errado acontecia dentro de mim. Estava de fato abalada com o que ouvia.

Sim, havia algo pior do que ser o "maníaco do parque".

– Muito sério. Como disse, nós somos muito leais às nossas tradições e costumes.

– Você vai se casar sem gostar da moça? – perguntei chocada. – Espera aí, nós estamos no século XXI. Isso não existe!

Alexander me olhou e sorriu docemente.

– Tá muito errado – afirmou Manu. – Tá muito errado, Alê. Você não pode fazer isso com sua vida. Pense bem.

– Gente, eu enxergo a linha de raciocínio de vocês e entendo perfeitamente. Pra vocês é surreal mesmo. Mas nós somos leais aos nossos costumes e é assim que funciona o casamento no mundo cigano. Pra gente é normal. Ou tem que ser – finalizou baixinho.

– Pra mim, isso é muito louco. Mas, como você disse, faz parte da sua cultura e a gente respeita – comentou Nathan.

"A gente respeita uma ova!", me vi pensando.

Achei melhor parar com o chope.

– E você conhece sua noiva, Alê? – perguntou novamente Manu, atordoada. – Tem contato com ela ou não é permitido?

– Você já perguntou isso, Manu! – Ele riu. – Eu a conheço sim. Ela está prometida a mim desde muito nova. É uma boa moça...

– Mas? – cortou Nathan.

– Não tem mas. É só esperar o fim do ano chegar e as coisas acontecerem. Enquanto isso, eu vou aproveitando meus dias de solteiro.

– Quer dizer que vocês não namoram?

– Não. Nós não mantemos nenhum contato físico antes do casamento. Não é permitido passear, andar de mãos dadas, namorar, nada disso. É diferente do costume de vocês.

– Mas não rola nenhum beijinho na boca para saber se ela beija bem, se tem mau hálito? – questionou Nathan.

– Nada.

– Que loucura! – exclamou Nathan chocado.

– Como ela se chama? – perguntei.

– Thalia.

– Lindo nome. E quantos anos ela tem? – voltei a interrogar. Queria saber mais sobre essa moça.

– Dezesseis.

Eu e Manu quase caímos da cadeira, enquanto Nathan engasgava com o chope.

– Quê? – perguntamos incrédulas enquanto Nathan tossia tentando se recompor.

– Como diria o eterno sábio Mussum: "Cacildis"! – brincou Nathan em meio às tossidas.

Rimos da tirada de Nathan.

– Nós casamos cedo. Eu, com vinte e nove anos, sou considerado um vovô pra me casar – continuou Alexander, meio sem jeito.

– Vinte e nove anos é velho pra se casar? – perguntei chocada. – Meu Deus.

Se ele com essa idade era velho para se casar com uma fedelha de dezesseis anos, o que diriam de mim, que estava com vinte e oito e... alguns meses?

Iriam me atirar no asilo, com certeza, ou me prometer para algum matusalém viúvo lá da tribo deles, por um dote irrisório, claro.

– Thalia está prometida pra mim desde os sete anos. Estávamos esperando ela crescer um pouco. O casamento era pra ter sido realizado no ano passado, mas tive uma doença séria há pouco tempo e estava me recuperando. Agora que estou bem, o casamento foi remarcado para o fim do ano.

– Olha, eu respeito suas tradições, seus costumes, mas tenho que dizer que é tudo muito louco pra mim – comentou Manu. – Você vai se casar com uma adolescente!

– Eu sei – disse Alexander com seu sorriso de sempre. – Eu sei.

– Se casar-se com uma garota de dezesseis anos que você mal conhece é normal pra você, o que é complicado, então?

Alexander bebeu de seu suco olhando para longe, possivelmente pensando em como responder minha pergunta.

Depois, olhou fundo em meus olhos.

Meu estômago deu umas quinze voltas.

Eu me remexi nervosa na cadeira.

– É que eu tenho um sentimento proibido. Gosto de uma moça que não é cigana e, se eu quiser assumir esse meu sentimento pra ficar com ela, serei banido de meu grupo. Meus pais são supertradicionalistas e jamais permitiriam algo assim em nossa família.

– Ai, morri! Amor proibido. Pais que não deixam os filhos ficarem com quem eles querem... Adoro essas histórias – suspirou Manu. – Conte mais.

– Cara, se você ama essa mulher, por que não foge com ela? Vai viver seu amor, cara.

– Eu não a amo... Ainda. Para amar alguém precisamos de tempo, de convivência, de diálogos, de afinidades... E eu ainda não tive essas oportunidades. Eu estou interessado nessa pessoa. Sinto vontade de estar ao lado dela, de ouvir sua voz, de conversar... É um sentimento bom, mas ainda não é amor.

– Uau – suspirou Manu.

"Uau, mesmo!", pensava enquanto Manu e Nathan seguiam com perguntas, curiosidades e especulações sobre as mudanças de plano para os rumos de Alexander. Que parecia se divertir com, e quem sabe até considerar, a ideia.

Ele gostava de alguém. Alguém que não é cigano.

E se fosse...

"Ok, Nina. Não viaja. Você não é a última Coca-Cola do deserto."

Só porque ele me olhava de um jeito diferente não queria dizer que estivesse apaixonado por mim. Ele mal me conhecia.

Pés no chão, ok?

– Você não acha, Nina? – perguntou Manu, me trazendo de volta ao papo.

– Hein?

– É, Alexander, por que você não enfrenta tudo e todos em nome do seu amor? Se vocês se amam, está na hora de enfrentar o mundo. É sua felicidade que está em jogo – ouvi Nathan dizendo. – Vai ser pauleira, cara. Mas, se eu fosse você, enfrentaria.

– Eu não disse que ela me ama. Eu disse que estou interessado em uma moça que não é cigana.

– E? – perguntou Manu ansiosa por saber mais.

– E aí que ela não sabe do meu interesse por ela – disse ele olhando diretamente para mim.

"Isso foi uma mensagem secreta transmitida através do poder do olhar?"

Era de mim que ele falava?

"Calma, Nina, não abre a boca pro coração não aparecer."

Alexander sorriu sem graça.

Sim, estava me achando. Mesmo que essa tal moça não fosse eu (o que, convenhamos, era muito pouco provável) eu estava me achando.

Minha autoestima estava em festa!

Ficamos horas tentando convencer Alexander de que ele tinha que lutar pelo seu amor em vez de se casar com uma garota que ele nem conhecia direito. Eu, lá grudada no teto, falava pouco.

Também tentamos extrair dele quem era a moça misteriosa por quem ele estava interessado. Usamos até a regra de que na OFI não poderia haver segredos, mas não conseguimos extrair nada.

Arquitetamos, então, um plano para ele fugir com a tal moça e se casar com ela em Las Vegas. Estávamos dispostos a acompanhá-los na viagem. Nada!

Já Manu, Nathan e eu nos empolgamos muito com a ideia de irmos a Las Vegas e fizemos um pacto de irmos os três muito em breve.

Mas nada convencia Alexander a mudar de ideia. Ele era um cigano e iria continuar como tal. E, depois de tanto argumentar, resolvemos migrar para outros assuntos, pois estávamos nos tornando uns chatos, impertinentes e românticos ao extremo.

Quando decidimos voltar para Campinas, já passava das quatro da manhã. Manu dirigia com cuidado e nós conversávamos com ela o tempo todo para que não dormisse.

Aos poucos o amanhecer foi tomando o lugar da escuridão e o céu foi se manchando de laranja formando um lindo espetáculo da natureza.

– Vamos parar em algum lugar pra apreciar o nascer do sol? – sugeriu Nathan.

– É sério isso? – perguntou Manu olhando pelo retrovisor, buscando os olhos de Nathan. – Eu que me entupo de Red Bull e você é que fica sem sono?

– Muito sério. Não é sempre que estamos acordados pra ver essas cores, esses tons... É tudo tão absurdamente lindo! Queria ter uma tela e meus pincéis neste momento.

– Pare no próximo posto com lanchonete, Manu. Assim a gente aproveita e toma um café e depois continua a viagem – sugeriu Alexander.

– Se vocês estão pedindo, eu paro. Logo ali na frente tem um. É para parar mesmo?

– Lógico. Acelera aí que estamos perdendo boa parte do nascer do sol – pediu Nathan admirando o espetáculo.

– Nathan, coloca seus óculos que talvez fique até mais bonito! – Riu Manu estacionando o carro em uma das muitas vagas livres.

Nathan, já com os óculos, encostou no capô do Precioso. Eu me encostei ao lado dele. Depois Alê se aproximou e Manu se rendeu e se acomodou ao lado de Alexander.

– Essa combinação de azul com laranja é simplesmente incrível. Olhem aqueles tons mais escuros ali – disse Nathan, apontando para o seu lado esquerdo.

– Me dá uma sensação de paz olhar para o céu assim – falei empolgada com o momento. – Olhem aquela nuvem ali. Parece um navio.

– Qual delas? A que está ao lado da que parece um jacaré? – perguntou Alexander, participando da brincadeira de descobrir desenhos nas nuvens.

– Essa mesmo. Nem tinha reparado no jacaré. É igualzinho – falei admirada.

– Me lembrei de um momento da minha infância – comentou Nathan, ainda olhando para o céu. – Quando tinha meus dez anos, eu sempre ia à praia, em Ubatuba, com meu avô. Ele me pegava em casa e íamos nós dois apenas. Saíamos cedinho e, em certo trecho da Rodovia Carvalho Pinto, havia tanta neblina que eu me imaginava nadando em uma nuvem gigante.

– É mesmo? Eu fazia isso com meus pais também – respondi. – Meu pai me falava: "Se prepara, Nina, que iremos mergulhar dentro da nuvem". E eu, inocente, achava mesmo que iria nadar dentro da nuvem. Fechava até os olhos e tapava os ouvidos para não entrar água.

– Mané. – Nathan riu.

Dei-lhe um empurrão com meu ombro, brincando.

Alexander riu com a gente.

– Shiiiiu! – pediu Manu de olhos fechados. – Estou meditando.

– Desculpa, não está mais aqui quem falou – brincou Nathan.

Ficamos muitos minutos olhando o horizonte sem dizer nada. O silêncio era rompido de quando em quando por alguns caminhões passando, mas sem que nos incomodássemos.

Eu pensei em Marcelo. Onde ele estaria naquele momento? Nos braços de quem ele estaria dormindo?

O curioso foi que, ao pensar nele, meu coração não se agitou. Ainda sentia o peso da dor. Uma dor bem mais suportável que a de alguns dias atrás, é verdade. Mas pensar nele não foi tão angustiante como esperava.

E logo ele se foi.

Minha mente buscou outros pensamentos. Pensei em Alexander e em sua história de amor triste. Casar com quem não gosta. Não se permitir viver um amor só para honrar sua tradição.

Me imaginei no lugar dele e me vi enfrentando todos em nome do amor. Brigando com meus pais. Enfrentando meu povo e fugindo com meu amado em um cavalo branco.

Me imaginei ao lado de Alexander, sendo eu o seu amor impossível.

Como seria isso?

Suspirei fundo.

Um arrepio atravessou minha espinha e tratei de espantar aquela fantasia.

Pensei, então, em Manu e na sua fortaleza destruída. Em seu esforço para se mostrar bem. Em sua generosidade e amizade. Em sua evolução naquela noite.

Depois, pensei em Nathan e seu coração despedaçado. No que eu faria se a história dele tivesse acontecido comigo. Pensei se sua petulância não seria uma forma de defesa... Lembrei-me de seu sorriso torto e espontâneo. E se eu sorriria assim se estivesse com o coração em frangalhos.

Ainda de olhos fechados, visualizei seu rosto bonito com os cabelos jogados na testa.

Em minha imaginação, ele não era petulante, nem irônico e, por conta disso, me vi, de uma forma muito íntima, ajeitando seus cabelos. Admirando seu sorriso e seus lábios finos.

– No que você está pensando? – perguntou Nathan baixinho em meu ouvido.

Sua voz tão próxima me provocou um arrepio, me causando um leve tremor.

"Mas, o que é isso, afinal?", pensei, sem conseguir entender o que acontecia comigo.

Ele é um chato, um petulante, um ser irritante. Será que eu já havia me esquecido de suas principais "qualidades"?

– Em você – cochichei de volta, brincando com ele.

– Ah, tá. Conta outra – sussurrou, me presenteado com seu sorriso torto.

Disfarcei e olhei para as minhas botas sujas.

Se ele duvidou, vai ficar na dúvida. Além do mais, eu estava pensando nele, não estava?

– No que você está pensando? – resolvi fazer a mesma pergunta no ouvido de Alexander e dar continuidade à brincadeira.

Uma bela maneira de fugir do sorriso torto de Nathan, claro.

– Em você – ele me respondeu no meu ouvido.

Certo. Será que ele entendeu a brincadeira?

Ou será que ele falou a verdade?

– Você tem que fazer a mesma pergunta pra Manu – contei a ele.

– No que você está pensando, Manu? – perguntou Alexander para Manu.

– Estava pensando na gente, em todos nós.

– Ei, era pra dizer em voz baixa, no pé do ouvido – recriminei Manu.

– Por quê?

– Porque a brincadeira funciona assim.

– E no que vocês estavam pensando? – quis saber Manu.

– A gente não vai dizer, né, meninos?

– Nem sob tortura – falou Nathan rindo para mim.

Fugi de seu sorriso e olhei para o lado. Dei de cara com Alexander e ele também sorria para mim.

Dois sorrisos.

Dois homens bonitos.

Tão diferentes e ao mesmo tempo tão atraentes e interessantes.

"Tonhão, nem pense em complicar minha vida!" Eu preciso de um namorado, não de mais uma confusão, entendeu?"

– Meus pais costumam dizer que temos aquilo de que precisamos. Não aquilo que queremos – falou Alexander, de repente.

Meu Deus! Alexander lê pensamentos. Claro, ele é um cigano, e ciganos leem mãos, pensamentos, tarôs, além de livros e revistas. Deve ler pensamentos também.

– Alexander, você lê os pensamentos dos outros? – me ouvi perguntando. – Digo, por ser cigano...

– Eu? Você está falando sério?

Como sou estúpida. Ninguém neste mundo lê os pensamentos das pessoas.

– Não, né! Claro que não – disfarcei me sentindo uma ridícula.

– Nina, as ciganas leem mãos, baralhos ciganos, bola de cristal... Acho que você confundiu – explicou Manu.

– O pensamento de Nina não está totalmente errado. Claro, não lemos a mente das pessoas, mas, em nosso meio, o homem não precisa de oráculos. Usamos da sensibilidade para a *Buena Dicha*.

– O que é isso? – interrompi.

– Leitura da sorte – informou Manu.

– Isso mesmo! – confirmou Alexander, surpreso. – Me surpreende saber que você conhece esse termo.

– É, Magrela, você tá por dentro, hein? – brincou Nathan.

– Sou apenas uma curiosa do mundo místico – justificou Manu. – Quer dizer que o homem cigano também lê a sorte das pessoas? Achei que fosse um trabalho só das mulheres.

– Lemos sim. Só não fazemos a quiromancia, a leitura das mãos, essa prática é uma tradição passada de mãe pra filha. Mas, de certa forma, seu pensamento está certo. Os homens se ocupam com outros trabalhos enquanto a mulher se ocupa da casa, dos filhos e de ler a sorte.

– Entendi.

– Galera, o papo sobre a cultura cigana está muito bom, mas temos que ir – avisou Nathan.

– Temos que ir? Pra onde? – perguntei.

– Para Piracicaba, né? O passeio de balão, lembram-se? Temos que estar lá antes das sete horas.

– Por quê?

– Porque o passeio é às sete – disse ele enrugando a testa.

– Ah, Nathan, vamos no próximo? – pediu Manu.

– Os passeios só saem às sete horas. Quem gosta de aventura tem que acordar cedo.

Agora eu sei por que sou certinha demais. Odeio acordar cedo!

– Nathan, preciso dormir – resmungou Manu.

Eu ouvia sem processar aquela conversa. Estava com tanto sono que nem lembrava mais do tal passeio de balão.

– Sério isso, cara? – perguntou Alexander.

– Muito sério.

Nós três olhamos para Nathan com cara de quem diz: "Ah, eu não vou nesse passeio de balão nem que a vaca toque piano!".

– Que foi? Desistiram da programação? Vão dar pra trás?

– Assim, se eu pudesse dormir só um pouquinho – comentei.

– Mas vocês são um bando de manés mesmo – brigou Nathan.

– Que bando de manés o quê? Nós não vamos desistir de nada – ralhou Manu. – Só queria dormir uma meia horinha...

– Vocês podem dormir no carro, enquanto eu dirijo – falei de propósito para ver a reação de Manu.

– Então, vamos embora – disse ela rapidamente diante de um possível perigo contra a saúde física de Preciso.

– Isso aí, vamos nessa – concordaram os meninos em coro.

– Pessoal, vamos tomar um café forte pra acordar ainda mais? Que tal? Não temos mais idade pra virar a noite e não sentir sono.

– Boa! Estou precisando mesmo.

– Bora, então, gente, vamos rapidinho pra não perder o balão – falou Alexander acelerando a gente, empurrando nossas costas.

Areia

Meu dementador particular: Nathan.
Um momento bom: quando vi o mundo lá de cima.

Não que eu quisesse segurar as mãos de Nathan. Não que eu fizesse questão de ficar colada ao corpo dele e sentir seu braço roçando levemente no meu.

Não fazia questão de nada disso.

Ainda mais com Nathan.

Obviamente que era uma questão de necessidade. Em breve, estaríamos lá nas alturas, a trezentos metros do solo, morrendo de medo daquele treco cair.

Eu precisava segurar em alguém ou em alguma coisa, e Nathan era quem estava mais próximo de mim quando o balão começou a subir e eu não podia mais descer.

Não que eu estivesse odiando. Não pense nisso, porque estava... bom.

Tratava-se de um braço delgado, com músculos pouco ressaltados, mas que me passava muita tranquilidade. E calor, pois estava muito frio no começo da subida.

Manu também precisou se segurar em alguém para se sentir protegida. No caso dela, Alexander foi quem lhe deu o braço.

Nossa vertigem e ataque de medo duraram pouco tempo. Ao contrário do que imaginei, voar de balão estava sendo mágico.

Logo que começamos a estabilizar, lenta e suavemente, o medo foi dando lugar à paz e à tranquilidade. Arrisquei, corajosamente, mas agarrada ao braço de Nathan, olhar para baixo. Avistei três aves lindas, de bico rosa e um azul quase violeta, lindas!

– São as faceirinhas – disse um dos pilotos do balão, percebendo que eu as estava observando.

– Faceirinhas? – se interessou Alexander, juntando-se a todos que, agora, as observavam voando bem abaixo de nós.

– É... maria faceira, para ser mais exato. Elas só voam neste horário, para ir até o local onde encontram alimento e, à tardinha, quando voltam para seus ninhos, normalmente em árvores bem altas.

– Nossa, gente, como elas são lindas, parece que estão nos seguindo... ou nos guiando... – divagou Manu.

– Eu pensei que as garças tivessem o pescoço em forma de "S" – questionou Nathan.

– E têm – esclareceu nosso piloto. – Você está certo. É que nós voamos tanto que acabamos aprendendo algumas coisas interessantes. A faceirinha é uma das pouquíssimas garças que voam com o pescoço esticado, e não em forma de "S" – completou ele.

Que ótimo! Nathan também entendia de garças!

Desfocando as aves, involuntariamente nossos olhos focaram o chão lá embaixo e, então, percebemos o quão alto já estávamos.

– Olhem que lindo é o parque da ESALQ, a Escola Superior de Agricultura Luiz Queiroz! – mostrou Nathan.

Olhei curiosa para a direção apontada.

E ele também sabia o nome da tal escola.

– Uma arquitetura linda, não? – falou Alexander, que já tinha deixado o braço de Manu, mas que ainda permanecia ao lado dela.

– Não imaginava que seria assim tão fascinante – comentou Manu, admirando a vista e se mostrando mais relaxada.

– Meninas, eu não colocaria vocês em uma roubada. Voar de balão é muito seguro.

"Certo, acho que não vejo mais razão em continuar agarrada a Nathan", pensei, soltando delicadamente seu braço. Ele me olhou de soslaio e sorriu para o nada.

Idiota! Acho que ele sacou que eu estava gostando de estar ao lado dele!

– Tudo bem aí? – perguntou ele só para mim, com seu sorriso irônico nos lábios.

– Tudo ótimo.

– Fez a macumba que eu pedi?

– Eu não faço macumbas, Nathan – ralhei entre os dentes.

– Sei. E aquele treco que eu comi era o quê?

– Era uma simpatia – falei com certo desconforto.

Não gosto de falar sobre esse assunto com as pessoas. É algo que faço mais por brincadeira. Mesmo assim, não gosto de ficar falando disso para não parecer ridícula.

– E você acredita em simpatias? Acho isso uma perda de tempo, mas quem sou eu pra julgar?

– Eu não faço simpatias pra tudo, nem me agarro a elas esperando que todos os meus problemas se resolvam. Tenho minha fé em Deus e, às vezes, brinco de fazer simpatias. Só isso.

– A próxima que fizer, faça com um bolo de chocolate, vou gostar mais do que só com a calda. – Ele tornou a me provocar.

– Engraçadinho – falei fingindo graça. – Eu sei que essas simpatias são apenas pequenas fugas pra não encarar a minha realidade. O que eu preciso mesmo é mudar algumas coisas em mim e não me iludir achando que o santo irá resolver meus problemas, trazendo um príncipe encantado montado em um cavalo branco.

Nathan me olhou pasmo.

– Que coisas você gostaria de mudar em você? Quer dizer, se você se sentir à vontade de falar sobre isso comigo, né!

– É, em outro momento falamos desse assunto, pode ser? – respondi, e ele fez que sim, dando de ombros. – Agora eu quero curtir a leveza do momento. Se eu começar a falar, é capaz de ficar tão pesada que o balão vai cair. – Me desvencilhei, rindo.

– Se precisar de mim, estarei por aqui – respondeu voltando seu olhar para a paisagem maravilhosa.

– Obrigada.

Olhei para o horizonte, perdida em meus pensamentos. Mentalizei boas energias e vibrações positivas para todos nós.

Ouvia de longe os pilotos contando detalhes das paisagens e particularidades da cidade de Piracicaba para Manu e Alexander. Eram atenciosos e muito confiáveis. Eu relaxei. Todos relaxaram, aliás, e curtimos o passeio.

– Que céu lindo! As cores do amanhecer misturadas com a neblina me dão uma sensação de paz muito grande – comentou Alexander.

– Eu também sinto essa paz – acrescentou Manu.

– Nem imaginaria que meu dia com vocês terminaria assim – continuou Alexander.

– Mas ele não terminou assim – falei. – O seu dia de hoje está começando desta forma. Não é maravilhoso?

– Achou que seria só mais uma balada barulhenta e entediante, não foi? – perguntou Nathan se sentindo o salvador da pátria.

– O pior é que achei. Também não sou tão fã de baladas. Prefiro curtir um restaurante, um bom papo com os amigos, curtir a natureza... Me surpreendi.

– Nathan, você sempre me surpreende – elogiou Manu.– Por isso que amo tanto você.

– Também amo você, Magrela.

Alexander lançou um olhar surpreso para Manu e Nathan e nós rimos da cara que ele fez.

– Calma, Alê, isso não é uma declaração de amor. É uma declaração de amizade. Amo Nathan como um irmão, sacou?

Alexander riu, balançou a cabeça e falou:

– Vocês, *gadjês*...

– O que é isso? – perguntei.

– Chamamos de *gadjês* as pessoas que não são ciganas – explicou ele.

– Gente, vocês estão prestando atenção na vista? – falou Manu. – Olhem o rio Piracicaba cortando a cidade. Tão lindo daqui de cima... Nathan, tira uma foto minha com Nina.

Estava demorando para a sessão de fotos de Manu começar.

– Dom iria amar esse passeio, né, Manu? Ele gosta dessas aventuras.

– Posso tirar a foto, meninas? – perguntou Nathan nos enquadrando com a máquina.

– Pode.

– Digam: salsicha.

– Salsicha, Nathan? – perguntamos rindo e, assim, fomos fotografadas.

O balão avançava lentamente sobre a cidade. E, quando estávamos no meio do rio Piracicaba, o piloto manobrou o balão para baixo de forma que quase podíamos tocar suas águas. Muita emoção. Lindo!

Aos poucos, a cidade foi ficando para trás e a vista agora era o verde das fazendas da região.

Tudo ao meu redor estava em perfeita harmonia. Inspirava o ar puro com o prazer de estar viva, de estar vivendo um momento tão fantástico. A sensação era de liberdade. “Como deve ser bom ser um passarinho!”

Nathan mudou de lado para tirar fotos da paisagem e Manu foi junto para ser sua modelo. Ela adora aparecer nas fotos. Ficamos Alexander e eu na borda do cesto do balão em silêncio.

– Está gostando do passeio? – perguntou ele se aproximando um pouco de mim.

O sol bateu no rosto dele fazendo seus cabelos castanhos brilharem. Senti uma vontade enorme de me aproximar dele. Só para ficar mais perto e sentir seu perfume.

– Muito. E você?

– Posso dizer que tudo neste momento está perfeito pra mim.

– Aposto que, se a moça que você ama estivesse aqui, ficaria melhor ainda – brinquei.

– Está perfeito do jeito que está – respondeu Alexander, olhando para o horizonte. Seus cabelos ainda brilhavam por causa do sol e ele, de perfil e de óculos escuros, estava mais lindo do que nunca. – Vejo que você está bem melhor que há alguns dias. Gosto de ver você com esse brilho nos olhos.

– Ficaria melhor sem essas olheiras horríveis – disfarcei.

– Está linda.

– Hum... Obrigada – disse sem saber o que dizer, pra variar.

Eu não poderia estar linda. Estava a mais de vinte e quatro horas acordada, com olheiras, descabelada, de cara lavada... Que homem em perfeita consciência acharia uma mulher no meu estado linda?

– Nina? – continuou ele.

– Sim.

– Quero lhe falar uma coisa.

– Pode falar.

Mas ele não falou de imediato. Fitou suas mãos com unhas bem cortadas e limpas, apoiadas no cesto. Olhou o céu azul com o sol subindo forte.

– Sabe, eu...

– Gente, daqui a pouco vamos pousar – anunciou Nathan, se juntando a nós.

– Já? – surpreendeu-se Alexander. – Agora que estava ficando bom.

– Pois é, dura apenas uma hora... O que foi, Nina?

Eu olhava transtornada para Nathan e ele percebeu minha cara de raiva. Por que ele foi chegar justo naquele momento?

O que Alexander tinha para me dizer, pelo amor do meu Santo Antônio? Será mesmo que era eu a moça proibida?

– Nada, ué! – disfarcei, percebendo que Alexander também fitava minha expressão por trás das lentes espelhadas de seus óculos. – Queria que durasse um pouco mais. Estou curtindo tanto que não me importaria em voar mais uma hora ou duas – disse eu por fim.

Ok. Ele não poderia imaginar o que estávamos falando, certo?

– Gostou mesmo? – perguntou Nathan com um sorriso de satisfação. – Puxa, não sabe como fico feliz e aliviado.

– Por quê? – perguntei rindo.

– Eu pensei que você iria odiar. Além disso, você andava tão baixo-astral que eu fiz um pacto com Manu e Alexander de ficarmos bem atentos pra não deixar você se jogar daqui do alto – brincou Nathan e deu uma gargalhada.

– Seu besta! Você não percebeu que eu segurei no seu braço para lhe empurrar lá pra baixo? Mas acabou que não deu tempo – falei rindo.
– Pois saiba que eu amei o passeio. Obrigada, de coração, viu!

– Cara, muito bom. Me surpreendi também – falou Alexander.

– Vamos repetir outro dia? – perguntou Manu.

– Me avise quando, que eu estou dentro – disse Alexander.

– É só marcar – respondeu Nathan contente.

Era nítido o quanto ele estava satisfeito por termos gostado de sua ideia maluca e maravilhosa.

Quando pousamos, fomos recebidos com um delicioso café da manhã servido em uma mesa ao ar livre, como em um piquenique. E, no final, depois de saciados, brindamos com champanhe, como manda a tradição do balonismo.

Voltamos para Campinas em silêncio.

A noite anterior fora de revelação para Manu e Alexander. Eles falaram de seus sentimentos. Verbalizaram pensamentos bem íntimos. Não é fácil, eu sei. Depois, nosso incrível passeio no céu. Poder sentir toda aquela liberdade e perceber que o mundo é bem maior do que nossos problemas, desilusões e sofrimentos.

Estávamos calados e imagino que cada um pensava no que tinha vivido nas últimas vinte e quatro horas. Mas aquele silêncio me incomodava. Eu estava bem. Feliz e otimista como há muito não me sentia. Queria saber se eles também estavam se sentindo assim.

– Tudo bem, gente? – resolvi perguntar. – Estão tão calados. Não querem conversar?

– Sono. Nathan tem muito sono – brincou ele.

– Eu tô exausto também, mas estou muito bem – contou Alexander.

– Eu também estou superbem. Coração leve, sabe? Uma sensação boa. Mas não estou a fim de falar não. Estou aqui digerindo esse manjar de sensações, em estado quase meditativo e totalmente introspectivo – disse Buda Manuela.

– Só não vai fechar os olhos, hein! Não estou a fim de virar uma omelete – brinquei. – Pelo menos coloca uma música aí, vai, Manu – pedi.

Manu ligou o rádio. Coincidência ou não, estava tocando “Um dia perfeito”, da Legião Urbana.

Ouvimos a música calados. Três minutos e vinte e seis segundos depois, quando a música terminou, eu pedi para Manu colocar de novo.

– Estava na rádio – disse Manu. – Mas eu tenho um CD aqui, com uma coletânea de rock nacional muito maneira, que tem essa música.

– Vocês gostam mesmo dessa banda, hein? – comentou Alexander.

– Gostamos mesmo, Alê – falou Manu enquanto procurava pela música. – Pronto, Nina. Toda sua!

A música voltou a tocar e eu cantei com a Legião. A letra tinha tudo a ver com o que eu sentia naquele momento:

> São as pequenas coisas que valem mais
> É tão bom estarmos juntos
> E tão simples: Um dia perfeito

No final, estávamos cantando todos juntos o refrão.

Observei Nathan sentado ao meu lado, cantando a pleno pulmões os últimos versos:

"...Podem até maltratar meu coração, que meu espírito ninguém vai conseguir quebrar."

Eram verdades importantes de seu momento. A tal da Elisa com S despedaçou o cara por dentro, mas algo nele permanecia; seu sorriso fácil; sua esperança em conseguir perdoar, em superar essa fase e seguir tocando a vida.

Tentei imaginá-lo sem aquela mágoa toda. Ele devia ser um cara bem mais leve e agradável.

Olhei mais uma vez para ele, que estava sentado numa posição bem relaxada, com a cabeça apoiada no encosto do banco e de olhos fechados. Seus braços, apoiados no colo, são brancos, com poucos pelos negros. A combinação de cores era interessante. De camiseta preta ficou um charme.

Tudo bem. Nathan é um cara bacana. Eu que peguei birra dele.

De repente, meu coração se animou.

E decidi brincar com ele.

– Nathan? – perguntei quando a música terminou de novo.

– Hum? – respondeu de olhos ainda fechados.

– Você gosta de cantar, né?

– Gosto? Gosto bastante.

Manu já me olhava pelo retrovisor com olhar risonho, pois já sabia o que eu diria em seguida.

– Então – completei –, só falta você aprender.

– Já mandei você catar coquinhos hoje?

Ri com gosto da sua cara de bravo e depois mergulhei novamente em meus pensamentos. Ouvi dizer, ou li em algum lugar, já não me lembro onde, que o amor pode nascer assim, de uma relação de raiva, de birra. Tipo, quando o cara pentelha muito uma garota é porque, na verdade, ele está muito a fim dela.

Certo, não estou mais na época da escola. Voltemos aos meus vinte e oito anos, em que costumamos ser mais maduros que isso.

Então, esqueça o que pensei. Não era viável a hipótese de Nathan e eu entrarmos nessa.

Mas que era gostoso brincar com ele, era. Seu senso de humor inteligente era muito agradável.

E, quando despertei do meu devaneio, vi que Manu já estava estacionando em frente de casa.

– E aí, gente, como serão os próximos dias? – perguntou Manu, desligando o carro.

– Eu preciso muito dormir – respondi bocejando.

– Todos nós precisamos – ponderou Alexander.

– São quase dez horas da manhã. Vamos descansar o restante do dia e viajamos à noite? Amanheceremos o dia em Curitiba. O que acham, meninas? – sugeriu Nathan.

Seria algo razoável se Manu revezasse a direção do Precioso.

Nathan e eu nos entreolhamos, como que tendo o mesmo pensamento.

– Dirigir à noite? Hum, sei não. Melhor sairmos amanhã cedinho – disse Manu.

– A gente reveza a direção, Manu. Você precisa continuar seu trabalho de desprendimento – brincou Nathan. – Desapego dos bens materiais, mulher, lembra do curso de meditação que fizemos juntos?

– Hahaha... Verdade! – ironizou. – Mas prometo que vou pensar no assunto.

"Uau! Que conquista!", pensei olhando para Manu com uma cara de felicidade contida.

– Bom, quem acordar primeiro liga, ok? – pediu Manu.

– Pode deixar – respondi. – Desce aí pra eu sair. Carro de duas portas é tão século passado – cutuquei.

– Século passado é o seu que, além de duas portas, vive na oficina – me devolveu ela sorrindo.

Rápida no gatilho como sempre.

– Tchau, Nathan. Obrigada pelo passeio – disse me despedindo dele com um beijo na bochecha e fui surpreendida com um abraço forte.

– Eu que agradeço a companhia. Ligo pra você mais tarde.

– Pra quê?

– Pra combinar a viagem.

– Ah! Tá bom.

Me despedi de Manu e de Alexander e saí do carro.

– Gente, preciso falar uma coisa para vocês – pediu Alexander saltando de dentro do carro e dando a volta para ficar ao lado da janela de Manu, onde eu estava parada.

Nathan e Manu saíram também e ficamos os quatro em pé ao lado do Precioso.

– Eu ia falar com Nina lá em Piracicaba, mas acabou que não tive chance... Depois, pensei bem e achei que seria prudente falar com todos vocês.

Olhares curiosos esperavam o que Alexander teria a dizer.

– Pode falar – pediu Nathan colocando as mãos no bolso e encostando suas costas no carro.

Manu automaticamente o puxou e ele voltou a se encostar, ignorando suas neuras com o carro.

– Tomei uma decisão: quero ir com vocês nessa viagem. Quer dizer, se todos estiverem de acordo – apressou-se em dizer. – Essas últimas horas na companhia de vocês me fizeram muito bem.

– Nossa! Mas é claro, Alê! – Se alegrou Manu buscando e recebendo aprovação minha e de Nathan com os olhos. – Será maravilhoso ter sua companhia nessa viagem. Aguentar esses dois não é fácil, você sabe – brincou Manu.

Ah, então era isso que ele tinha para me dizer lá no balão?

E eu imaginando tudo errado.

"Como sou idiota!", pensei um tanto desapontada.

– Há algum tempo venho pensando em partir para uma aventura, sair por aí sem destino e pensar em algumas coisas. Quero fazer isso antes do meu casamento e tenho certeza de que vou me divertir muito com vocês.

Por que ele tinha que me lembrar desse bendito casamento?

– Puxa, demorou! Assim você me ajuda a cuidar dessas duas – falou Nathan abraçando Manu.

Eu não tinha me manifestado ainda e Alexander me olhava esperando que eu falasse algo.

– Tudo bem se eu for? – me perguntou ele.

– Claro! Você é mais que bem-vindo a OFI – disse eu, por fim, esfregando uma perna na outra, morta de vontade de subir para ir ao banheiro e dormir.

– Quero deixar claro que minha intenção não é me intrometer na viagem de vocês. Se minha presença incomodar, me avisem que eu vou entender na boa.

– Ai, Alê, please, né? Você não incomoda – respondeu Manu. – Só não se esqueça das regras. Está preparado pra não esconder nada? É catarse absoluta!

Ele riu e balançou a cabeça positivamente.

– Por mim tá tudo certo. E pra você, Nina? – me perguntou Nathan.

– Alexander, você não incomoda a gente. Fica tranquilo – respondi.

– Beleza. Vou pra casa arrumar minhas coisas e avisar minha família que vou me ausentar por uns dias. Vejo vocês mais tarde, então. Anotem meu telefone.

Tomamos nota do telefone de Alexander e, em seguida, Manu e Nathan entraram no carro.

– Vamos, Alê, levo você pra casa – disse Manu.

– Não precisa, você vai dar a maior volta. Vou andando mesmo. São apenas algumas quadras. Gosto de andar.

– Pra mim não será problema. Você quem sabe.

– Obrigado. Sou um cigano estranho, lembra? – Ele abriu um sorriso para ela como agradecimento. – A gente se vê mais tarde.

– Com certeza. Durmam bem – disse ela, arrancando com o carro.

Eu fiquei parada na calçada. Alexander ao meu lado.

– Então, nos vemos daqui a pouco – disse eu, me sentindo sem jeito e apertada.

A presença de Alexander, que antes me era agradável e amigável, agora me deixava sem jeito, sem saber o que falar, sem saber o que fazer com meus braços...

– Sei que já disse isso, e não quero ser repetitivo...

– Pode dizer – quase gritei.

– Adorei de verdade a noite de ontem, a manhã de hoje... Obrigado.

Gente, como ele é educado, doce, gentil... Tudo isso agregado a um corpo de um metro e muitos centímetros, uma pele morena que combina muito bem com os olhos castanhos, mais aquela voz máscula encantadora.

E pensar que aquele pedaço de mau caminho se casaria com uma ninfeta. Que desperdício!

"Ô, meu Santo Antônio, por que eu não tenho mais dezesseis anos? Por que não nasci cigana? Hein, me explica?"

– Imagina – disse eu, novamente, sem graça.

Ai, como isso me irrita!

– Então... Tchau – falei acenando com a mão.

Ele acenou de volta e saiu andando, descendo a rua em direção à sua casa.

Eu rumei para o meu prédio, apertando o passo.

Antes de empurrar o portão, me senti tentada a olhar para a rua.

Meu coração acelerou quando vi Alexander olhando para mim também.

Virei rapidamente e entrei com raiva da minha infantilidade. Poderia ter dado um adeusinho, um sorriso... sei lá.

– Boa tarde, dona Nina. O mecânico trouxe seu carro. Está lá na garagem – disse o porteiro.

– Obrigada.

– Olha, aqui estão as chaves.

– Obrigada, Jeremias. Muito obrigada – disse já de dentro do elevador, com a sensação de que não conseguiria chegar ao banheiro.

Pelo menos meu carro estava de volta. Precisava me lembrar de ligar para Carlão e agradecer mais essa.

Passei voando pela sala de estar e fui direto ao banheiro fazer xixi e tomar um banho quente. Depois, cama. Nem ousei me olhar no espelho. Achei que estaria um caos completo.

E Alexander disse que me achava linda. Precisava me lembrar de indicar-lhe um bom oftalmologista na próxima vez.

Antes de cair em um sono profundo, ouvi meu celular apitando... Dois torpedos, um de Alexander e outro de Nathan... e a mamãe mandou escolher essa daqui... Mas, antes de conseguir acessar o torpedo sorteado para ser lido primeiro, o telefone tocou.

Era Manu adiando minha curiosidade.

– Oi, Manu.

– E aí, o que achou de Alê se convidar para a OFI?

– Não achei nada demais. Se ele quer ir, não vejo problemas.

– Tem certeza de que você não está a fim dele?

– De novo esse papo, Manu? Por quê? Você está? – perguntei rezando para ela dizer não.

– Sei lá. Ele é interessantíssimo. Arrisco a dizer que é um tipo raro nos dias de hoje. Tão educado, gentil, inteligente, bem-humorado... E aqueles fios grisalhos misturados aos cabelos castanhos? Me diz o que é aquilo? – Ela fez uma pausa, como se estivesse passando mal e, depois, seguiu falando. – Mas aí eu me lembro de que ele vai se casar e levo um banho de água fria.

– É... ele vai se casar – murmurei.

– Se bem que ele dá umas olhadas pra você...

– Ele dá?

– Ah, Nina, não se faça de tonta, please.

– Vai ver é o jeito dele, porque eu o peguei olhando pra você várias vezes.

– Eu também peguei umas olhadas dessas! – exclamou Manu. – Tem vezes que penso que ele está me dando mole. Depois, tenho certeza de que ele está a fim de você. Depois, reflito e concluo que deve ser o jeito dele. E tem essa mulher que ele diz que ama... Sei lá, ainda não saquei qual é a dele. Pra mim, ele é um mistério a ser desvendado... E eu adoro isso nos homens.

"Eu também!", pensei.

– Ih, Alexander me mandou uma mensagem no celular! – exclamou ela.

– Sério? O que ele escreveu? – perguntei desapontada pela falta de exclusividade.

"Não foi só pra mim."

– Espera aí que vou abrir... Pronto. Vou ler: "Obrigado pelas últimas horas. Foram perfeitas. Bom descanso. Beijos, Alexander".

– Que fofo! – exclamei. – Ele também me mandou uma mensagem.

– É? E o que ele disse?

– Ainda não li.

– Então leia. Quero saber o que ele falou.

– Estou falando com você pelo celular, não tenho como ler agora. Depois eu conto.

– Hum – resmungou.

– Mas você só me ligou pra falar de Alê? – Mudei o rumo da conversa. Manu interessada em Alexander me deixava com peso na consciência.

– Também. Queria contar que Nathan me fez mil perguntas a seu respeito.

– Nathan? O que ele perguntou?

– Se você está melhor, se ainda tem falado no traste... Essas coisas.

– Mil perguntas ou duas perguntas? – debochei.

– Sua besta. Você entendeu.

Manu contou, com doses de entusiasmo, a respeito de Nathan e sua curiosidade sobre minha vida pessoal.

Primeiro, achei estranho. Depois, deduzi que era apenas curiosidade natural da parte dele, por estar convivendo comigo nos últimos dias. Não dei muita importância.

Assim que Manu desligou, esqueci qual torpedo havia sido sorteado em primeiro lugar, e optei em ler a mensagem de Alexander primeiro, torcendo para não ser exatamente igual a que ele mandou para Manu. Seria tétrico.

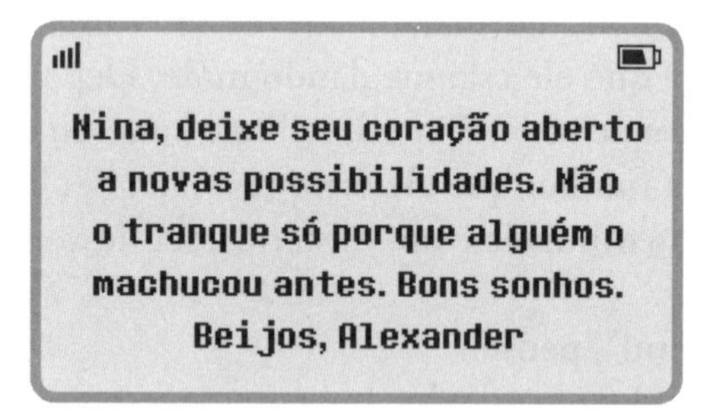

Respondi:

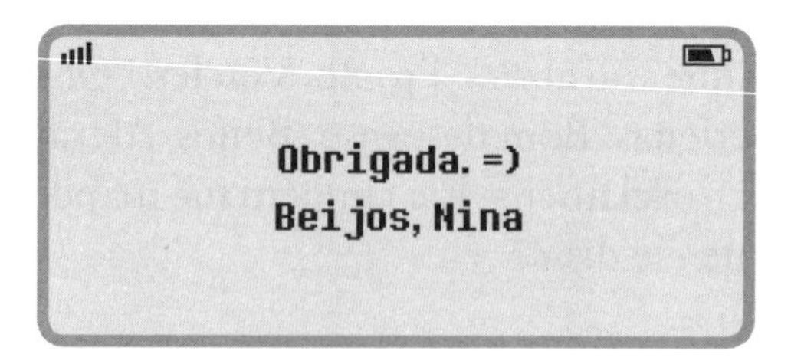

Até por torpedo eu não sei o que dizer. Humpf!

Depois, abri a de Nathan:

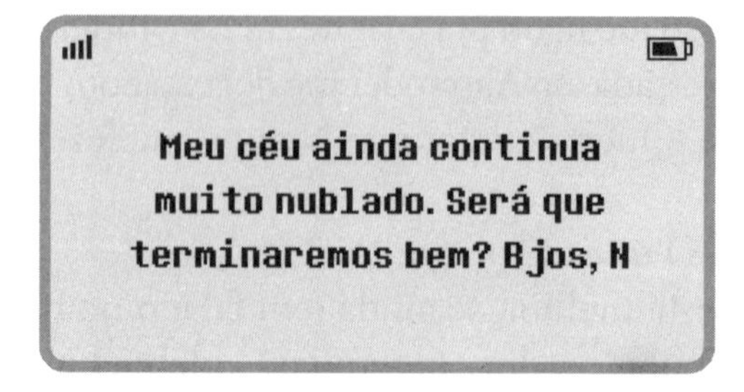

E respondi usando um verso de Renato Russo:

Mas é claro que o sol vai voltar amanhã. Mais uma vez. Eu sei. Escuridão já vi pior, de endoidecer gente sã. Espera que o sol já vem. Bjos, N ;-)

Ele, rapidamente, me respondeu:

Você, mesmo sofrendo por amor, continua acreditando que pode dar certo. Invejo seu otimismo. Bjos, N

Ri sozinha enquanto digitava minha resposta:

Um dia você vai conhecer alguém que te fará entender por que você precisou sofrer antes de amar de verdade. Bjos, N

Nathan devolveu:

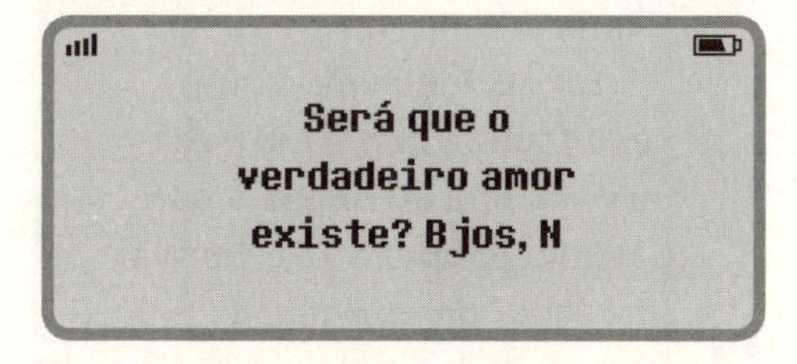

Respondi:

Se você se entregar sem lutar, é porque perdeu a esperança de viver uma vida feliz ao lado de alguém. Bjos, N

Ele retornou respondendo:

E você acredita mesmo que a gente só é feliz se tiver alguém do nosso lado? Bjos, N

Apelei novamente para Renato e respondi:

Ainda que eu falasse a língua dos homens. E falasse a língua dos anjos, sem amor, eu nada seria. Acredite no amor! Bjos, N

Ele me respondeu usando Renato Russo como escudo:

Sabe o que eu digo pro amor? Nada mais vai me ferir. É que eu já me acostumei com a estrada errada que eu segui e com a minha própria lei. Durma bem, anjo. Bjos, N

Anjo?
Aquilo era comigo?
Respondi:

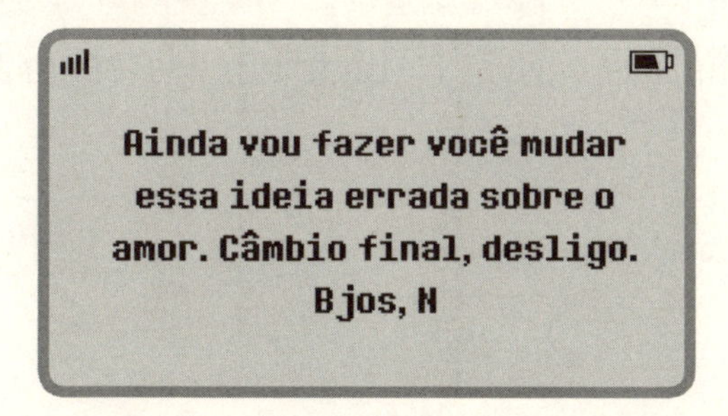

Coloquei o celular na minha mesinha de cabeceira e me ajeitei entre os travesseiros para dormir.

Fisicamente eu estava exausta.

Meu coração, no entanto, esboçava um leve sorriso e acenava um adeusinho para Marcelo.

Se dois corpos não podem ocupar o mesmo lugar no espaço, abramos espaço para melhor ocupação.

Areia grossa

Meus dementadores particulares: Alexander e Nathan.
Um momento bom: ouvir Nathan falando em francês.

Estava num sono profundo e sem sonhos quando o celular tocou em minha cabeceira. Demorei a atender porque queria dormir mais. Ainda estava cansada e sem um pingo de vontade de sair da cama.

– Alô? – murmurei.

– Ei, ainda dormindo?

– Nathan?

– Ei, sua dorminhoca, acorda. Vamos viajar?

Sim, era Nathan, falando com o maior entusiasmo.

– Me deixa dormir só mais um pouquinho? – pedi sonolenta.

– São quase sete da noite, Nina. Você dormiu mais de seis horas. Está bom, não está?

– Dormi tudo isso? – me espantei. Parecia que acabara de fechar os olhos. – E Manu e Alexander, já acordaram?

– Ainda não liguei pra eles. A primeira pessoa em quem pensei quando acordei foi você.

– Em mim? – perguntei, me espantando novamente.

Que coisa mais curiosa!

– Eu penso muito em você. É involuntário – me explicou como se fosse algo casual. – Tem um tempão que estou acordado. Dormi pouco.

Gente, nem minha mãe acorda pensando em mim. Ouvir isso de um homem era uma conquista muito grande.

– Por quê? – quis saber.

Obviamente que alguma coisa deveria estar errada naquela conversa.

– Não sei. Muitas coisas acontecendo ao mesmo tempo. Tem uma galeria interessada em expor meus quadros. Nossa viagem, nossos problemas... Pintei você quando acordei – despejou Nathan, sem perder o entusiasmo.

– Como? Por quê? Nossa, Nathan, nunca ninguém fez isso por mim antes!

"Essa conversa só pode fazer parte de um sonho! Daqui a pouco eu vou acordar e me dar conta de que ninguém acorda pensando em mim, muito menos me pinta em quadros."

– Mas não fiz pra você. Não vai se achando... – Ele riu. – Acordei muito inspirado. Peguei o cavalete, a tela, as tintas e os pincéis. Coloquei Pink Floyd pra tocar e pintei o seu olhar.

– Meu olhar? Por quê?

"Certo. É nesse momento que eu vou acordar babando no travesseiro e me deparar com a minha triste realidade."

– Porque eu acho seus olhos lindos. Seu olhar é expressivo, profundo. Me inspirei nele.

Acho que prefiria seguir sonhando. Não queria acordar, não.

– Meus olhos não têm nada demais. São castanhos – respondi para ver até onde aquela conversa ia.

– As coisas simples são as mais belas.

– Nathan, eu estou sonhando, não estou? Acho que não acordei direito. Essa conversa me parece surreal demais.

– Que sonhando o quê!

Pra falar bem a verdade, eu amei o que Nathan disse e repeti mentalmente para não esquecer: "As coisas simples são as mais belas".

– Sério?

– Sério, mulher! Então, levanta dessa cama, arruma sua mala que eu vou acordar os outros – ordenou ele.

– Aonde nós vamos mesmo? Que roupa eu levo? – perguntei me esquecendo completamente dos nossos planos.

Aquela conversa sobre meu olhar tinha me deixado zonza.

Nunca ninguém disse aquilo para mim antes. Eu precisava saborear tais palavras com muita calma. Deixá-las encontrar o caminho até minha memória de longo prazo para que não se apagassem tão cedo.

– Leva somente as roupas de que você mais gosta, para usá-las nos melhores dias da sua vida.

– Você está "o" filósofo hoje, hein? – comentei. – Viu, quero ver o quadro. Você me mostra?

– Um dia eu convido você pra conhecer meu ateliê. Agora vamos deixar de papo e vamos agitar.

– Hein? Mas que tipo de roupa? Vamos ficar muito tempo na cidade? Vamos a algum lugar badalado, chique? Vamos à praia? Sabe-se lá... Nessa época do ano faz frio?

– Mulheres. Por que vocês são tão complicadas?

– Eu não sou complicada – me defendi. – Não quero passar por apertos.

– Coloca um jeans, camisetas, tênis, um vestido e pronto. E, por favor, deixa seus trajes de rodeio em casa. No roteiro não há nenhuma festa à fantasia.

– Jeans e camiseta? – falei chocada. Eu não sou uma perua, mas também não sou tão básica assim. – Vou colocar o meu guarda-roupa inteiro na mala e você vai ter que carregá-la.

– Eu carrego, *chérie*. Faço tudo o que você quiser, desde que saia dessa cama agora e comece logo a se arrumar.

– Que lindo esse seu sotaque. Fala mais em francês pra eu ouvir? – pedi, brincando com ele.

Obviamente, ele tinha muito mais a fazer do que ficar falando coisas em francês comigo.

Nathan estava calado e eu achei até que ele havia desligado. Partindo dele, não me espantaria.

– Nathan?

– Estou pensando.

– Ah, desculpa.

– *On ne voit bien qu'avec le coeur. L'essentiel est invisible pour les yeux* – falou, por fim.

Eu fiquei arrepiada da cabeça aos pés.

Sério. A voz de Nathan falando francês me pareceu muito sensual, seja lá o que ele tenha dito.

– O que você falou?

– "Só se vê bem com o coração. O essencial é invisível aos olhos." É a frase que mais gosto do livro *Le petit prince*, *O pequeno príncipe*.

– Eu adoro esse livro. Ele fica na minha mesinha de cabeceira. A frase que você escolheu é mesmo muito bonita. Mas prefiro outra frase – comecei empolgada. – Sabe quando ele está conversando com o Rei?

– Sei.

– Espera aí, vou pegar o livro pra lhe falar – disse abrindo a gaveta da minha mesinha de cabeceira. – Aqui. "Tu julgarás a ti mesmo, respondeu-lhe o rei. É o mais difícil. É bem mais difícil julgar a si mesmo que julgar os outros. Se consegues fazer um bom julgamento de ti, és um verdadeiro sábio." Lindo, né?

– Maravilhoso. Inclusive, quero continuar essa conversa em outro momento. Agora, será que podemos nos arrumar pra viajar?

– Chato.

– Sou mesmo.

– Ok. Vou me arrumar – resmunguei. – A que horas você pensa em sair?

Combinamos de sair às nove da noite. No meio do ritual de arrumação da minha mala, Manu ligou para saber qual o conteúdo da mensagem de Alexander e para avisar que nove e dois, impreterivelmente, ela estaria na minha portaria e que não queria atrasos.

Como se eu não a conhecesse bem.

Quando terminei de fazer minha mala, eu me senti um tanto orgulhosa de mim. Havia feito uma de tamanho médio, onde coloquei todas as roupas que escolhi, sapatos, acessórios e minha nécessaire.

"Aposto que Nathan ficará surpreso com o tamanho da minha mala", pensei, olhando para ela, fechadinha ao lado da porta. Ninguém precisava saber do sufoco que foi fechá-la, sentando em cima dela.

Gente, olha só no que eu estava pensando! Que absurdo!

Sinceramente, às vezes sou tão patética. "Vou tomar meu banho e ficar pronta. Não quero me aborrecer com Manu."

No horário combinado, eles chegaram para me pegar. Eu já aguardava na portaria e, assim que avistei Precioso reluzindo de tão limpo, peguei minha mala e fui ao encontro deles.

Todos saíram do carro para me receber.

– Olá – disseram em coro.

– Oi. E aí, preparados? – perguntei.

Não sei qual dos dois estava mais bonito, Alexander ou Nathan. Olhei de um para o outro, admirada.

Dessa vez foi Nathan quem me surpreendeu. De jeans escuro (Viva! As calças xadrezes tinham ficado em casa!), o bom, velho e inseparável tênis iate preto, camiseta branca com uma camisa xadrez aberta por cima. Os cabelos bagunçados e ainda molhados caíam sobre a testa, tocando em seus óculos.

Eu disse um tímido "uau" em pensamento.

Nathan se aproximou e, depois de me lascar um beijo na bochecha, pediu se podia começar seus afazeres.

– Que afazeres? – quis saber Manu.

– Sou o carregador de malas de Nina – explicou enquanto pegava minha mala para levar até o carro. – Só isso? – me perguntou quando levantou a mala e viu que ela não estava tão pesada assim.

– Tudo isso – respondi fazendo graça.

– Bom, vamos lá – começou Manu. – Como continuação à terapia do desprendimento, vou dividir a direção do Precioso com Nathan.

– O quê? – gritei. – Repete que eu não ouvi direito.

– É, já que não vou ter condições de dirigir durante todos esses dias e, por confiar em Nathan, revezarei com ele. Estão satisfeitos assim?

– E em mim você não confia? – perguntei indignada.

– Para dirigir Precioso? É claro que confio, mas Nathan tem mais experiência em estrada e, cá entre nós, a Régis é bem perigosa, né? É conhecida como "Rodovia da morte".

– Legal! – Me fingi de magoada, entrando no carro.

– Eu faço companhia pra você no banco de trás – falou Alexander.

– Oba, assim fica justo – brinquei.

Nathan me olhou um tanto sério e depois falou:

– Você está bem pra dirigir agora, Manu?

– Tô de boa. Alê vai ser meu copiloto, né, Alê? – Manu o intimou acabando com o meu breve sonho dourado de estar ao lado de Alê a viagem toda.

Ah, sim! Eu já tinha criado todo um cenário no banco de trás do carro.

– A previsão de chegada em Curitiba é às três da manhã – continuou Manu. – Logo, temos que sair agora pra não perder mais tempo.

– Beleza. Quer que eu dirija agora? – tornou a insistir Nathan.

"Sim, sim!", me vi torcendo.

Mas o que era aquilo? O que estava acontecendo comigo?

– Não. Pode deixar que eu levo. Quando cansar, eu lhe passo.

– Vamos embora, então? – falou Nathan animado, sentando-se ao meu lado.

A viagem foi tranquila. Manu dirigia com cuidado e nós traçávamos planos para os próximos dias. Alexander abriu seu *case* de CDs e escolheu um deles para ouvirmos boa parte do percurso. Outros momentos foram de silêncio, em que cada um ficou perdido em seus próprios pensamentos.

Às vezes, por conta de uma curva mais fechada, eu deslizava no banco indo de encontro a Nathan e ele me puxava com força, para que grudasse nele de verdade. Ele fazia de brincadeira, e eu não sabia se achava graça ou se gostava.

Paramos na cidade de Registro para abastecer o carro e tomar um café.

Alexander estava especialmente animado. Falando o tempo todo na viagem, contando as coisas que havia pesquisado na internet, lugares para irmos, restaurantes, bares, praias... Sua empolgação animou mais ainda Nathan e eles trocaram várias ideias do que fazer nos próximos dias.

No começo, fiquei um pouco envolvida pelo papo dos dois.

Mas, depois, fui me perdendo em pensamentos imbecis do tipo: por qual dos dois eu me apaixonaria; qual dos dois eu escolheria...

Só faltou o uni-duni-tê.

Ridícula.

Mas, espera aí. E Marcelo? E aquele amor eterno e forte que eu sentia por ele, já tinha acabado? Rápido, não acha?

Gente, sou tão desprendida assim?

Que horror!

Mas, isso é bom, eu acho. Já não estou sofrendo tanto pelo traste-dos-infernos. Até aquela dor sufocante do início da semana tinha passado e tudo estava mais leve. Parecia até que tinha conhecido ele décadas atrás.

Claro que pensava nele de vez em quando. Os pensamentos dessa vez eram da ordem de nunca mais me envolver com homens daquele tipo.

Sentia sim uma vontade de sempre estar ao lado de Alexander e Nathan. De olhar para eles e admirar seus traços, de ouvi-los, de sorrir para seus sorrisos...

Meu mundo estava uma confusão que você nem imagina. Precisava muito entender o que se passava em mim. Embarquei naquela viagem para esquecer Marcelo. E, no entanto, toda hora me pegava pensando ou em Alexander ou em Nathan.

E, para completar, tinha Manu que estava interessada em Alexander. O que me deixava com um sentimento de culpa enorme.

– Nina, tudo bem? – perguntou Alexander, percebendo minha cara de angústia.

Sempre ele.

– Ãh?

– Tudo bem? Seu semblante está fechado. Tem alguma coisa lhe incomodando. Quer dividir com a gente? – perguntou enquanto tomava seu café.

Nathan olhava para mim curioso. Manu esperava por minha resposta.

– Está tudo bem, gente. Só estava pensando em minha mãe – disfarcei. – Liguei pra ela antes de sair e sempre fico estranha depois que falo com ela.

Graças aos Céus eles engoliram minha desculpa e eu tratei de controlar meus pensamentos.

– Vamos embora, então? – pediu Manu. – Tem muito chão pela frente.

Nathan assumiu a direção quando retomamos a viagem. Manu foi de copiloto e Alexander sentou-se a meu lado.

Ok. Fomos, então, para o segundo round. Round de controlar aqueles pensamentos loucos, é o que quero dizer.

Resistir à proximidade de Alê, sentir seu perfume, seu calor e lutar contra meu instinto de tocar nele. E lembrar que minha melhor amiga estava interessada nele. E não esquecer que meu principal objetivo na OFI era exterminar Marcelo da minha vida e não me envolver com ninguém.

"Como será que essa viagem vai terminar?", pensei imersa em meu mar de dúvidas.

– Manu, coloque um CD chamado *Estrada*, por favor – pediu Alexander.

– Coloco sim. Onde está?

– No *case* preto de CDs que eu trouxe.

– Estrada é o nome do CD? – perguntou Nathan. – De que banda?

– Não é de uma banda. É um CD que montei com músicas que gosto de ouvir quando viajo de carro. Às vezes pego o carro e vou até o litoral, passo o dia lá e volto.

– Sozinho? – perguntei.

– Na maioria das vezes.

"Me chame da próxima vez que eu vou com você.", pensei em dizer.

– Também curto fazer isso de vez em quando. Só que prefiro ir de moto – contou Nathan. – Pego a moto e vou pra Monte Verde fazer uma trilhas, admirar a paisagem...

Rolou um papo entre Alexander e Nathan sobre motos, carros e viagens solitárias até a hora em que Manu conseguiu colocar a lista de música que Alexander pediu.

Começou com "Every breath you take", do The Police.

Eu estremeci porque adoro essa música.

– Começou bem – falei, balançando a cabeça ao som da balada romântica.

– Adoro essa música – acrescentou Manu.

– Ouço essa música todos os dias desde... – Alexander parou de dizer.

– O que você disse, Alê? – perguntou Manu. – Não ouvi daqui. O som estava alto.

– Falei que algumas músicas dizem o que a gente, muitas vezes, não tem coragem de dizer.

Gelei.

Não foram exatamente essas palavras que Alexander falara anteriormente.

Olhei para ele sem ser correspondida. Fingiu que olhava para fora.

– É verdade. Algumas letras falam tudo o que a gente sente. Até parece que foram escritas pra nós – disse Manu, sem fazer ideia do que rolava no banco de trás.

– Eu até curto The Police, mas prefiro Pink Floyd ou Brian Adams quando quero pensar na vida – comentou Nathan, dando continuidade ao assunto com Alexander e Manu.

"Desde quando? Desde quando?", gritavam meus pensamentos tentando adivinhar o final da frase de Alexander.

Não tive coragem de perguntar. Não na frente de Nathan e Manu.

"Ô, meu santo, se Alexander não estiver a fim de mim, então, não me faça enxergar o que não existe", pedi me afundando no assento.

Não demorou muito para eu pegar no sono e adormecer perdida em meus conflitos.

Nem vi quando chegamos a Curitiba. Alexander me acordou delicadamente, pedindo para eu saltar do carro. Nathan levou minha mala. Demos entrada no hotel e fomos dormir sem pensar muito no dia seguinte.

Estávamos exaustos.

Areia grossa

Meus dementadores particulares: Alexander e Nathan.
Um momento bom: ter falado com Manu.

Ao acordar, na manhã seguinte, pensei em Alexander, Nathan e em toda a confusão que se formava dentro de mim.

Aquilo não poderia seguir em frente. Eu tinha que dar um basta, antes que virasse uma bola de neve gigante desenfreada descendo montanha abaixo.

Esfreguei os olhos com força.

Se ao menos meu pai estivesse aqui, ele saberia o que me dizer. Ou se minha mãe topasse um papo sobre minha vida amorosa por telefone antes de dormir, uma vez por semana que fosse, também seria de grande ajuda.

Poderia conversar com Manu. Mas aí eu teria que abrir o jogo, e ainda não estava certa se era o mais indicado.

– Está acordada? – ouvi Manu perguntar.

– Oi. Bom dia – disse me sentando na cama de solteiro do hotel.

– Bom dia! Hoje é sexta-feira! – disse ela saltando da cama. – Que alegria saber que, em um dos dias mais movimentados do salão, eu estou de folga, sem fazer nada e sem ter cliente chata me atormentando a paciência por causa de uma mecha de luzes fora do lugar – concluiu se jogando na cama e batendo os pés de felicidade.

– Hum.

Foi tudo o que consegui dizer diante do entusiasmo de Manu.

– Você está bem? Estou achando você esquisita.

– Ai, você também? Não basta Alexander ficar perguntando toda hora se eu estou bem? Não vai pensando que só porque ele é cigano, ele sabe das coisas. Ou que vê coisas que nós não vemos. Ou sei lá o quê.

– Ei, calma! Só fiz uma pergunta.

– Eu estou bem sim, Manu. Desculpa.

Ela me lançou seu olhar "me engana que eu gosto" e mudou de assunto.

– Vamos tomar café?

Nos arrumamos e descemos em silêncio para o restaurante do hotel. Silêncio entre Manu e eu só acontece quando estamos assistindo a algum episódio de *Friends*.

O clima estava estranho e a culpa era minha.

Estava me sentindo culpada por pensar demais em um cara por quem ela estava abertamente interessada. Se isso fosse fato corriqueiro na vida de Manu, eu nem ligaria tanto. Acontece que já nem me lembrava de quando foi a última vez que Manu se interessou por alguém.

Meleca! Que bela amiga eu sou.

– Bom dia, meninas! – disseram Nathan e Alexander, já sentados e tomando seu café.

– Bom dia – respondemos ao mesmo tempo.

– Seguinte – disse Nathan enquanto Manu e eu nos acomodávamos na mesa –, mudanças de planos.

– Quais mudanças? – perguntou Manu roubando uma uva do prato de Alexander.

– Não vamos mais para o litoral catarinense.

– Não? Por quê? Lá é tudo tão bonito – decepcionou-se Manu.

Eu ouvia calada, porém atenta.

– Nosso destino será a Ilha do Mel. Alexander deu a dica e acho que vocês vão gostar. Ele tem todas as informações que precisamos: como ir, onde ficar, onde comer, etc.

– Já fiz essa viagem antes e garanto que vocês irão curtir – reforçou Alexander. – A ilha é um lugar espetacular e merece ser visitado. Além do mais – ele fez uma pausa –, bem... Não é nada. Esqueçam.

– Fala, cara! – disse Nathan.

– Agora que começou, vai ter que falar. E lembre-se: nada de segredos – pediu Manu.

– Tudo bem. Só não tirem sarro de mim depois – pediu encabulado. – É que alguma coisa me diz pra irmos à Ilha do Mel em vez de Santa Catarina.

– Alguma coisa tipo o quê? – perguntei assustada.

– Sinto que precisamos ir para lá. Pressentimento, sensibilidade, sexto sentindo... Chamem como quiser.

– Mas – comecei receosa –, você viu alguma coisa?

– Você leu no baralho, Alê? – perguntou Manu mais baixo para que as pessoas da mesa ao lado não escutassem.

Alexander riu e balançou a cabeça.

– Os homens ciganos não leem baralhos. Somente as mulheres. São elas que têm a luz da Lua em seu interior – explicou ele. – Fiquem tranquilas. Foi apenas um pressentimento que tive. Agora, se quiserem, seguimos pra Santa Catarina. Pra mim, na verdade, é indiferente.

– Eu não acredito nessas coisas – falou o cético Nathan. – Pressentimentos a parte, eu gostei da dica de Alexander de irmos pra ilha. Além do mais, podemos deixar o carro aqui no hotel, não precisamos nos arriscar nas estradas...

– Seu pressentimento é com relação a isso? – perguntei a Alexander, interrompendo Nathan... – Você viu algum acidente de carro?

– Não, Nina, fica tranquila que não vi nada. Aliás, eu não vejo coisas, não adivinho futuro, nada disso.

– Entendi. Desculpa se a gente fica enchendo você de perguntas... É que rola uma curiosidade mesmo.

– Tudo bem. Eu respondo às curiosidades de vocês na boa.

– Mas, e aí? – insistiu Nathan. – O que vocês decidem?

– Se a gente não precisa usar o carro, eu voto na Ilha do Mel – anunciou Manu.

Óbvio! Poupar Precioso de uma longa viagem é o mundo ideal de Manu.

– E você, Nina?

"Senhor, será que isso vai ser caro?", pensava, imaginando que toda a economia que fiz para as tão sonhadas férias na Índia seriam torradas no litoral paranaense.

– Por mim tudo bem. Só preciso saber como será essa logística.

– Vocês não precisam esquentar com nada. Está tudo planejado. Alexander e eu cuidaremos de tudo.

Nathan foi contando os detalhes enquanto Manu e eu tomávamos nosso café e Alexander fazia mil ligações providenciando nossa ida.

Basicamente, o que eu e Manu precisávamos fazer era preparar uma mochila para passar três dias na Ilha do Mel. O restante das nossas coisas ficaria no hotel até o dia do nosso retorno.

Ah, e tínhamos meia hora para nos preparar; arrumar uma mochila (que mulher faz uma viagem de três dias com uma mísera mochila? Ela existe? Se existir, mande meus parabéns a essa heroína) e voar para a estação ferroviária que o trem partiria às oito e quinze da manhã.

Subi com Manu para o quarto me sentindo mais leve.

Então, poderia pensar em Alexander e em Nathan tranquilamente que Alexander não leria meus pensamentos, nem adivinharia que dentro de mim está uma confusão absurda de sentimentos, pensamentos loucos e devaneios impróprios para menores de dezoito anos.

Agora só precisaria criar coragem e ter um papo calcinha com Manu.

Só que isso teria que ficar para mais tarde. Minha preocupação naquele momento era realizar o milagre da mochila.

Mordi o lábio olhando para a minha mala. Sorri nervosa para Manu, que já havia arrumado a dela há bastante tempo e me esperava pacientemente sentada vendo TV.

Acabei me decidindo pelo básico do básico. Repetiria algumas peças e fosse o que Deus quisesse. Nosso tempo já estava se esgotando e tínhamos que partir imediatamente para a estação.

E assim o fizemos. Ora correndo, ora andando apressados, sendo puxadas por Nathan e contando os minutos para chegarmos à estação. Alexander tinha ido na frente para agilizar as passagens.

Encontramos com ele na porta do trem, que já estava dando os últimos sinais para partir.

Escolhemos um lugar confortável, na classe turística, e começamos a relaxar.

Enquanto os demais passageiros se acomodavam, eu pensava que aquela viagem seria o começo de algo bom. Talvez duas grandes novas amizades. Talvez um amor... Quem sabe.

"Certo, Nina. Vamos parar por aqui. Primeiro esquecer Marcelo, lembra?"

O trem deu partida e nós gritamos um "uh-hu!" animados. Uma adrenalina básica já corria em minhas veias. Coisa que raramente eu sentia.

"Gostei!", pensei me animando. "Estou vivendo uma aventura."

Manu se sentou com Nathan. Alexander e eu estávamos logo atrás deles.

– A viagem de trem de Curitiba a Morretes tem duração de três horas – avisou uma guia turística.

"Três horas ao lado de Alexander?", pensei, ligeiramente nervosa, alisando o couro vermelho da minha poltrona.

Três horas tendo como vista suas pernas grossas e seus braços morenos.

Aquilo mais parecia um teste de resistência do que uma viagem!

Para minha sorte, as janelas do trem estavam abertas, e logo todos os passageiros estavam tirando fotos das paisagens, então, eu decidi fazer o mesmo.

Assim que saímos do perímetro urbano, o trajeto passou de casual a fantástico. O verde da paisagem na descida da Serra do Mar, as imponentes montanhas, os rios, as cachoeiras, as árvores, as curvas e as várias pontes que o trem atravessava eram de tirar o fôlego de qualquer um.

Eu, particularmente, perdi o fôlego quando Alexander avançou para cima de mim, pedindo para tirar uma foto do Pico do Marumbi. Ele tão próximo me deixou zonza e com o coração batendo forte.

Ao atravessarmos o túnel Roça Nova, uma escuridão se instalou. Eu não estava preparada para aquele breu e me assustei. Imediatamente, Alexander pegou minha mão e a segurou entre as suas.

A travessia do túnel, que dura quase dois minutos, foi feita em silêncio, apreciando a escuridão.

Para minha decepção, Alexander não puxou um assunto mais íntimo comigo.

O clima pedia. Tudo conspirava. Era o momento.

Porém, ele abusou de sua educação e respeito e ficou na dele segurando minha mão.

Confessando: Eu tremia com aquele contato. Sentir as mãos macias e quentes de Alexander sobre as minhas me causava uma sensação maravilhosa. Querendo mais, claro.

Ao sair do túnel, ele sorriu e soltou suavemente a minha mão.

– Tudo bem aí atrás? – perguntou Nathan se virando para nós.

Manu também se empoleirou em sua poltrona, virando-se para nos olhar.

– Tudo certo – respondeu Alexander.

– Vocês dois estão com uma cara engraçada – comentou Manu. Juntem aí que vou tirar uma foto.

– Ai, Manu, foto não.

Alexander se aproximou de mim, colocando seu braço sobre meus ombros.

– Digam "xis" – pediu Manu soltando um *flash*.

Depois que Manu e Nathan viraram para a frente, fingi que me distraía com a paisagem e me virei para a janela.

Ainda sentia o calor das mãos de Alexander. Podia sentir o perfume dele, a respiração dele e meu coração descompassado com um simples contato.

"Comporte-se, Nina!", me reprimia internamente.

O trem fez uma parada rápida no Parque Estadual do Marumbi para aqueles que iriam descer e explorar o parque mais de perto.

Nós aproveitamos para nos levantar, esticar as pernas e conversar sobre as paisagens que havíamos apreciado até ali.

Era tudo muito lindo e novo. Nunca havia viajado de trem antes e estava encantada com o passeio.

Quando o trem estava pronto para seguir viagem, nós nos acomodamos novamente em nossos assentos. Dessa vez, Nathan se sentou ao meu lado.

De bermuda xadrez, camiseta de algodão branca e adivinhem? Sim, claro, seu tênis preto velho de guerra, fiel ao seu dono em mais uma aventura.

Começo a me perguntar o que aconteceria se Nathan saísse sem levar o seu tênis. Era melhor que o trancasse bem trancado dentro de casa, ou o tênis sairia andando sozinho de tão acostumado que estava.

– Curtindo? – perguntou por detrás de seus óculos Wayfarer de armação preta, interrompendo meus devaneios brincalhões.

– Lindo este passeio. Estou curtindo muito. Você tem bom gosto, Nathan. Parabéns.

– Eu costumo ter bom gosto mesmo – se gabou ele.

– Mas, bem que você podia mudar um pouco a estampa. Xadrez todos os dias cansa um pouco.

Ele riu.

– Sou peça exclusiva. Não fui feito em uma loja de departamentos.

– Você é um idiota, sabia? – brinquei com ele.

– Sabia – respondeu com um meio sorriso.

Curioso. Com Nathan eu me sinto mais à vontade. Posso falar o que der na telha e não me importo se ele vai gostar, odiar ou me achar uma idiota.

Com Alexander eu fico pisando em ovos. Querendo impressionar.

– Ei, não se mexa! – ordenou Nathan. – Manu, me passa a câmera?

Manu esticou o braço e deu a câmera para Nathan, olhando com curiosidade. Alexander também se virou para ver o que acontecia.

– A luz sobre Nina está deslumbrante. – Nathan explicou enquanto me fotografava.

– A luz está deslumbrante? – perguntei magoada.

– A luz do sol deixa você deslumbrante – corrigiu ele.

– Hum... Nathan achando Nina deslumbrante. Sinais de melhora à vista – zombou Manu. – O que você acha, Alê?

"Ai, Manu, deixa Alexander fora disso!", pensei querendo sair daquela situação.

– Eu não acho nada – desconversou Alexander rindo. – Quem tem que achar é ela.

– Estou me sentindo bem mesmo – respondeu Nathan ajustando o foco manualmente e fazendo vários disparos. – E querem saber mais?

– Queremos!

– Elisa está perdendo o primeiro lugar na parada dos meus pensamentos – falou com um tom de vitória escondido entre as palavras.

– E podemos saber para *quem* Elisa com S está perdendo a parada? – perguntou Manu, piscando para mim.

Eu não gostava daquela sensação, de ser observada pelos três.

– Chega de fotos, Nathan – pedi, saindo da posição e me ajeitando na poltrona.

– Só mais uma de perfil. Isso, faz essa cara de zangada que fica perfeito. – Ele riu. – Quero registrar essas cores pra pintar quando voltar – informou devolvendo a câmera para Manu.

– Pintar Nina? – perguntou Manu. – Mas isso é muito...

– Ô Magrela, não pense coisa errada de mim. Sou um cara muito respeitoso – brincou Nathan com sua habitual ironia.

– Não, e você não sabe – disse eu, entrando no clima da brincadeira. –, ele pintou um quadro com os meus olhos, não foi, Nathan?

– Verdade? – surpreendeu-se Alexander.

Nathan afirmou acenando com a cabeça.

– Desde quando Nina virou sua musa inspiradora? – ouvi Manu perguntar.

– E escuta o absurdo: ele disse que os meus olhos são lindos. Se olhos castanhos são lindos, os olhos de Pâmela, azuis daquele jeito, são o quê?

– Seus olhos são lindos sim, Nina – elogiou Alexander de um jeito sério.

Céus, como um simples elogio me deixa animada!

– Além dos olhos, eu acho que Nina tem um olhar profundo, forte, envolvente... Me inspirei no olhar dela e pintei um quadro ontem. Ainda faltam alguns retoques, mas eu o considero uma obra de arte, modéstia à parte.

– Gente, vocês ouviram isso? – falei admirada. – Eu virei uma obra de arte.

– Hum... Olhos lindos, olhar envolvente, luz deslumbrante... Estou vendo que alguém está se *envolvendo* mesmo.

– Isso, Magrela, vai rindo, vai debochando.

– Deve ter ficado lindo. Se um dia você expuser, me avise que eu quero ver – disse Alexander. – Gosto de apreciar o que é belo.

Fiquei levemente vermelha.

"Como faço para saber se Alexander está lançando indiretas para mim?"

– Vai rolar uma exposição em breve e vocês, claro, serão meus convidados especiais.

– Só se o quadro de Nina estiver em destaque – continuou Manu.

O papo sobre meu quadro não durou muito, pois a paisagem lá fora era simplesmente bela demais para que não nos debruçássemos na janela para admirar e fotografar. Sentindo o cheiro do mato e o vento bater em nossos rostos... Era um pedaço da perfeição ao nosso dispor.

– Daqui a pouco chegaremos a Morretes – anunciou a guia. – Não deixem de apreciar a arquitetura local, a culinária típica e as belas praças. Algumas dicas: o ciclotour pela cidade, muito protetor solar e abusar do repelente.

– Gostei da ideia de fazer um ciclotour. Você topa? – animou-se Nathan, empoleirando-se na poltrona e ficando a centímetros do meu rosto.

Seu sorriso e seus olhos brilhantes só esperavam por um sim.

Lembrei da minha promessa de ser mais aventureira que certinha e respondi:

– Eu topo. Adoro pedalar.

E realmente gosto. Não falei para agradar Nathan.

– Sério que você curte bike?

– Sério. Tenho uma lá na minha garagem.

Tudo bem que eu não a usava há um tempão. Mas ele não precisava saber disso.

– Ponto pra você – brincou ele. – E vocês dois aí, topam um ciclotour por Morretes?

"Manu topa tudo" aceitou de cara. Alexander resmungou um pouco, dizendo não ser muito bom com bicicletas, mas foi vencido rapidamente com nossos argumentos.

Desembarcamos na estação ferroviária de Morretes próximo do meio-dia e decidimos almoçar antes de fazer qualquer outro programa.

Manu, Nathan e Alexander optaram pelo prato típico da região, o barreado, que consiste em uma carne cozida, servida com arroz e farinha de mandioca.

Eles disseram que não sairiam dali sem provar da iguaria local.

Eu, que sou quase vegetariana, fiquei no filé de pescada mesmo.

Depois de saciados, ficamos quietos, imóveis, como jiboia digerindo o boi que acabara de comer, apreciando a vista do Rio Nhundiaquara, tomando um pouco de sol e fazendo a digestão.

Nosso ciclotour começou pouco depois das três da tarde, com o sol ainda quente. Passamos o resto da tarde pedalando pelas ruas de pedras, fotografando os antigos casarões e a Serra do Mar.

Para o passeio de bike, Alexander usou uma bermuda preta. *Apenas* uma bermuda preta.

E óculos escuros. Ah, claro, e um par de tênis.

Mas quem vai olhar para o tênis quando se tem o peito e as costas de Alexander se exibindo em minha frente?

Era preciso muito esforço e concentração para não cair da bicicleta.

Manu respirava fundo e tentava olhar para as paisagens, só para se mostrar indiferente.

Será que Alexander se dava conta do perigo que era?

E não era só Manu e eu. As outras garotas que passavam torciam os pescocinhos para admirar aquele moreno, de cabelos negros com fios grisalhos pedalando ao lado de Manu.

Eles até que formariam um casal perfeito, analisei. Manu, linda e atraente, combinava muito bem com o biotipo de Alexander.

"Eu preciso me colocar no meu lugar. Não existe a menor chance para mim com Manu na jogada."

Após uns quinze minutos pedalando debaixo daquele calor, fizemos uma parada para tomar água e descansar.

Alexander e Nathan foram ao banheiro e, depois, compraram sorvetes.

– Nina, pelo amor de tudo o que é mais sagrado, peça pra Alê vestir uma camiseta. Daqui a pouco ele vai causar um acidente ou eu vou enfartar.

– O pior é que o danado é bonito mesmo. Não consigo parar de olhar. Falando nisso... – Eu precisava falar com Manu. Não dava mais para ficar escondendo dela. – Quais são suas expectativas em relação a ele?

– Como se eu não a conhecesse – disse ela amarrando os cabelos num coque. – Sei que você está interessada nele e eu fico muito feliz. Alexander é o cara certo pra você. Finalmente você se interessou por alguém decente. Vai em frente, amiga, ele é todo seu – falou, tentando transmitir credibilidade em suas palavras.

– Ai, não me fale uma coisa dessas. Você está sozinha há tanto tempo, nunca se interessou por alguém e agora que se interessou por Alexander eu invento de ficar a fim dele também. Que droga! Estou me sentindo a melhor amiga da onça. Além do mais, tem nosso Manual das Amigas, lembra? Lá versa que devemos...

– Nina, esse manual foi coisa da nossa adolescência. Please, né? Somos adultas. Eu estou na boa – disse ela.

Só que não estava nada bom. Eu, de algum modo, me sentia suja. Imunda.

"Pâmela poderia me dizer o que fazer. Dar uma ideia, uma opinião, sei lá. Não quero pecar pela omissão e nem por uma ação que vai me perseguir o resto da minha vida. Vou ligar para ela", refleti.

Contei toda a novela mexicana para Pâmela. Primeiro, ela ficou horrorizada quando soube que Alexander é um cigano. Pediu para termos cuidado redobrado e para ficarmos sempre (ela enfatizou o sempre) com Nathan e nunca sozinhas com ele.

Mas, o que ela imagina que Alexander faria com a gente?

Mostrei todos os argumentos e fatos possíveis para tranquilizá-la de que Alexander é um sujeito do bem e que é nosso amigo, mas, mesmo assim, ela ficou receosa.

Disse que não podia continuar o papo por estar muito ocupada resolvendo problemas de seus clientes e pediu para ligarmos todos os dias.

– E aí, o que ela disse? – quis saber Manu depois que desliguei.

– Que Alexander pode ser um sujeito muito perigoso e que devemos tomar muito cuidado.

– Que viagem! O que ela sabe sobre ciganos? Pâmela precisa se informar antes de sair por ai dizendo besteiras como essa – ralhou Manu.

Concordei com a cabeça.

– E o que mais?

– Disse pra eu olhar Nathan com outros olhos que eu e ele temos muito em comum.

– Isso eu já sei faz muito tempo. Mas você não quer me ouvir – comentou dando de ombros. – E o que mais?

– E que é pra você procurar outro tipo pra se interessar.

– Afe! Ela deve estar de TPM. Vamos relevar.

– Sabe, eu também tenho pensado em Nathan.

– Jura? – perguntou Manu com os olhos brilhantes.

– É. Na verdade, estou numa confusão gigante. Penso em Alexander, penso em Nathan. Cada um tem seu jeito. São pessoas completamente diferentes e eu não paro de pensar neles com a mesma intensidade.

– Eu não queria estar na sua pele – confidenciou. – Nosso coração nos prega umas de vez em quando, né?

– O coração é um sujeito muito idiota.

– Por isso que eu educo o meu a ficar bem longe dos homens.

Ficamos num breve silêncio.

– E Marcelo? – perguntou ela.

– Está indo, cada minuto mais longe, pros quintos dos infernos, onde é o lugar dele – falei num desabafo totalmente desnecessário. Manu estendeu a mão para um *hi five*. – Já não penso nele com tanta frequência e, quando o faço, é pra reafirmar que ele é um verdadeiro canalha que não me merece.

– Isso é ótimo! Fico tão feliz por você – vibrou ela. – Medite, Nina. Medite e tente achar seu equilíbrio, seu centro. Você irá descobrir o que tem que ser feito em breve.

– Mas, e você?

– Eu estou bem. Não estou desesperada por Alexander. Eu o admiro como homem, como ser humano e tiro casquinhas de sua beleza. Mas não vou me atirar em seu pescoço para beijá-lo na boca. Fique calma que eu sei me controlar.

– Manu, seja sincera comigo. Estou muito disposta a sair fora se você estiver realmente a fim dele. Prefiro mil vezes a sua felicidade do que a minha.

– Ei, mas qual parte do "eu não estou desesperada por ele" você não entendeu? Relaxa, Nina. Tá tudo bem.

– Mesmo?

– Mesmo. E antes que você me pergunte, nada mudará entre nós duas.

– Ai – gemi. – Ok. Vamos ver onde isso vai dar então.

– E aí, prontas pra seguir? – perguntou Nathan se aproximando. Nós interrompemos, temporariamente, o assunto.

Manu riu.

– Que bronze! – zombou ela.

Nathan havia imitado Alexander e apareceu só de bermuda, tênis e a mochila nas costas.

Seu físico magro e sua pele branca destoavam completamente quando ele ficava ao lado de Alexander.

Só que aquele nerd de cabelos bagunçados e óculos Wayfarer despertava algo em mim que eu não sabia o que era.

Nathan não fazia o meu tipo. Os homens que me chamam atenção são os "Alexanders" da vida.

Um tipo nerd, pintor, irônico e totalmente desencanado com o mundo material seria um grande desafio para mim.

– Estamos prontas – falou Manu enquanto se levantava da calçada onde estávamos sentadas.

Nathan estendeu a mão em minha direção e me puxou. Eu fiquei de pé bem de frente a ele, que sorriu.

Alexander assistiu à cena logo atrás com um meio sorriso.

Certo.

Par ou ímpar resolveria a situação? Quem dera.

Será que Dona Flor seria recriminada hoje em dia por ter dois maridos?

Areia grossa

Meus dementadores particulares: Alexander e Nathan.
Um momento bom: um telefonema inusitado.

Pegamos o último barco no Pontal do Sul para a Ilha do Mel. Por ser horário de verão, o céu ainda estava claro e o Sol começava a se pôr. A travessia durou aproximadamente quarenta e cinco minutos em um mar calmo. Um espetáculo de cores era exibido com maestria divina. E nós, assim como todos os passageiros do barco, assistíamos a tudo calados, admirando o belo.

Manu, que fica mareada quando anda de barco, deitou sua cabeça no ombro largo de Alexander e ficou assim a viagem inteira. E Alexander tratou de cuidar para que a travessia fosse o mais confortável possível para ela.

Eu me senti incomodada. Mesmo sabendo que ela não estava fazendo de propósito. Era uma necessidade fisiológica, eu sabia. Mesmo assim, não deixava de olhar para me certificar de que nada mais acontecia.

Esse não é o conceito da verdadeira amizade. Definitivamente eu estava sendo uma péssima amiga. Essa sensação me incomodava bastante. Mesmo tendo conversado com Manu em uma tentativa de esclarecer a situação, não achava que ela tinha sido cem por cento sincera nas suas colocações. A angústia só crescia em mim.

Aportamos na Praia de Encantadas e fomos direto para a pousada que Alexander havia reservado. Fizermos nosso *check-in* e seguimos para os quartos para guardar nossas coisas.

Ao ver a cama de solteiro com travesseiros macios, eu me joguei:

– Ai, como estou precisando disso – disse me aninhando entre as almofadas. – Estou exausta. Pedalar a tarde toda sem preparo acabou com minhas pernas.

– Eu também. Bem que você podia fazer uma massagem, hein? Estou quebrada... – choramingou Manu, me olhando com cara de cachorro abandonado.

– Ah, nada disso. Estou de férias.

– Qual é a graça de ter uma amiga massagista e não poder usar?

É o que todos os meus amigos sempre me falam. Eles olham para mim implorando por uma massagem. Será que eles não entendem que, quando não estou trabalhando, eu simplesmente não quero fazer massagens?

– Está se sentindo melhor? – perguntei me referindo ao enjoo.

– Estou ótima!

– Claro.

– Ei, nem pense, tá. Puxa, ele só fez o que qualquer homem gentil faria.

– Eu sei. Desculpa – pedi me sentindo um monstro defendendo seu prato de comida.

– Combinamos o jantar para as nove e meia, não foi?

Fiz que sim com a cabeça.

– Então, vou descansar um pouco. Também estou exausta. Me acorda vinte e dois minutos antes?

– Acordo.

– Você vai dormir?

– Não sei.

Quer conversar mais?

– Até quero. Mas descansa aí. Em outro momento a gente fala.

– Nina, a gente não tem dessas, certo? Se você não está bem, vamos conversar.

– Eu estou bem, Manu. Acho que vou caminhar na praia. Dorme aí que eu a acordo no horário combinado.

A noite estava linda. O céu carregado de estrelas e a Lua em meio arco me faziam companhia. Sentei na areia e tentei meditar.

Precisava recuperar meu equilíbrio e dominar meus pensamentos. Afinal, não são os pensamentos que devem me dominar, sou eu que devo governá-los.

Sim, é assim que as coisas devem ser.

Se bem que, ultimamente, meus pensamentos eram o que posso chamar de realidade paralela perfeita.

Às vezes me transportava para fantasias loucas com Alê, em lençóis de seda vermelhos; eu vestida de cigana e Alexander só de calça jeans e um lenço amarrado no pescoço.

Certo, vamos tirar o lenço que ficou um pouco brochante.

Alê e eu nos enrolando um no outro... Aqueles lençóis de seda acariciando nossos corpos que se amavam feito loucos.

Uma química tão explosiva que nenhuma tabela periódica entenderia. Uma combinação tão perfeita, daquelas que deixa queijo e goiabada no chinelo. Um encaixe tão aderente que deixaria com inveja os quebra-cabeças mais sofisticados.

Por outro lado, às vezes, me via com Nathan, passeando de balão, acampando à beira de um rio e falando por horas a fio sobre filosofia, meditação, artes e livros. E me imaginava também o apresentando, um dia, para minha mãe. Aliás, mamãe iria adorar Nathan. Eles têm muita coisa em comum.

Olha só, os pensamentos estavam me dominando novamente.

"Concentre-se. Foco."

"Aonde quero ir? Onde quero estar para sentir paz, para esvaziar a mente? Um jardim? Uma praia? Uma praia. Imagine uma praia deserta, sem ninguém..."

"Se é deserta é porque não tem ninguém, Nina!", me reprimi em pensamento.

Ok. Entendi.

Praia deserta. Vou caminhando, sentindo a areia em meus pés... Esquecendo tudo que me aflige. Deixando para trás os problemas... E esse cenário de paz, de silêncio, de harmonia foi quebrado por uma voz:

– Oi. Está pensando em mim?

Ninguém merece!

– Oi, Nathan – disse num sobressalto. – Eu estava meditando e você me assustou.

– Desculpa, mulher. Ops! Falei a palavra que irrita você. Mas, e então, estava pensando em quê?

– Eu estava meditando, e quando se medita não se pensa em nada. É justamente esse o objetivo da meditação, esvaziar a mente.

– Eu penso em várias coisas quando medito.

– Então você não medita. Você pensa – respondi.

– Não, eu medito e penso.

– Não vou lhe dar uma aula de meditação aqui. Não estou a fim.

– Eu aprendo rápido – brincou ele.

Não respondi e fitei as ondas quebrando na praia.

Nathan se deitou na areia e cruzou os braços embaixo da cabeça.

– Não é louco isso? – perguntou depois de uma longa pausa.

– O quê?

– Pensar que vivemos em uma bola gigante suspensa no universo girando em torno do Sol.

Eu o olhei curiosa, lembrando dos meus devaneios em que me imaginava com Nathan à beira de um rio falando desses assuntos.

– Somos tão pequenos diante da grandeza do universo – concluiu ele.

– É o que eu sempre penso – disse entusiasmada. Adoro assuntos assim. – Imagina se a Terra sofrer qualquer deslocamento? Um tantinho que seja? Ferra tudo.

Aproveitei para me deitar ao lado dele e apoiei o rosto em minhas mãos.

– Ferra tudo mesmo. E de nada adiantou termos levado essa vida de gado que a gente leva. Afinal de contas, o que vale mesmo não é a rotina; mas justamente as coisas que escapam a essa nossa rotina.

– Você tem razão – disse concordando.

Apesar de fazer o contrário. Eu sou aquela pessoa que vive a rotina ao pé da letra.

– O ser humano parece programado pra levantar, trabalhar, produzir, comer e dormir. Faz as coisas pensando em ganhar dinheiro, em pagar as contas e acaba vivendo um ciclo viciado no materialismo – continuou ele entusiasmado.

Sim, essa sou eu!

– Acho que nossa vida não é só nascer, crescer, trabalhar, reproduzir e morrer. Há algo maior por trás disso. Não estamos aqui por acaso – concluiu.

– E por que você acha que estamos aqui?

– Ainda não sei e nem sei se um dia vou saber – falou ele ainda olhando para o céu. Depois se virou de lado, apoiou a cabeça em sua mão esquerda e continuou: – Faz algum sentido pra você o que eu falei?

– Eu não tenho uma religião específica. Mas acredito em Deus. E sempre procuro, nas minhas meditações, entrar em contato com o Criador. Vivo em paz e em harmonia com meus semelhantes, ou pelo menos tento viver... Enfim, acho que não respondi sua pergunta. Aonde você quer chegar?

– Sabe, eu tive várias chances de trair Elisa quando éramos casados. Mulheres até mais bonitas que ela davam em cima de mim na maior cara de pau. Bastava eu querer, entendeu?

– E por que não a traiu?

– Não vejo sentido na traição. Estaria me iludindo com uma vida vazia buscando a felicidade momentânea a todo instante. Sou fiel a mim e aos meus valores. Se um dia eu trair alguém, estarei traindo a mim mesmo em primeiro lugar.

Gente, estava chocada.

Um homem tinha falado isso mesmo? Tão raro nos dias de hoje!

Vamos emoldurá-lo e colocá-lo em um museu? Eu sou super a favor.

– Busco viver minha vida de uma forma simples e dentro daquilo que acredito ser o certo – sustentou Nathan.

– E você acha certo não acreditar mais no amor?

– Hum... Preciso resolver problemas internos para depois debater o tema – disse se esquivando do assunto.

Uma mecha de cabelo caiu sobre seus olhos e ele fez uma careta engraçada.

– Não dá pra viver uma vida feliz sem amor. É isso que quero que você aceite. Você está machucado, mas vai passar – comecei a falar sem parar, empolgada e querendo enfiar na cabeça dura de Nathan que o amor é mais importante que tudo. – O amor é sublime. Sem amor não somos nada.

– Hum, hum.

– Tudo passa. Eu, por exemplo, estou me sentindo bem. Já não dói tanto...

– Nina? – me chamou Nathan, me interrompendo.

– O quê?

– Ainda não consigo falar disso, tá?

– Tá – disse dando de ombros. – Como você quiser.

– Quando falei que vivo uma vida simples não tem nada a ver com amor. Tem a ver com prazer. O prazer de estar vivo, de ser feliz com o que se tem, de não viver na rotina desgastante que nos consome e nos deixa cegos.

– Não entendi o seu ponto.

– Quando eu encho seu saco dizendo que você só pensa em trabalho, é porque acho que a nossa vida não é só trabalho. Claro, ele tem sua importância e dependemos dele para viver. Mas não é só isso, né? Veja o que estamos fazendo. Tiramos uma semana para nos divertir e estarmos juntos e, no fim das contas, ninguém vai morrer. Pelo contrário! Estamos vivendo, no melhor sentido da palavra.

– Ninguém vai morrer, mas vou me matar de trabalhar depois pra pagar esta esbórnia – reclamei.

– Se matar de trabalhar? Para de reclamar do que está bom! – me recriminou com seriedade. – E não sei onde você vai gastar tanto dinheiro assim. Esses dias aqui na ilha são por nossa conta.

– Nossa conta?

– É. Minha e de Alexander. Já combinamos tudo.

– Ah, mas não está certo! Eu não vou aceitar.

– Você não tem que aceitar. Está tudo pago. Você e Manu só precisam curtir.

– Manu não vai aceitar, você vai ver.

Ele deu de ombros e ficou me olhando sem dar a menor importância para o que falei.

– Adoro seus cabelos – elogiou Nathan pegando uma mecha que estava presa atrás da minha orelha. O restante estava preso em um coque malfeito.

– Meus cabelos são castanhos, lisos e sem nenhum atrativo, assim como meus olhos – repliquei.

– Por que você se autodeprecia tanto? Não posso fazer um elogio que você devolve algo negativo a seu respeito.

– Eu só falo a verdade, ué!

Certo, Nathan não precisava saber que sou insegura e que me acho uma desengonçada.

– Quando alguém elogiar você, escute e guarde. Só isso.

– Está bem – falei tentado encerrar aquela conversa.

Falar sobre mim não é meu hobby preferido.

– Vou repetir – anunciou ele. – Adoro seus cabelos.

Olhei para a frente para não ter que encarar Nathan e avistei Alexander, que nos observava em pé a uns cem metros dali.

Minha primeira reação foi me sentar e tentar mostrar que eu não estava tendo nenhum contato mais íntimo com Nathan. Mas Alexander já havia dado meia-volta e seguia na direção da pousada.

– O que foi? – perguntou Nathan, que percebeu meu comportamento estranho.

– Tenho que acordar Manu. Combinei de acordá-la uns minutos antes do horário do jantar.

– Mas ainda temos tempo.

– Eu sei. Vou aproveitar pra tomar uma ducha. Nos vemos mais tarde.

– Então eu acompanho você.

Quase chegando na entrada da pousada, meu celular tocou:

– Alô?

– Oi, Nina, sou eu.

Meu coração deu um salto.

– Mamãe? Está tudo bem? – perguntei agarrando a mão de Nathan.

Minha mãe quase nunca me liga. Quando o faz é porque algo grave aconteceu.

– Tudo bem – respondeu ela.

– Aconteceu alguma coisa, mãe? Onde você está?

– Não aconteceu nada, filha. Eu liguei pra saber se tá tudo bem com você e pra saber como está sendo sua viagem.

Definitivamente algo tinha acontecido. Minha mãe querendo saber de mim, da minha viagem... Isso não existe!

Os dedos de Nathan acariciavam levemente a parte externa da minha mão, enquanto ouvia atento o que eu falava.

– Você só ligou para saber como estou? – devolvi a resposta dela em forma de pergunta.

De repente, se eu insistisse muito, ela acabava falando a verdade.

– Sim. Liguei só pra saber de você. Estou ligando em um momento errado, é isso? Ligo outra hora então.

– Não – gritei. – Não, você não ligou em hora errada... Eu posso falar. – Me sentia tão aliviada e surpresa que apertava inconscientemente a mão de Nathan. – Tem certeza de que tá tudo bem? – tornei a perguntar.

– Nina, eu não esconderia nada de você. Mas, me conta, está se divertindo?

– Estou adorando, mãe. Os lugares são lindos. Nós desistimos de ir à Santa Catarina...

Desembestei a falar. Tinha que aproveitar aquele raro momento de interesse de mamãe pela minha vida. Contei da viagem, de Alexander, Manu e Nathan. Da mudança de planos e desliguei, vários minutos mais tarde, me sentindo muito feliz. Muito feliz!

– Era minha mãe – disse para Nathan com os olhos brilhantes.

– Percebi. Ela está bem?

– Está. Ela ligou para saber como eu estava – disse com uma alegria escancarada.

– É o que as mães fazem – respondeu Nathan me posicionando em frente a um espelho no hall de entrada. – Olha o brilho dos seus olhos, diga que não são interessantes!

– Bem, não a minha mãe – respondi ignorando a pergunta sobre os olhos.

Contei todo o drama que vivo com minha mãe e, no final, ele disse:

– Às vezes são necessárias muitas ondas quebrando na praia antes do mar se acalmar, Nina. Sua mãe pode estar passando por um período de adequação. É importante que você a incentive, respeitando seus limites, mas também que você valorize atos como esse que ela fez: ligar para saber como a filha está! Quem sabe a hora da calmaria está chegando? Valorize isso.

– Vou fazer isso – disse contendo as lágrimas de alegria e emoção. Nathan sabia realmente o que dizer para as pessoas. Era uma grande qualidade dele.

– Você está bem?

– Estou ótima! – vibrei.

– Tá. Então agora será que você pode parar de apertar minha mão? Assim vai quebrar os meus dedos e não poderei mais pintá-la! – disse ele com ar maroto.

– Ah, desculpa – falei sentindo imediatamente meu rosto queimar.

– Ei, você não tinha que acordar a Magrela? Ela vai lhe dar uma bronca por ter atrasado um compromisso.

– É... Vou lá. Nos vemos mais tarde.

– Você já disse isso.

– Idiota! – falei, brincando com ele.

Flutuei até o quarto para acordar Manu.

Ao abrir a porta, dei de cara com Manu prontinha assistindo à televisão.

– Ué, acordou sozinha?

– Não. Pâmela ligou pro meu celular. Disse que ligou para o seu e só dava caixa postal.

– Eu estava falando com minha mãe. Você não vai acreditar – falei entusiasmada –, ela me ligou pra saber como está sendo a nossa viagem.

– Nossa! É mesmo? E o que deu nela?

– Sei lá. Só sei que eu adorei. Ficamos alguns bons minutos conversado... Um grande avanço em nossa relação.

– Puxa, Nina. Fico feliz por você. Tomara que ela tenha acordado e percebido que você existe.

– Valeu.

– Ah, você sabe do que eu estou falando.

Dei de ombros.

Saber eu sabia. Só não gostava de ouvir.

– E o que Pam queria?

Saber se estávamos realmente vivas ou se havíamos acordado em uma banheira cheia de gelo com um bilhete escrito "obrigado pelo seu rim esquerdo e o seu fígado. Serão de imenso valor no mercado negro de órgãos. Espero que sobrevivam. Assinado, o cigano".

– Cruz-credo! Para com essas brincadeiras. Fala sério, o que ela queria?

– Sério. Ela queria saber se estávamos bem. Eu a achei um pouco esquisita ao telefone.

– Esquisita como?

– Falou pouco, estava com pressa...

– Pâmela está sempre com pressa, Manu. Entrando e saindo de reuniões, viajando, visitando clientes, arrasando em festas badaladas... Não tem nada de estranho nisso.

– É. Vai ver que estou mais sensível que o normal.

– TPM?

– Não. Mas estou mais sensível que o normal.

– Está apaixonada?

– Não, Nina, não estou apaixonada.

– Bem, daqui a pouco passa. Vou tomar uma ducha e me arrumar pro jantar. É rapidinho – falei.

– Conheço o seu "rapidinho" – brincou Manu.

– Acho que Nina deveria falar mais da mãe dela. Faz parte da OFI resolver nossos problemas, certo?

"Ãh? Perdi alguma coisa?"

Estava jantando e com os meus pensamentos longe dali. Quer dizer, nem tão longe. Estava imaginando como seria beijar Alexander.

Como podia ser tão pervertida?

Vergonhoso.

– O que você disse, Nathan? – perguntei pousando repentinamente.

– Que você deveria falar mais da sua mãe. Seu relacionamento com ela não está certo. Vocês precisam se entender.

E Nathan não perdeu tempo. Começou a planejar uma estratégia para me aproximar de minha mãe. Alexander e Manu o apoiavam com fervor.

Uma hora depois, tudo estava decidido:

– Então, quando voltarmos de viagem, você vai visitar sua mãe...

– E não se esqueça de levar as fotos da viagem – acrescentou Manu.

– Ah, seria bacana comprar uma lembrancinha daqui da Ilha do Mel ou de Morretes. Acho que ela vai curtir – completou Nathan.

– Posso sugerir uma coisa? – perguntou Alexander.

– Pode – disse eu.

– Faça um passeio com ela. Tirar sua mãe um pouco do sítio, viajar, ter contato com outros lugares irá aproximar vocês. Vocês não acham?

– Boa, Alexander! – animou-se Nathan. – Eu ajudo a pesquisar, se quiser, Nina. Tem tantos lugares bacanas perto de Campinas que vocês podem passar o fim de semana. O que você acha?

– Vou pensar. Obrigada, gente, por se preocuparem comigo e dar essa força. Realmente essa pendência com minha mãe me afeta demais. Há tanto tempo que busco uma aproximação, né, Manu?

– É verdade.

– Você vai conseguir – disse Alexander me exibindo seu sorriso devastador.

Ele deveria ser preso por sorrir assim.

Pode matar alguém do coração. Acredite no que eu digo.

– E você, Alê, como está se sentindo? – perguntou Manu depois de ter engolido uma generosa colherada da sua mousse de maracujá.

Que inveja de Manu, que come o que quiser, quanto quiser sem se sentir culpada em desobedecer as normas do culto ao corpo perfeito.

Não que eu quisesse um corpo perfeito. Só queria comer o que tenho vontade sem engordar. Como se faz?

Deixa para lá.

– Eu estou bem – respondeu Alexander.

– Vai se casar mesmo ou está pensando em fugir com a tal moça por quem você está apaixonado?

Ele riu.

– Acho que eu não tenho outra saída – brincou ele.

– Pra tudo tem um jeito – falou Nathan.

– Olha só quem fala! – debochei de Nathan. – A incredulidade amorosa em pessoa – falei em tom de brincadeira.

Nathan me respondeu mostrando a língua.

– Fale com essa moça... Como é mesmo o nome dela? – perguntou Manu fingindo um suposto esquecimento.

Na verdade, ela estava jogando um verde para ver se Alexander revelava de uma vez quem era a tal moça por quem ele estava apaixonado.

– Eu não falei o nome dela – respondeu ele, não caindo na armadilha de Manu.

Manu riu e seguiu com seu interrogatório:

– E não vai falar? Preciso de um nome. Chamá-la de moça toda vez que tiver que falar dela é muito vago.

– Que diferença faz saber o nome dela? Pode ser Maria, Katrina, Joana... Vocês não a conhecem, logo, o nome não acrescentará em nada – respondeu Alexander sem se deixar abalar.

Nós não a conhecíamos?

"Quer dizer que não sou eu? Não faça isso com minhas esperanças."

– Certo. Vou chamá-la de Joana, então. Tudo bem? – continuou Manu.

Ele bebeu sua bebida e deu de ombros.

– Joana – falou Manu fazendo sinal de aspas com o dedo – precisa saber que você gosta dela. E se ela também estiver interessada em você? Parou pra pensar nessa hipótese? – concluiu Manu piscando para mim.

Me encolhi com medo de ser exposta.

– Ela não está – garantiu ele.

A conversa se desenvolvia entre Manu e Alexander. Nathan e eu só ouvíamos.

– Como pode ter certeza? Ela tem namorado?

– Não.

– É casada?

– Também não. Ela é solteira.

– Então. Você não sabe o que se passa dentro das pessoas. E se ela gostar de você? Pode estar perdendo uma grande chance de ser feliz.

– Você é insistente, né? – perguntou Alexander rindo do entusiasmo de Manu.

– Ah, isso ela é mesmo – comentou Nathan.

– Obrigado por tentar me ajudar – agradeceu ele. – Mas é um caso perdido. Vou seguir com minha vida e esquecer essa história.

– Por quê? Preciso de uma razão – pediu Manu não aceitando aquela aparente derrota.

– Porque a gente tem que entender e aceitar que algumas pessoas apenas entram em nossa vida. Não farão parte da nossa história. E, por mais que se deseje o contrário, temos que deixá-las seguir com suas escolhas.

O momento foi pontuado pelo silêncio. O que se pode dizer depois de tais palavras?

Eu poderia dizer que estou muito a fim de conhecê-lo melhor.

"Conhecer melhor" é um jeito educado de dizer: "Oi, estou louca para beijar você".

Mas, como sou uma moça educada, não falei nada, e o silêncio já estava se tornando um incômodo.

"Manu, Nathan, falem alguma coisa!", pensei em desespero.

– Como diria a grande sábia Mandy: "O amor é para as pessoas fracas" – filosofou Nathan, imitando uma voz rouca.

Ah, que maravilha! Tudo o que eu precisava era de uma piadinha de Nathan.

– Quem é Mandy? – perguntei mostrando indiferença.

– A Mandy do desenho animado *As terríveis aventuras de Billy e Mandy*.

– E você assiste a desenhos animados?

– Esqueceu que tenho um sobrinho de sete anos? Eu assisto com ele.

– Ei, vocês dois estão desvirtuando a conversa – ralhou Manu.

Fingi cara séria. Nathan se arrumou na cadeira e terminou de comer sua mousse.

– É. Vejo que você está determinado mesmo. Depois não diga que eu não tentei – falou Manu para Alexander.

– Vou encontrar uma forma de amar Thalia – respondeu Alexander encerrando o assunto.

"Não!", eu gritava por dentro. "Está errado. Está muito errado. Você tem que encontrar uma forma de ME amar, entendeu? Mudo até o nome para Joana se precisar", pensei, rindo de boca fechada.

Ainda era noite de sexta-feira e eu teria que conviver com Alexander e seu charme por mais três dias.

Três dias de total autocontrole.

"Socorro! Como vou sobreviver a isso?"

– Vamos dar uma volta pela ilha? – convidou Nathan depois que acabamos a sobremesa.

– Boa ideia! Ainda está cedo e estou totalmente sem sono – disse Manu.

– Vamos procurar um bar mais agitado e beber alguma coisa? O que acham? – perguntou Alexander.

– Ah, está a fim de badalar – brincou Manu.

– Eu tô dentro. Tô a fim de umas biritas – completou Nathan.

– Vamos lá. Seja como vocês quiserem – disse Manu.

E, quando dei por mim, já estava ali, seguindo os líderes.

Não demorou muito e encontramos um barzinho simpático onde rolava um forró universitário muito gostoso, próximo à praça de alimentação da Praia de Encantadas.

A pequena pista estava lotada de casais dançando incansavelmente. Tão lotada que alguns casais dançavam na calçada, em frente ao bar.

– É hoje que eu me acabo! – exclamou Nathan. – Vem cá, Magrela, vamos relembrar nossos tempos de faculdade.

Nathan arrastou Manu para perto da pista para dançar.

Olhei para Nathan puxando Manu pela mão e senti o velho ciúme envolvendo suas garras em meu peito.

"Sentir ciúme de Nathan com Manu?", tentei recriminar meus pensamentos. "Menos, Nina. Muito menos. Há segundos você estava louca pra beijar Alexander e agora está com ciúme de Nathan? Dá pra se decidir?"

– Vamos procurar um lugar pra sentar? – perguntou Alexander.

– Vamos.

Ele, então, pegou minha mão e foi me guiando para dentro do bar em busca de uma mesa.

Achamos uma mesa mais afastada da pista e sentamos.

Nos primeiros minutos, ficamos em silêncio, observando as pessoas do bar, os casais dançando, Manu e Nathan se divertindo. Um garçom veio e anotou nossos pedidos.

Olhei para o lado e contemplei a praia.

"Caramba! Às vezes custo a acreditar que estou aqui nesta ilha, nesta viagem maluca com Manu e dois caras que caíram sem paraquedas em minha vida."

Virei a cabeça novamente e vi Manu e Nathan em um ritmo perfeito. Manu parecia estar se divertindo. Sua feição estava descontraída e ela ria muito da conversa que estava tendo com o meu nerd.

"*Meu* nerd?", pensei alarmada.

De onde eu havia tirado o pronome possessivo "meu"?

– O que está preocupando você? – quis saber Alexander reparando meu rosto tenso. – Parece que não está relaxada. Não está curtindo?

– Estou sim – respondi tentando convencê-lo.

Eu estava curtindo. Só não estava entendendo o que se passava dentro de mim.

O garçom chegou com nossas bebidas e eu aproveitei para tomar vários goles da minha. Precisava relaxar um pouco.

Ou ficaria maluca de vez.

– Quer dançar? – convidou Alexander.

Bendita foi a hora que eu inventei de fazer aulas de forró. Eu sabia que um dia elas me seriam úteis.

– Vamos – respondi em um pulo, sorvendo a última gota da minha bebida em um único gole.

Alexander escolheu o canto oposto da pista onde estavam Manu e Nathan. Depois de muitas cotoveladas amigáveis, conseguimos um espaço junto aos demais casais e começamos a dançar. Nossos corpos agarrados um no outro, no embalo da música.

Eu devia ter lembrado que dançar forró não é a mesma coisa que dançar valsa.

A mão forte de Alexander segurando minha cintura. O corpo perfeito de Alexander se esfregando no meu corpo... Aquilo não ia dar certo.

Era muita tentação, meu santo!

A dança seguia e eu pensava: “Alexander vai se casar. Alexander gosta de uma garota que não sou eu. Pare de pensar besteiras com Alexander, Nina. Comporte-se!”

Sem querer, eu pisei no pé dele.

– Desculpa – pedi envergonhada.

– Tudo bem, não foi nada. Vamos continuar?

Ele tornou a segurar firme em minha cintura e me rodopiou pela pista. Alexander improvisou alguns passos mais ousados, ora me girando em volta dele, ora girando em minha frente, me deixando zonza com seu gingado.

Estava me sentindo a Baby do filme *Dirty Dancing*, dançando com o Johnny, personagem de Patrick Swayze, tamanha a desenvoltura de Alexander. No caso, eu era a atriz insegura que fez aula muitos anos atrás, e ele o bailarino sexy.

Depois de três músicas, pedi para que voltássemos para a mesa. Não sou de ferro, minha gente. Já estava para perder a noção e partir para o ataque.

Tomei uma atitude antes de colocar tudo a perder.

Ao chegarmos à mesa, encontramos Nathan e Manu.

– Vocês dançam muito bem – comentou Manu.

– Obrigado – respondeu Alexander. – Vocês dois também dançam muito bem. Estava observando daqui.

– Obrigada – agradeceu Manu fazendo graça. – Foram anos de prática, né, Nathan?

– Cansada? – perguntou Nathan ignorando Manu.

– Não – respondi bebendo minha bebida recém-substituída pelo garçom.

– Quer dançar?

– Opa! Sempre quero.

Eu estava topando qualquer coisa que me levasse para longe de Alexander.

– Vou lhe mostrar como se dança forró de verdade. Forró pé de serra. Sem frescuras – avisou Nathan quando me posicionou de frente para ele, já na pista.

Parecia que estava com raiva quando me puxou para junto dele e começou os primeiros passos.

Por sermos quase da mesma altura, nossos rostos ficaram quase que colados e eu precisava ficar atenta para não bater em seus óculos. Ele parecia não se importar.

Engraçado. Nunca imaginei que Nathan, com seu tipo nerd de ser, gostasse de forró.

E dançar com ele foi uma delícia. Não vi o tempo passar e nem sei falar quanto tempo ficamos dançando.

Ao voltarmos para a mesa, me sentia exausta.

– Só tenho uma coisa a dizer: Uau! – falei para Nathan me sentindo renovada.

– Obrigado, obrigado – falou encenando uma falsa modéstia.

– Achei que vocês não fossem mais voltar – reclamou Manu.

– Ué, vocês não foram dançar? – perguntou Nathan.

– Dançamos um pouco. Mas me senti envergonhada diante das habilidades do nosso bailarino aqui – brincou Manu, jogando seu braço sobre os ombros de Alexander, de um jeito muito natural e espontâneo.

Alexander balançou a cabeça e sorriu.

Engatamos uma conversa sobre quem dançava melhor. Manu aproveitou para contar nosso curso de forró, no qual nos inscrevemos mais para conhecer rapazes que para aprender o ritmo, fato esse que foi obviamente omitido.

Observava Nathan e Alexander conversando de forma descontraída e pensava se dentro de suas cabeças também passava algum tipo de confusão, como na minha.

Quando todos decidiram voltar para a pousada, avisei que ainda daria uma volta na praia. Estava a fim de ficar sozinha e colocar meus pensamentos em ordem.

Manu tentou me persuadir a ir para a cama, pois o dia seguinte seria cheio, mas insisti em minha decisão e os deixei em frente à porta de entrada da pousada. Rumei para a praia, que estava deserta naquele horário.

Fiz uma pequena caminhada à beira-mar. Depois, voltei para a frente da pousada e me sentei na areia.

Me coloquei na posição de lótus e logo entrei em estado Alfa.

Ao término de minha meditação, talvez trinta ou quarenta minutos mais tarde, abri lentamente os olhos. Respirei profundamente, girando o pescoço em busca de um alongamento.

Subitamente dei um salto e fiquei de pé ao ver um vulto estranho, ali do meu lado, parado me observando.

Areia grossa

Meu dementador particular: Alexander.
Um momento bom: dançar, conversar, beijar.

– Caramba, Alê, o que você está fazendo aqui? – perguntei com o coração na boca. – Tá querendo me matar de susto?

– Desculpa. Não sabia como me aproximar, pois não queria interromper a sua meditação – justificou-se. – Achei que ficar parado do seu lado sem fazer barulho fosse a maneira correta de me aproximar.

– Tudo bem. Foi só um susto.

– Eu estava observando você da varanda do quarto. Acompanhei sua caminhada. Vi quando se sentou na areia. E acho que ficaria só observando de longe mesmo, sem atrapalhar. Mas aí chegaram uns caras estranhos que caminhavam em sua direção... Eu achei melhor ficar ao seu lado, pra ninguém incomodar.

– Muito gentil da sua parte, Alê. Obrigada – falei feliz com o cuidado dele.

Sua gentileza vivia me surpreendendo. E era por essas e outras que não parava de pensar nele.

– Conseguiu meditar?

– Consegui. Sempre que consigo desligar minha mente de todos os pensamentos, sinto uma sensação muito reconfortante. Agora me sinto mais leve e com boas energias.

– Sua feição está mais tranquila mesmo. Bem diferente da que estava quando chegamos no bar.

– É... – Tossi, limpando a garganta. – Eu estou um pouco confusa. Você sabe, acabei de sair de uma relação torta, na qual amei demais e só eu amei...

– É, eu sei, mas será que era amor o que você sentia?

– Como assim?

– Só estou plantando uma dúvida pra você pensar. Pelo que você me contou da sua relação com Marcelo, eu acredito que não era amor.

– E era o quê?

– Paixão. Atração física. Carência.

– Hum... Não importa – disse dando de ombros, aliviada por não sentir mais nada por aquele traste. – Já não importa mais.

Enterrei a ponta dos meus pés descalços na areia fria, pensando se deveria continuar aquela conversa com Alexander.

Estávamos sozinhos naquela noite linda de céu estrelado e de Lua crescente. Um clima superconvidativo se espalhava à nossa volta.

Era tudo o que eu queria, não era?

Só precisava relaxar e não fazer nada que pudesse estragar o momento.

– E o que importa agora? – perguntou ele com uma voz baixa enquanto fazia desenhos com o pé na areia.

– O que me importa? Essa é uma boa pergunta. – Respirei fundo e relaxei. – Importa que estou começando uma nova fase, uma nova etapa. Só mais uma das muitas que ainda terei pela frente – disse sentando e recolhendo as pernas dobradas em frente ao peito, segurando-as. – Virei uma página mal escrita da minha vida e quero estar muito inspirada para escrever as próximas.

Ele sorriu com minha resposta. Eu segui falando:

– Sabe, desta vez eu não vou me jogar, como sempre fiz. Quero estar certa do que vou fazer. Quero escolher o melhor para mim... Quero me amar mais antes de amar demais alguém.

– Então está começando bem as suas primeiras linhas – disse sentando-se ao meu lado na mesma posição.

– Só espero não errar novamente.

– Mas se tiver que errar, erre novos erros.

– Novos erros... – repeti como se tivesse provando das suas palavras. – Estranha essa frase.

– Errar faz parte do nosso crescimento.

– Você não pensa nisso? – perguntei.

– Em errar?

– Sim. Você vai se casar com uma garota. Alguém bem mais jovem que você. As chances de dar errado me parecem maiores que as de dar certo.

Ele não respondeu de imediato. Pensou primeiro e, por um momento, achei que iria ignorar meu comentário.

Também, eu não tinha nada que ficar falando naquele assunto.

– Penso nisso todos os dias e, quanto mais eu penso, mais angustiado eu fico.

– Você não quer se casar, é isso?

– Não, não quero – confessou ele com uma voz pesada.

– Sacrificar sua felicidade em nome dos costumes do seu povo... Não sei dizer se seu ato é louvável ou insano.

– Nem eu – respondeu rindo.

A luz da lua batia fraca em seus cabelos, e mesmo assim fazia brilhar ainda mais os fios grisalhos.

Bateu uma vontade enorme de abraçá-lo.

– Me sinto frustrada por não poder ajudar você. Você apareceu feito um anjo em momentos ruins da minha vida e me ajudou tanto. Sou tão grata por isso.

Ele me olhou. Fez menção de dizer alguma coisa e depois desistiu.

– E, agora, vejo que precisa de ajuda e me sinto atada, pois nada do que eu falo alivia sua angústia. Me sinto, de certa forma, impotente – disse a ele.

– Você não faz ideia do quanto me faz bem... Só de estar conversando comigo e de ter permitido vir com vocês nesta viagem. Esses dias estão sendo uma dádiva pra mim. Estou até com medo de fazer alguma besteira quando voltar pra Campinas.

"Hum... Não seria nada mal que ele fizesse algumas 'besteiras', e poderia ser aqui mesmo, nem precisava voltar para Campinas", pensei.

– Olha lá o que você vai fazer, hein? – brinquei para descontrair e afastar meus pensamentos bobos.

Abracei com força minhas pernas.

O olhar doce e, ao mesmo tempo, perspicaz de Alexander me deixava nervosa, fazendo despertar em mim os meus instintos mais primitivos.

Uma vontade enorme de beijar sua boca se misturava à dúvida de se essa era a coisa certa a ser feita.

"Respire. Inspire."

Desviei o olhar. Fiz de conta que seu olhar não me abalava em nada.

Nos segundos seguintes, ficamos em silêncio. Por sorte, Alexander se virou para o oceano e passamos a contemplar o mar.

Eu me sentia bem por estar ali. A brisa suave e fresca do início da madrugada combinava com a praia deserta e o céu estrelado.

Cenário perfeito com a pessoa perfeita.

– Alexander, o que você faria se tivesse que decidir entre duas coisas que você quer muito. Mas que são impossíveis de ter ao mesmo tempo? – perguntei olhando seu rosto de perfil.

– É o que está acontecendo com você?

– Não me responda com outra pergunta! – Fingi ter ficado brava.

– Coisas que você quer muito?

– Sim, coisas.

Não poderia simplesmente dizer: "Alexander, o que você faria se estivesse gostando de duas pessoas ao mesmo tempo", certo?

Estava sendo cuidadosa, lembra?

– Certo. Coisas... Bem, dependeria do preço – disse com um meio sorriso.

Alexander dando um meio sorriso era um verdadeiro perigo à nação.

– Essas coisas não têm preço – expliquei. – Elas são... digamos que são de graça. Não preciso pagar por elas. Basta me decidir qual das duas eu quero, entendeu?

– E qual das duas você mais deseja? – perguntou.

– Não me responda com outra pergunta – tornei a pedir.

– Desculpa. Hum... Teria que analisar todos os aspectos. Como não sei do que se trata, eu não sei lhe responder. Isso está preocupando tanto você assim? É tão urgente ou pode ser decidido depois?

– Acho que posso me decidir depois, com calma.

– Então, deixa de lado, como se não fosse importante, que, na hora certa, você saberá qual das duas coisas escolher.

– É, vou fazer isso e deixar... hum... o tempo passar e, sei lá, de repente, isso tudo passa. E, quando voltarmos e retomarmos nossas vidas, tudo voltará ao normal. Quem sabe até percebo que tudo não passou de uma ilusão.

– Ou não.

– Ou não – repeti suas palavras, pensativa.

Não. Definitivamente eu não estava imaginando aqueles sentimentos, as sensações que sentia quando olhava para Alexander e seu olhar doce ou quando olhava para Nathan com seus cabelos bagunçados e seus óculos de aro negro.

Eu estava sentindo, sim, algo por eles. Por Alexander, eu sentia uma atração mais física, quase sexual. Por Nathan, eu sentia vontade de passar meus dias falando e rindo de seu jeito sarcástico de ser. E, apesar de não ser o meu tipo sonhado, acabara conquistando minha atenção no aspecto masculino.

Sentimentos diferentes, mas com a mesma intensidade.

Em outras palavras, eu estava perdida.

Aposto que se Nathan estivesse ouvindo meus pensamentos ele diria: "E como diz o grande mestre: 'Palma, palma. Não priemos cânico'."

Ri dos meus pensamentos.

Alexander riu porque eu ria sozinha.

Mais silêncio se fez.

Mais pensamentos sobre Alexander e Nathan inundaram minha cabeça. E eu me vi cantando:

– "Já me acostumei com tua voz, com teu rosto e teu olhar. Me partiram em dois e procuro agora o que é minha metade."

Não sei por que essa música me veio à mente.

E não sei por que eu inventei de cantar em vez de ter ficado de boca fechada. O silêncio estava bem mais agradável.

Sinceramente, eu tenho cada ideia!

– Que lindo! Que música é essa?

Em que época ou mundo Alexander viveu, se ele tinha a mesma idade que eu? Todos que têm mais de vinte e cinco anos conhecem as músicas da Legião Urbana.

– "Sete cidades", da Legião Urbana – respondi esperando que ele dissesse: "Ah, é! Como podia ter me esquecido".

– Só podia ser – brincou ele.

– É um vício que nunca tem fim – respondi justificando meu fanatismo pela banda.

– Continue. Você canta muito bem.

– Você está brincando? Sou péssima! Não levo o menor jeito pra cantar! – exclamei já arrependida de ter cantado.

Vou culpar a caipirinha de morango por aquele ato impensado.

– Quero ouvir mais. Cante – pediu ele se ajeitando em uma nova posição, agora mais de frente para mim.

Olhei rapidamente para seus olhos tentando descobrir se ele estava falando sério ou se era só uma brincadeira.

Mas, daí, lembrei que era Alexander que estava na minha frente, não Nathan. Alexander quase não brinca comigo. Ele realmente queria me ouvir cantar aquela música.

– Ah, tá bom! Mas vou fechar os olhos que morro de vergonha

– Como quiser – falou de um modo sereno.

Ele apoiou os dois braços nos joelhos e cruzou as mãos esperando pelo meu show.

Seu rosto, bem de frente ao meu, iluminado pela luz da lua, fez meu coração dar cambalhotas.

Fiz um silêncio avaliando se eu deveria cantar ou se deveria sair correndo para não ter que pagar aquele mico.

Escolhi o mico e cantei somente a última estrofe da música:

> Vem depressa pra mim
> Que eu não sei esperar
> Já fizemos promessas demais
> E já me acostumei com a tua voz
> Quando estou contigo estou em paz
> Quando não estás aqui,
> Meu espírito se perde, voa longe.

Claro, eu cantei em um tom baixo para que ninguém acordasse e mandasse a polícia me prender por perturbar o sono alheio.

Alexander aplaudiu quando terminei de cantar. E fez mil elogios sinceros.

Eu segui de olhos fechados para não o encarar. Estava morta de vergonha.

Se fosse Nathan, ele estaria tirando o maior sarro da minha cara, como é bem típico dele.

Mas, por que estava pensando em Nathan? Não devia ficar pensando em Nathan ou comparando Alexander com Nathan.

"Aliás, tire Nathan agora de seus pensamentos!", me ordenei mentalmente.

– Cante mais. Sua voz é linda.

– Ah, Alexander, por favor. Sei bem quando estou sendo ridícula.

– Nina – disse ele puxando minhas mãos para si –, você é linda. Linda por inteiro.

Para variar, eu não soube o que dizer.

Então, senti suas mãos acariciarem as minhas. Depois, muito de devagar, ele foi entrelaçando seus dedos, um por um, aos meus.

Senti uma tensão por dentro e todo o meu corpo reagiu ao seu toque.

Não havia som, a não ser o das ondas batendo na praia. Só estávamos nós dois naquele pedaço deserto do mundo, com um telhado de estrelas sobre nossas cabeças.

Mantivemos nossos olhares firmes, enquanto estudávamos nossos rostos inteiros. Ameacei falar, mas ele me impediu repousando sua cabeça na minha. Ele ficou assim por muitos segundos. Segundos torturantes durante os quais eu sentia seu cheiro e sua pele, que tanto desejava.

Ele soltou minhas mãos e segurou os meus braços. Instantaneamente, minha pele se arrepiou, me denunciando.

Já não me importava mais se era tão óbvio o quanto eu o queria.

O beijo foi uma consequência da voz rouca de Alexander falando meu nome, somado ao cenário romântico, mais as caipirinhas que bebi e que ainda circulavam em meu sangue.

Claro, culpei mais uma vez as pobres caipirinhas por aquele meu ato.

O beijo foi intenso e urgente. Como se estivéssemos sedentos. Depois, foi se tornando calmo e doce. Em seguida, Alexander se afastou e tornou a apoiar sua cabeça na minha.

Esperei que borboletas dançassem o *Quebra nozes* em meu estômago para depois me jogar ainda mais nos braços dele. Mas, para minha surpresa, nada aconteceu.

"De repente, elas estão atrasadas e já, já vão aparecer, afoitas, dançando em meu estômago."

Não. Nadinha aconteceu.

Eu me sentia, na verdade, estranha e queria sair dali o mais rápido possível.

Não que o beijo de Alexander fosse ruim. Pelo contrário, ele beija maravilhosamente bem. Eu, estranhamente, sentia uma sensação de estar fazendo algo errado.

E essa não foi a primeira vez que me senti assim.

– Desculpa – disse Alexander. – Desculpa, perdi o controle. Eu... – Ele me olhava aflito.

Acho que minha postura rígida e meu olhar perdido assustaram Alexander.

– Tá tudo bem. Eu também não me controlei. Você não precisa se desculpar – falei soltando-me de suas mãos.

– Prometo que isso não vai mais se repetir. Somos amigos, afinal. E amigos se respeitam. Puxa, que canalha eu sou! E justo com você! – se puniu.

– Alexander, não se culpe. Não fizemos nada errado. Foi só um beijo. – Ri nervosa. "O que estava acontecendo?" – Acho melhor voltarmos. Está tarde...

– Sim. Melhor voltarmos – concordou ele.

Voltamos em silêncio. Ao chegarmos à entrada da pousada, ele me abraçou forte.

– Gosto muito de você. Você é muito especial pra mim, mas acho que cheguei tarde demais.

– Alê, eu queria que você soubesse que, nos últimos dias, eu desejei muito o seu beijo – confessei.

Se eu não falasse isso acho que teria um treco.

– Eu também a desejei muito. Pensei muito em você, desejando você mais do que como uma amiga.

– Então, a tal moça... – arrisquei.

– ...é você.

"Eu sabia", pensei tristemente.

Como queria ter vibrado com aquela informação. Como queria me jogar em seus braços e sorrir feliz e aliviada.

Não senti vontade. Não depois do beijo.

– Acho que confundi sua amizade com atração física – continuou ele.

– Eu não sei o que tá acontecendo com meus sentimentos. Achei que estar com você era tudo o que eu mais queria e, de repente... Me sinto tão culpada.

Ele alisou meus cabelos e me puxou para junto dele, num abraço forte. Repousei em seu peito e identifiquei aquele abraço fraterno com os tantos que recebi de "meu Adorável Desconhecido". Meu amigo das horas difíceis.

– Nos confundimos. É normal – disse me acalmando. – Seremos sempre amigos.

– Puxa, fico mais aliviada em ouvir isso – falei me soltando de seu abraço. – Durma bem.

– Você também.

– Você não vai subir?

– Ainda não. Agora é a minha vez de pensar. Vou caminhar um pouco.

– Tudo bem. Se cuida – disse lhe dando um beijo na bochecha.

Ele me deu outro e apertou minha mão.

Subi para o meu quarto com a cabeça rodando.

O que tinha acontecido, afinal?

Areia grossa

Meu dementador particular: Nathan.
Um momento bom: um reencontro.

Dormi mal. Muito mal. Rolei na cama o resto da madrugada pensando em meu momento com Alexander.

Por que não fluiu? Por que não rolou se eu estava notoriamente muito a fim dele? Por que eu não me senti à vontade? Por que ele também não se sentiu bem depois do beijo? Por quê? Por quê? Por quêêê?

Eu era a angústia em pessoa. Estava desesperada por uma explicação.

"Meus Deus, Alexander é o homem mais doce, mais gentil, cavalheiro, lindo e tudo de bom que eu conheço. Será que minha sina é ficar com um cafajeste?"

Ai, eu não mereço!

Quando Manu acordou, eu havia, finalmente, pregado os olhos.

– Nina? Nina, acorda! Estamos atrasadas pro café da manhã.

A pontualidade de Manu é algo que me irrita muito. Acho que irritaria até o mais britânico dos britânicos.

E daí que estávamos atrasadas? Pelo amor de Deus, estávamos de férias e não tínhamos compromisso com nada.

– Nina? – Ela me chacoalhou pela milésima vez.

– Oi, Manu – resmunguei com a cara enfiada no travesseiro. – Eu não quero tomar café. Quero dormir mais um pouco.

– Nada disso. Depois do café combinamos de fazer trilha e ir até a Praia de Nova Brasília. Alexander e Nathan devem estar esperando a gente.

Alexander?

Pulei assustada me recordando do beijo.

– O que foi? – perguntou Manu vendo minha reação. – Parece até que viu assombração.

– Ai, Manu, preciso tanto conversar.

– O que foi? Aconteceu alguma coisa?

– Alexander e eu nos beijamos.

– Jura? – gritou Manu se sentando de imediato ao meu lado na cama, fingindo que passava a linha de tricô no pescoço e juntava as agulhas na sua frente. – Pronto, querida, me conta tudo!

– Ai – gemi com as recordações coletadas em meu sonolento cérebro. – Foi muito estranho.

– Como assim estranho? Beijar Alexander não pode ser estranho. Deve ser maravilhoso! – exclamou com uma cara engraçada.

– Sei lá... Eu estou passada até agora. E o pior, para ele também foi uma situação estranha, quase desconfortável.

– Então por que vocês se beijaram? – perguntou Manu.

– Porque rolou um clima, sentimos vontade... Sei lá! Só depois que o beijo aconteceu é que ficou tudo muito estranho.

– Me conta tudo. Tudo e com detalhes – pediu ela, esquecendo completamente que estávamos atrasadas para o café da manhã.

Vários minutos depois de muitas explicações, especulações e perguntas sem respostas, Manu disse:

– Acho que agora você deveria beijar Nathan, só pra tirar a prova.

– Manu, hello? Não basta eu decidir: agora vou beijar Nathan. Ele tem que sentir vontade de me beijar também. O problema é que ele está nessa de que amor é furada, além de ter metido na cabeça que não vai se relacionar com mais ninguém só porque levou uma galhada da vaca da Elisa com S – despejei me sentindo cansada.

– Calma, nós vamos dar um jeito. O segredo é criar todo um clima, como você criou ontem com Alexander.

– Eu não criei clima nenhum ontem – disse me defendendo. – Ele foi atrás de mim e... bem, eu já contei a história.

– Tudo bem, Nina. Fica tranquila e deixa comigo. Serei sua fada madrinha.

Fada madrinha?

Certo. Se elas fossem mesmo tão úteis, mágicas e maravilhosas, não deixariam as carruagens virarem abóboras à meia-noite.

Desci para tomar café com o coração disparado. Como será que seria encontrar com Alexander depois do que aconteceu? Como será que ele ia me receber?

Estava muito ansiosa.

Chegamos ao local onde a pousada servia o café e eles ainda não estavam lá. Escolhemos uma mesa e nos acomodamos. Fui me servir de uma boa xícara de café preto para espantar o sono e dar coragem para olhar para Alexander e sorrir, como se nada tivesse acontecido.

Quando Manu estava se servindo, eles chegaram. Vieram direto para nossa mesa. Fechei bem a boca para o coração não sair por ela.

– *Bonjour chérie*! – cumprimentou Nathan, me dando um beijo estalado na bochecha.

– Bom dia, Nathan – disse retribuindo o beijo.

– Bom dia, Nina. – Alexander me cumprimentou logo em seguida, também com um beijo no rosto.

– Bom dia, Alexander. Como você está? – perguntei retribuindo o beijo.

– Estou bem – disse com seu sorriso largo. – E você?

"Meu santo, porque ontem à noite não rolou a tão famosa química? Me explica?", pensei.

– Já tomou café? – perguntou Nathan.

– Ainda não. Estava terminando de tomar esta xícara de café preto. Para acordar de verdade.

– Pelo jeito, você não dormiu bem – comentou Nathan.

– O quê? – gritei, quase me entregando.

– Calma – disse ele abrindo os braços. – Só estou brincando. Vamos nos servir? – disse ele nos convidando.

O café foi bem mais tranquilo do que eu esperava. Alexander me tratou com naturalidade, conversando e fazendo planos para o dia. Ele foi muito discreto com relação ao acontecido.

Depois, subimos e nos preparamos para passar o dia em outra praia da ilha.

A trilha que leva à Nova Brasília é longa, bem sinalizada e maravilhosa. Como não tínhamos pressa, e nem tanto fôlego assim, fomos bem devagar, conhecendo os lugares, tirando inúmeras fotos e tomando banho de mar nas longas praias.

Paramos na Gruta das Encantadas, uma formação rochosa na Praia de Encantadas famosa por suas lendas e mistérios, para tirar fotos e explorar a praia tranquila dali.

Em um momento em que fiquei sozinha com Alexander, enquanto Manu e Nathan mergulhavam, eu perguntei:

– Pensou na sua vida?

– Como?

– Você saiu pra caminhar ontem à noite depois do... – Fiquei tensa em verbalizar nosso ato. – Bem, você disse que precisava caminhar pra pensar um pouco. Você pensou?

– Nina, o que tivemos ontem foi um momento muito lindo e quero que saiba que não me arrependo. Você é uma mulher incrível. Nunca se esqueça disso.

– Por que está me dizendo essas coisas?

– Eu... Por um momento, achei que daria certo. Digo, eu e você. Mas não é esse o nosso caminho. A amizade que temos é maior que qualquer coisa. Não nos conhecemos por acaso. Eu só não descobri ainda por que o destino colocou você no meu caminho.

– Você acha que tem um motivo?

– Tudo o que acontece na nossa vida tem uma explicação. A gente ter se encontrado tantas vezes não foi à toa. Tem uma razão. E eu ainda vou descobrir qual é.

– Tomara que sim – disse, pensando no que poderia ser.

– Quero que fique tranquila com relação ao que aconteceu ontem. Não sou de ficar me gabando e não vou contar a ninguém.

– Obrigada – respondi. – Confesso que estava sem saber o que dizer ou como me comportar ao seu lado. Está sendo mais fácil que imaginei – falei sorrindo para ele.

– Continue me tratando da mesma forma com que sempre me tratou. Nada mudou.

– Que bom.

– Ei, vocês dois – gritou Manu de dentro do mar –, venham, a água está uma delícia.

– Quem chegar por último é a mulher do padre – disse eu saindo em disparada. Alexander topou o desafio e chegou logo atrás de mim.

Nadamos naquele mar de cor azul por muito tempo. Exploramos uma pequena praia de pedras ao lado, que se chama Nhá Pina, mergulhando em suas águas calmas.

Seguimos nossa trilha rumo à Praia do Miguel, onde descansamos mais uma vez.

Depois de alguns mergulhos, deitamos na areia para pegar um pouco de sol naquela praia só nossa.

Manu e Alexander dividiam o discman e ouviam músicas de olhos fechados.

Nathan lia *Guerra e paz* de Liev Tolstói.

Eu observava Nathan, com sua pele branca, bermuda Hang Loose e cabelos molhados caindo sobre os óculos, lendo o livro de Tolstói.

Ele é fofo. Se fosse Alexander, seria algo em torno de espetacular, devastador, sensual. Mas, por se tratar de Nathan, a palavra apropriada era "fofo".

Ninguém lê Tolstói na praia. Só Nathan mesmo.

– O celular de alguém está tocando – disse Nathan sem tirar os olhos do livro.

Era o meu.

– Alô? – disse depois de minutos revirando a mochila em busca do aparelho.

– Nina, sou eu, Pâmela.

– Ei, Pam – disse feliz por ouvir a voz da minha amiga. – Só pra você ficar com inveja: estamos em uma praia completamente deserta, estirados na areia, tomando sol. E não tem uma nuvem no céu! – exclamei.

– Pergunta se ela quer que eu mande uma foto por e-mail – pediu Manu só para provocar.

– Nina, como faço para chegar aí? Quero me juntar a vocês.

Sentei de imediato olhando sério para Manu. Será que tinha ouvido bem?

Era sábado. Aos sábados Pâmela vai ao cabeleireiro, depois faz compras, e lá pelas quatro da tarde, ela encontra com Domênico em um restaurante bem chique e caro da cidade para almoçar.

– Você quer o quê? – perguntei, só para esclarecer.

– Quero ir pra aí! Qual voo devo pegar? Qual é o hotel em que vocês estão?

– Pâmela, não estamos em um hotel cinco estrelas. Estamos em uma ilha rústica, com pousadas simples e muito mosquito. Não tem *spa*, nem cabeleireiros de luxo, nem restaurantes chiquérrimos... Melhor ficar em Campinas ou ir a São Paulo – disse num tom de brincadeira.

– Nina, é sério. Quero ir agora. Diga o que tenho que fazer.

Senti um tom de urgência em sua voz.

– Algo está errado – disse Manu arrancando o fone do ouvido e se aproximando de mim.

Olhei para ela fazendo um gesto de interrogação.

Alexander e Nathan também se sentaram e ficaram ouvindo nossa conversa.

– Pam, aconteceu alguma coisa? Realmente, não faz o menor sentido você querer vir pra um lugar como este. Não é a sua praia, sem trocadilhos, entende?

– Eu... Me deu vontade de fazer algo diferente. Então, vou pra Curitiba, é isso? E depois faço o quê?

– Espere um segundo – pedi tapando o celular com uma das mãos.

Virei para Manu, Alexander e Nathan e disse:

– Gente, ela quer mesmo vir pra cá e, pelo tom de voz, é sério.

– Muito estranho... – falou Manu. – Se eles querem tanto vir, fale pra virem de avião até Curitiba e pegar o trem pra Paranaguá.

– Sugiro pegar uma van na estação de trem em Curitiba. Chega mais rápido que o trem – aconselhou Nathan.

Passei os detalhes de como chegar à Ilha do Mel para Pâmela e ela disse que até o fim da tarde estaria com a gente.

– Só nos resta esperar para saber o que aconteceu.

– Pâmela deve estar com saudade de mim – brincou Nathan.

– Com certeza. Ninguém resiste ao seu charme – ironizei.

– Não adianta sofrermos por antecipação. Quando eles chegarem aqui, a gente descobre o que aconteceu. Até lá, vamos continuar curtindo – falou Alexander, sempre sensato.

– Apoiado – dissemos em coro e voltamos a nos deitar na areia.

Eu não conseguia deixar de pensar por que Pâmela e Domênico queriam ir para aquela ilha sem atrativos, sem luxo algum, e poderia apostar que Manu também estava se questionando.

Enfim, só saberíamos quando eles chegassem. Tratei de não pensar mais no assunto.

Eu me sentia bem em relação a Alexander. O clima estranho havia se dissipado e eu me perguntava para onde tinha ido toda a atração que eu sentia por ele.

Vê-lo já não me causava tanto *frisson*, nem arrepios pela espinha... Quer dizer, nem sempre.

Após um mergulho, Alexander saiu do mar com seu corpo escultural, de sunga preta, parecendo um James Bond, caminhando em câmera lenta por toda a extensão da praia até onde estávamos sentados. Com tanto charme, foi impossível permanecer indiferente.

Eu me senti zonza. Assim como Manu.

– O que é isso? – balbuciou Manu. – Ele quer nos matar? Só pode.

– Precisava vir só com essa sunga? – respondi segurando o queixo para não babar.

– Precisando de um lenço, meninas? – ironizou Nathan.

Nossa sorte é que sabíamos controlar nossos hormônios e fazer de conta que ele não nos abalava com seu corpão sarado e sua beleza estonteante.

Mas a vontade louca de beijar, de estar perto e tudo o mais que vem no pacote "estou louca por você" passou. E ficou o carinho e a amizade.

Confessando: Me sentia uma completa ridícula ao pensar em Alexander e Nathan. Por Deus, tenho vinte e oito anos. Já não sou mais a adolescente do Barão de Campinas que tremia cada vez que via o garoto mais popular da escola.

Tinha que me situar urgentemente.

Alexander me tratou como uma amiga o tempo todo e eu o tratei como o meu Adorável Desconhecido, que sempre foi.

Em relação a Nathan, eu precisava cair na real também. Ele ainda estava tentando se livrar dos resquícios da vaca, quer dizer, da Elisa, e completamente certo em querer ficar sozinho. Nada de amor, romance ou relacionamentos amorosos.

Sem falar que ele nunca deu um motivo para eu pensar que ele estivesse interessado em mim.

Além do mais, eu preciso controlar minha ansiedade. Preciso ser menos impulsiva. Pensar mais em mim antes de me jogar de cara em um novo relacionamento.

"Diante disso tudo, Nina, só tenho uma coisa a dizer: controle-se!"

Passava do meio-dia quando chegamos à Praia de Nova Brasília. Estávamos cansados e com fome. O próximo desafio era achar um restaurante que servisse frutos do mar.

Manu encasquetou que queria comer lagosta e veio a trilha inteira especulando a respeito da melhor receita para pedir.

Por recomendação local, escolhemos o restaurante da pousada L'Avventura.

– Já gostei dessa pousada antes de conhecê-la – disse Manu no caminho. – Tem nome de música da Legião Urbana.

– É verdade! – exclamei com a coincidência. – Uma música do álbum A *Tempestade*. O último álbum lançando antes de Renato Russo morrer.

– Pra mim é o melhor de todos – disse Manu.

– Eu sei que é. Eu acho as letras densas, carregadas e tristes demais – comentei. – Se eu tiver que escolher um álbum entre todos os da Legião, eu fico com o *Dois*. Gosto de todas as músicas desse álbum. Se bem que gosto do disco *Cinco* também.

– Eu sei – respondeu Manu.

– E vocês? – perguntei.

– Eu gosto pra caramba de *Sem limites para sonhar* – disse Nathan.

– Que álbum é esse? – perguntou Manu estranhando o título.

– Vocês não conhecem? – perguntou alarmado. – Do Fábio Júnior – falou com um riso contido nos lábios.

Óbvio que ele estava debochando da gente.

– Que mané Fábio Júnior! – protestei. – Estamos falando de rock.

– Fábio Júnior é o melhor cantor deste país – Nathan continuou botando pilha. – Não tem pra ninguém.

– Eu curto o Gipsy Kings – respondeu Alê, entrando na brincadeira.

– Ah, não brinca! – exclamei.

– Gipsy Kings é muito típico – debochou Nathan. – Diga algo menos cigano.

– Eu me lembro desse grupo – disse Manu rindo. – A gente dançava aquelas músicas, lembra, Nina? Naquelas festas toscas de garagem que a gente ia.

Manu começou a fazer uma dança estranha cantando "Djobi Djoba" e Nathan a acompanhou fazendo uns passos mais toscos ainda.

Alexander ria muito, dizendo que eles precisavam ir a uma festa de ciganos para entender a verdadeira arte de dançar.

– Vou levar vocês a um casamento cigano para que entendam o significado da palavra "festa" – prometeu Alê.

– Pode convidar que nós vamos – disse Nathan.

– Mas voltando à música. Sério que você curte Djobi Djoba? – quis saber Manu.

– Não, eu estava brincando – disse Alexander depois que a brincadeira acabou. – Não curto Gipsy Kings. Meu álbum preferido é *Hotel California*, do Eagles.

– Muito bom também. Claro, não se compara ao Fábio Júnior – disse Nathan de um jeito muito sério.

– Olhem. Acho que chegamos – falei, apontando para a entrada da pousada.

– Que linda! – exclamou Manu. – Vocês não acham?

– É bonita mesmo – concordei.

A pousada, em estilo rústico, ficava localizada em um canto verde, cheio de plantas exóticas, com redes coloridas estendidas em varandas convidativas.

Ao localizarmos o restaurante, entramos e nos acomodamos para almoçar. Sem pressa, pois estávamos ali para bater papo e curtir.

Pedimos uma entrada e vinho branco para acompanhar. Depois, pedimos o prato principal. Eu e Nathan optamos por filé de peixe. Alexander escolheu um bobó de camarão e Manu a sua tão sonhada lagosta à thermidor. Tradicional, mas maravilhosa, segundo o maître.

Os pratos demoraram muito para chegar. Segundo o maître, a demora era por conta da cozinha artesanal e perfeccionista do restaurante.

– Esse é o nosso segredo – confidenciou com mistério.

Manu estava eufórica com seu prato, que estava muito apetitoso de se ver, além de cheirar maravilhosamente bem.

– Tudo bem essa coisa de cozinha minimalista, mas precisa mesmo de duas horas para fazer um bobó de camarão? – ralhou Alexander. – Será que eles pescam na hora?

– Essa tal cozinha artesanal quase me matou de fome – acrescentou Nathan provando seu prato.

– Olha, o meu prato está maravilhoso – disse Alexander depois de algumas garfadas. – Hum... Há muito tempo não comia algo tão bom.

– O meu também está – acrescentou Nathan.

– O de Manu também deve estar! Ela não fala nada – brincou Alexander.

– Pode crer! – exclamou Nathan.

– Eca! – berrou Manu horrorizada, empurrando o prato e nos dando um susto. – Tem um fio de cabelo na minha comida – gritou histérica.

– Um fio de cabelo? – perguntei. – Cadê?

– Aqui. Olha, isso é um fio de cabelo. Gente, isso é um absurdo. Garçom, faça o favor? – disse ela chamando o garçom, histérica.

– Magrela, você foi sorteada. Hoje é o seu dia de sorte.

– Não precisa fazer escândalo por causa de um fio de cabelo, né, Manu? É só pedir pra trocar o prato – aconselhou Alexander.

– Sim, e ficar mais duas horas esperando meu prato chegar porque a bendita cozinha é minimalista. Tão minimalista que tem até fio de cabelo – reclamou.

Manu é assim. Ela não se deixa fazer de trouxa. Quando algo de errado com acontece ela, reclama mesmo.

– Eu também reclamaria. Não como comida com fio de cabelo dos outros não – apoiei minha amiga.

O garçom chegou. Ela mostrou o prato com o cabelo, fez uma cena e o garçom, assustado, disse que chamaria o maître.

– Pois não, senhora – disse o maître prevendo uma conversa dura pela frente.

– Senhor, estou indignada. Sinceramente, um fio de cabelo no meu prato é algo inadmissível!

– A senhora tem razão. Vou mandar preparar outro agora mesmo.

– Eu não vou ficar duas horas esperando pelo preparo do prato. Essa solução não está boa.

– É o que posso fazer pela senhora.

– Quero falar com o gerente. Quem é o gerente deste lugar?

– Não temos gerente, senhora. Na ausência do proprietário, eu respondo pela casa.

– E cadê o proprietário? Quero falar com ele.

– Ele saiu, mas já deve estar voltando.

– Ótimo! Eu espero. Não saio daqui sem formalizar uma reclamação.

– Pois não, senhora. Fique à vontade – disse o maître saindo de perto de Manu, levando para bem longe dela o prato de lagosta.

– Vocês acham que eu sou louca, né? Fazer um escândalo por causa de um fio de cabelo.

– Todo mundo tem cabelo. Normal. Pense que o cozinheiro tomou banho ontem e lavou os cabelos com xampu e creme rinse – falou Nathan depois de uma garfada em sua truta ao molho de nozes.

– Creme rinse é muito anos oitenta – disse só para pilhar Nathan.

– Come sua comida aí e fica quieta – ralhou ele de volta.

– Quer dividir comigo? Tem muito bobó de camarão aqui, Manu. Dá pra nós dois – ofereceu Alexander.

– É, Manu. Tem muita comida aqui. A gente divide com você – ofereci também do meu prato.

– Que saco! – reclamou ela. – Maldito fio de cabelo pra estragar meu almoço!

– Puxa, Magrela. Deixe de ser ranzinza e come com a gente para voltarmos logo pra pousada. Quero dormir um pouco à tarde e dançar mais forró com Nina à noite – avisou Nathan dando uma piscadela para mim.

– Gente, eu conheço Manu. Nada do que falarmos a fará mudar de ideia. Ela vai até o fim com esse fio de cabelo – avisei.

No fim, ela topou dividir nossos pratos, mas não abriu mão de esperar pelo dono do restaurante. Estava decidida a fazer uma reclamação direta.

Terminamos de comer, pedimos sobremesa, depois o cafezinho e nada do proprietário chegar.

– Manu, pelo amor de Deus, deixa de ser implicante. Vamos embora? Ainda temos uma trilha enorme pra fazer – pediu Nathan, já impaciente.

– Podem ir. Eu vou ficar aqui e dizer umas boas pra esse proprietário. É um absurdo! Um lugar bonito, bem arrumado, com selo de referência, cozinha minimalista e o raio que o parta ter essa falta de higiene no preparo dos pratos. Se ninguém reclamar, as pessoas continuarão comendo comida com cabelo.

– Tá bom, Magrela. A gente espera com você – disse Nathan, encerrando o discurso indignado de Manu.

Quando o proprietário chegou, Manu e eu estávamos no banheiro. Ao nos aproximarmos da mesa, ouvimos Alexander e Nathan relatando a história.

– Acho que o proprietário chegou – disse para Manu, que apertou o passo e se lembrou de fechar a cara novamente.

Achei que ela já tinha esquecido aquela história toda e que iríamos embora quando voltássemos do banheiro.

– Você é o proprietário deste estabelecimento? – perguntou Manu, com um tom de indignação na voz.

– Sim, sou eu mesmo – disse o rapaz, que usava um boné e uma camiseta com o logo da pousada.

Seu rosto me pareceu familiar.

– Seus amigos estavam contando o que aconteceu – disse ele. – Eu lhe peço mil desculpas, embora saiba que não é o suficiente. O almoço de vocês não será cobrado e vou imediatamente falar com o cozinheiro para rever as normas de higiene da nossa cozinha. Temos realmente o objetivo de servir bem o cliente e isso também inclui a higiene de todo o restaurante e da...

– Escuta... Desculpa por interromper – falei olhando para o rapaz, já sem prestar atenção naquele seu discurso defensivo –, mas eu acho que conheço você de algum lugar.

Manu me olhou e, depois, olhou para ele. Ela, cega de raiva que estava por conta do fio de cabelo, não tinha reparado nos detalhes.

Talvez se ele estivesse sem boné e sem aquela barbicha ficaria mais fácil de reconhecer.

– Não é possível! – exclamou ele, pasmo de não ter percebido antes com quem estava falando. – Não acredito que são vocês, Manu e Nina?

– Meu Deus! – exclamou Manu.

O adolescente com carinha de anjo havia se tornado um homem maduro. E, puxa, estava ainda mais bonito do que era aos dezenove anos.

Seu corpo magro, agora estava forte, o que me causou espanto. Jamais pensei que ele iria encorpar um dia na vida. Lembro dele usando uma calça de moletom por baixo da calça jeans para engrossar as pernas e impressionar mais as meninas. E, agora, olhem só, parecia que tinha umas três calças por baixo daquele jeans desbotado e sujo!

Seu sorriso espontâneo e carismático ainda era o mesmo que nos contagiava e animava em dias tristes. Seu olhar, entretanto, guardava um quê de tristeza e algumas rugas haviam se instalado ao redor de seus olhos, talvez pelo excesso de sol. Mas era ele. Ainda era ele, com seu jeito brincalhão, largado e carismático de ser.

– Kau! – gritou Manu, segurando meu braço. – Meu Deus, é você?

– Não estou acreditando! – exclamei imaginando estar delirando ou confundindo Kau com alguém muito, muito parecido com ele.

Sem conseguir dizer nada, ele abriu um largo sorriso e nos abraçou. Manu e eu choramos juntas ao abraçá-lo. Foi um dos momentos de maior emoção da minha vida. Eu nunca esperava que poderia encontrar meu amigo em uma ilha.

A gente não se via desde a época dos preparativos do casamento de Manu. E, depois disso, ele desapareceu sem dar notícias.

– E a gente pensando que você estava na Europa, seu maluco! – falei depois de muitas lágrimas e emoção. – Caramba, Kau, tantos anos sem notícias suas! – continuei, tentando não dar um tom de esporro na colocação.

– Pois é – disse Manu –, a gente pensando que você estava na Europa e você aqui vendendo lagosta com cabelo do cozinheiro! – brincou.

Depois de abrandada a euforia e das apresentações feitas, fomos para uma sala mais reservada, uma área de leitura da pousada, com sofás confortáveis, pufes coloridos e uma biblioteca bem abastecida de livros e revistas. Estávamos relaxados e falando sobre o encontro, relembrando o passado e mais um monte de outros assuntos. Tudo ao mesmo tempo.

– Puxa, Kau! Nem um sinal de vida você foi capaz de mandar – reclamou Manu ainda emocionada.

– Desde quando mora aqui? – Nathan perguntou.

– Passei um ano na Europa e, depois, voltei pro Brasil. Viajei para alguns lugares pesquisando onde iria me estabelecer e acabei me apaixonando pela Ilha do Mel. Moro aqui há uns sete anos. Por aí.

– E você nem pra avisar a gente? – falei magoada.

Ele deu de ombros sem responder. Pelo menos não com palavras. Eu sabia o motivo de seu sumiço.

– Mas por quê? O que o impediu de mandar um e-mail ou dar um telefonema? – insistiu Manu.

– Ué, você não estava decidida a se casar? Eu decidi me afastar – explicou ele meio sem jeito. – Falando nisso, cadê Betão?

– Não deu certo. Nós nos separamos – contou Manu.

Um brilho cruzou os olhos de Kau. Algo como: eu sabia!

– E você se casou de novo? – perguntou Kau.

– Não. Estou sozinha. E você?

– Eu não me casei.

– Mas tem alguém?

– Tenho uma namorada.

Manu murchou.

– E ela mora aqui com você, Kau? – perguntei por Manu.

– Não. Ela mora em Curitiba. Nos vemos nos fins de semana ou quando dá certo.

– Entendi.

– Como é a vida – falou Kau mudando de assunto. – Quando eu ia imaginar que vocês viriam na minha pousada? Se eu soubesse, teria pedido ao cozinheiro pra colocar uma peruca inteira na lagosta de Manu.

Olhei para Manu e a vi fitando Kau. Ela o analisava minuciosamente. Admirando-o, sorvendo cada detalhe dele. Como se estivesse matando a saudade com os olhos.

– Culpa de Alê – contei. – Ele que mudou nossos planos. Deveríamos estar em Santa Catarina. Esse era o plano original.

– Putz! É verdade. Alexander falou alguma parada sobre um sexto sentindo. Como foi mesmo? – perguntou Nathan.

– Algo me dizia para virmos pra Ilha do Mel e não pra Santa Catarina. Foi isso – explicou Alê.

Explicamos toda nossa viagem, a OFI e como viemos parar na Ilha do Mel para Kau, que ouviu muito interessado em tudo.

Manu falou pouco. Havia esquecido completamente o prato de lagosta, a reclamação e toda a sua indignação.

Já não era mais importante.

Nada mais era.

O brilho de seus olhos a denunciava.

Um brilho diferente que há muito eu não via.

Ela estava feliz.

Areia grossa

Meu dementador particular: Domênico.
Um momento bom: um abraço.

O dia caía quando decidimos voltar para nossa pousada. Pâmela e Domênico chegariam a qualquer momento e queríamos recepcioná-los no porto.

Convidei Kau para ir com a gente para fazer uma surpresa para Pâmela, e ele adorou a ideia.

– Ótima ideia! – disse ele. – Pâmela vai surtar. Estou morrendo de saudade dela.

– Então, vamos logo porque eles devem chegar a qualquer momento – pediu Manu.

– Vou tomar um banho rapidinho. Esperem aqui. Vou pedir pro Miguel servir uns coquetéis pra vocês. Sem cabelo, viu, Manu? – informou ele sorrindo.

– Ah, por favor.

– Opa! Valeu, cara – agradeceu Alexander.

– Fiquem à vontade que eu já volto.

– Eu sabia que esse fio de cabelo não estava em seu prato por acaso, Magrela. Você deveria beijar o cozinheiro – brincou Nathan, depois que Kau já tinha saído da sala.

– Gente, eu morri e estou no paraíso! – exclamou Manu, se largando no sofá. – E ele continua o mesmo, né, Nina? Ainda mais lindo do que era quando adolescente. Deu uma encorpada, você não achou?

– Está mesmo. Só aquela barbicha estranha que não tem nada a ver com ele.

– Putz! Nada a ver mesmo – concordou Manu.

– Não tenho nada a comentar a respeito dos atrativos físicos de Kau – ironizou Nathan.

– Acho que vou ter um treco de tanta emoção – falou Manu rindo sozinha. – Vocês não têm ideia de como estou me sentindo. Kau está aqui, entendem? Aqui! – exclamou abrindo os braços sorrindo. – A vontade que tenho é de sair gritando pra todo mundo ouvir a minha felicidade.

Alexander riu do jeito de Manu.

– Calma, Magrela, segura a onda aí – pediu Nathan cruzando as pernas em cima da mesa de centro e se esparramando na poltrona.

– Nem sei o que dizer disso tudo – falei sem saber expressar o tamanho da minha alegria. – Seria mera coincidência?

– Eu não acredito em coincidências – observou Alê.

– Eu também não – concordou Nathan.

– Pensem comigo – pedi –, Alexander mudou nossos planos nos trazendo aqui. Depois, teve o fio de cabelo no prato de Manu, que fez com que esperássemos por ele. Já imaginou se não tivesse o fio de cabelo? A gente teria comido e ido embora sem encontrar com Kau. Olha só como um detalhe muda todo o destino de uma pessoa.

– É o universo conspirando a favor – falou Nathan de olhos fechados.

– Eu acho tudo isso incrível e fico muito feliz em saber que colaborei pra que esse encontro acontecesse. Segui meus instintos quando decidi viajar com vocês, depois, tornei a ouvi-los quando sugeri que viéssemos pra cá. É estranho e ao mesmo tempo incrível! – falou Alexander.

E realmente era.

Nós quatro embarcarmos em uma viagem repentina, sem planos. Apenas com um objetivo – realizar uma faxina interna – e, de repente, encontramos alguém importante que tinha escapado de nossas vidas abruptamente.

Será mesmo que era apenas uma coincidência?

Não, não era. Era para acontecer.

– Agora, Manu, tudo depende de você – alertou Nathan.

– Como assim?

– Você ainda ama esse cara. Não o perca novamente.

– Mas ele está namorando – comentei.

– E eu lá quero saber se ele está namorando? – observou ela. – Essa tal namorada que comece a procurar outro cara porque eu cheguei.

– É assim que se fala, Magrela. Atitude! – disse Nathan, apoiando Manu.

Sim, assim era Manu. Toda determinada, segura de si e brigando por aquilo que queria.

Ah, se eu tivesse metade dessa coragem, seria uma pessoa bem mais feliz.

O garçom chegou com os coquetéis e nós brindamos àquele momento.

– À vida, que é maravilhosa. Que assim seja sempre – disse Alexander erguendo o copo.

– À nossa amizade. Que sejamos sempre amigos pra fazer mais viagens como esta – falou Manu.

– E aos próximos dias aqui na ilha – disse Nathan. – Que serão maravilhosos.

– Com certeza – afirmou Manu.

– E ao amor. O amor que preenche nossos corações – também falei, erguendo meu copo. – Que ele nunca nos falte – disse diretamente para Nathan, que revirou os olhos.

– Preciso registrar este momento – avisou Manu depois do brinde, pegando a máquina fotográfica de dentro da sua mochila. – Fotinhas, fotinhas! – falou com uma vozinha engraçada.

Nos posicionamos para a milésima terceira sessão de fotos desde que embarcamos naquela jornada.

– Estou me segurando pra não ligar pra Pâmela – falei assim que pude me sentar.

– Nem pense em fazer isso. Vamos fazer uma surpresa – me reprimiu Manu.

Minutos mais tarde, Kau voltou de banho tomado, vestindo uma bermuda de sarja cáqui, camiseta preta e chinelos. Os cabelos encaracolados caíam em pequenos cachos molhados.

– Gostaram dos coquetéis? – perguntou ele entrando na sala segurando o celular e sua carteira.

– Uma delícia, Kau. Aliás, sua pousada é um charme – elogiou Manu.

– Obrigado. Eu gosto mesmo dela. Demorou um pouco, mas ficou do jeito que eu imaginei.

– Ela é muito aconchegante – elogiei.

– Obrigado. E aí, pessoal, estão prontos? – perguntou Kau.

– É melhor nos apressarmos. Daqui a pouco escurece e tem um bom trecho até lá – alertou Alexander.

– Melhor irmos de barco. É mais rápido – sugeriu Kau.

– E onde pegamos um barco? – perguntou Nathan. – Nós alugamos um ou é algo do tipo um "buzão", onde vão outras pessoas?

– Não, não – respondeu Kau rindo. – Vamos no meu barco.

– "Buzão"? Você é muito mané mesmo, Nathan – disse eu tirando sarro dele.

– Nada como se relacionar com as pessoas certas – brincou Manu se levantando. – Voltar de barco é muito chique.

– Ah, mas meu barco é muito simples. Não pense que é um iate ou coisa parecida. Eu só o uso pra me deslocar de uma praia pra outra aqui na ilha.

– Eu percebi que tem mesmo muitos barcos aqui – comentou Alexander.

– Talvez porque aqui seja uma ilha, né? Um pedaço de terra cercada de água por todos os lados. Ou você nada, ou usa barcos – ironizou Nathan, debochando do comentário de Alexander, em tom de brincadeira.

– Ele é sempre engraçadinho assim? – me perguntou Alê.

– Não, às vezes ele é chato também.

Nathan me deu um empurrão, fingindo ter ficado bravo.

– Como na ilha não é permitido o uso de carros e motos, as pessoas usam os barcos pra ir de uma praia a outra – explicou Kau.

– Gente, e aí? Vamos? – pedi. – Estou doida pra saber se Pâmela e Domênico chegaram.

Caminhamos até a praia, onde estava o pequeno barco de Kau ancorado ao lado do trapiche.

– Podem me ajudar a arrastar o barco? É pequeno, mas é pesado – pediu Kau para Nathan e Alexander.

Alê, com seu porte físico, praticamente arrastou o barco sozinho e, em seguida, embarcamos. Kau deu partida no motor e começamos a navegar nas águas mansas da baía.

Manu tratou de ficar ao lado de Kau, que pilotava o barco, enquanto conversava com ela animadamente.

Alexander preferiu se isolar na frente da embarcação e admirar o mar. Ou será que estava pensando em seu casamento? Pensei em convidá-lo a se sentar conosco, mas, depois, achei que ele gostaria de ficar sozinho.

Eu estava sentada ao lado de Nathan, sentindo o vento bater em meu rosto e me perdendo no azul do mar da Ilha do Mel.

– Eu seria capaz de viver o resto da minha vida nesta ilha. Passaria meus dias pintando, pescando, nadando e dançando forró – comentou Nathan de olhos fechados, sentindo o cheiro salgado do mar. – Você topa? – falou um pouco mais alto por causa do barulho do motor do barco.

– Você está me pedindo em casamento?

– Eu não! Estou convidando você pra morar nesta ilha em casas separadas.

– Casas separadas? – perguntei.

– Sim. Morar com você deve ser um horror. Você é muito mal-humorada quando acorda. Sai andando pelada pela casa, assustando quem estiver por perto.

– Eu sou mal-humorada quando acordo? – gritei, sem ouvir a resposta.

Espiei por cima dos meus óculos e vi que ele sorria.

Resolvi ficar na minha. Discutir com Nathan às vezes era muito cansativo.

– E então? – disse ele percebendo que eu havia ficado em silêncio. – Não gostou da minha proposta?

– Não, não gostei da sua proposta. Prefiro morar em Campinas, acordar mal-humorada e andar nua pela casa sozinha sem ter um chato mexendo nas minhas coisas.

Nathan acomodou sua mochila entre as pernas e, depois, me olhou respondendo:

– A gente pode escolher uma praia naturista, então. Assim você ficaria mais à vontade, já que gosta de andar pelada.

– Eu não gosto de andar pelada. Ando de calcinha pela minha casa porque moro sozinha e não tem ninguém me olhando.

– Você fica linda quando fica nervosa.

Não respondi, só balancei a cabeça mostrando que estava indignada com aquele papo.

Obviamente que eu não estava indignada coisa nenhuma. Eu acabara de receber um elogio e, puxa, elogios me fazem me sentir tão bem! Esqueci até que Nathan falava as coisas só para me pentelhar.

A viagem até a Praia de Encantadas durou aproximadamente vinte minutos. O céu já começava a ganhar tons de laranja e o Sol descia preguiçosamente.

Kau guiou o barco rumo ao trapiche, diminuindo a velocidade. Me ajeitei no banco, me inclinando para ver o Sol caindo sobre o mar e ouvi um click. Olhei para o lado e vi Nathan com sua máquina fotográfica profissional.

– Pra que estragar a paisagem tirando uma foto minha?

– A paisagem é realmente muito bonita.

– Pena que eu estraguei.

– Realmente. Você sempre estraga tudo.

Será que havia um duplo sentindo na frase dele? Ou mais uma vez ele estava fazendo só para me irritar?

Dei de ombros e não respondi.

Desembarcamos e seguimos pelo trapiche em direção à praia.

– Se Pâmela conseguiu chegar, já deve estar na pousada. O último barco que saiu de Pontal do Sul para a ilha foi às quatorze horas – comentou Kau enquanto cruzávamos a pequena extensão de areia.

– O último saiu às quatorze horas? Não tem mais nenhum outro depois desse horário? – perguntou Manu.

– Não. O último foi o das quatorze horas. Se ela veio, já deve estar aí. Se perdeu o último barco, agora, só amanhã cedo – explicou ele.

– Se ela chegou, não me ligou pra avisar – disse eu. – E ela prometeu ligar assim que chegasse.

– Pra mim ela também não ligou – falou Manu consultando seu celular.

– Vamos pra a pousada então – aconselhou Nathan.

– Vamos – concordei.

Alguns metros depois, Manu disse:

– Vamos ver o pôr do sol? Está tão lindo!

E realmente estava. Nathan parou para registrar as cores com sua máquina.

Manu e Kau falavam algo entre eles que não dava para ouvir direito. Eu fiquei ao lado de Alexander admirando aquele belo espetáculo.

– Fique aqui, Nina, que quero tirar uma foto sua – pediu Nathan me empurrando um pouco para frente.

Fiquei sem graça, parada, sem saber o que fazer com as mãos e me deixei ser fotografada. Quando ele terminou, eu disse:

– Gente, eu vou até a pousada saber se Pâmela chegou. Alguém vai comigo?

– Eu vou – disse Alexander.

– Eu também – apressou-se Nathan.

– Nós vamos ficar mais um pouco – informou Manu.

Não contestei, ela precisava de um momento a sós com Kau. Assim, seguimos até a pousada.

Ao entrar na recepção e avistar a dona, que trata todos os hóspedes com enorme simpatia, perguntei:

– Olá, Solange. Como vai?

– Tudo ótimo, Nina. Como passaram o dia?

– Foi maravilhoso – respondi sorrindo.

Alê e Nathan conversavam alguma coisa atrás de mim.

– Ótimo. Espero que estejam curtindo a ilha.

– Solange, você sabe me dizer se, nesta tarde, chegou um casal, Pâmela e Domênico?

– Pâmela e Domênico?

– Sim.

– Só um segundo que vou verificar – pediu olhando em seu computador. – Deu entrada apenas uma hóspede com o nome de Pâmela. Pâmela Celine Dupraz.

– É Pâmela, minha amiga. Estranho – falei. – Domênico, o marido dela, não veio?

– Aqui só consta o nome dela. Está hospedada no quarto vinte e três. E ela deve estar lá porque as chaves não estão aqui.

– Obrigada – agradeci e me virei para os meninos.

– Gente, Pâmela veio sozinha. Estou preocupada. Vamos até o quarto dela?

– Vamos lá – respondeu Alexander.

– E Nathan, por favor, nada de gracinhas – pedi.

– Fica sussa – respondeu ele me empurrando pelos ombros.

Praticamente corri até o quarto vinte e três e bati levemente na porta.

– Quem é? – ouvi a voz de Pâmela perguntando.

– Sou eu, Pam, Nina.

– Só um segundo.

O segundo virou um minuto. Que virou dois. Que viraram cinco. Depois, uma eternidade, até que ela abriu a porta. Vestia um vestido longo de malha azul-marinho, chinelos e estava com o cabelo molhado.

– Oi, Pam! – cumprimentei dando-lhe um beijo – Chegou bem de viagem?

Notei que seu rosto estava abatido e seu olhar me parecia mais tenso que o de costume.

– Oi! – Ela me devolveu o beijo. – Oi, meninos – falou cumprimentando Nathan e Alê. – Cadê Manu?

– Ficou na praia fotografando o pôr do sol – menti. – Sabe como é quando ela começa a tirar fotos, né? Ninguém merece. – Ri tentando descontrair.

– Entrem – disse Pam, tentando devolver o sorriso.

– E Dom, por que não veio? – perguntei sentando-me na cama de casal que estava coberta de papéis, pastas e com o laptop aberto. – Ei, não me diga que você veio pra cá pra trabalhar?

– Eu... Bem, tenho umas coisas que preciso ver. Urgente. Sabe como é.

– Só você mesmo, Pam – falei balançando a cabeça. – Vir pra um lugar lindo como este com um monte de trabalho debaixo do braço?

– Sabia que é proibido trabalhar aqui? – perguntou Nathan, entrando na conversa. – Aliás, computadores e celulares devem ficar no cofre da pousada. As únicas coisas que você pode usar são seu protetor solar e trajes de banho.

Pâmela parecia distante da nossa conversa.

– Mas é bem típico de Pâmela. Uma vez, ela e Domênico foram para o Caribe e, em vez de levar um livro pra praia, ela levava o computador pra não deixar o trabalho acumular – contei para Nathan, que balançou a cabeça em reprovação.

– Aconteceu alguma coisa, Pâmela? – Alexander falou pela primeira vez desde que entrou no quarto. – Você parece preocupada.

– Eu... Ai. – Lágrimas começaram a escorrer de seus olhos azuis. Ela levou as mãos ao rosto e começou a soluçar, chacoalhando-se toda.

Fui até ela e a abracei perguntando o que tinha acontecido. Mas ela não conseguia parar de chorar.

– Pâmela, fala com a gente – pediu Nathan, que também chegou para abraçá-la.

Muitas coisas passaram em minha cabeça: alguém de sua família morreu, algum cliente importante que ela perdeu, Domênico...

Gente! Domênico. Se Dom não estava com ela... Meu coração deu um salto e senti uma descarga de adrenalina que me deixou em estado de alerta.

Mais uma perda.

Será?

– Pâmela, aconteceu alguma coisa com Domênico, é por isso que ele não está aqui? – perguntei com muito cuidado.

Ela balançou a cabeça afirmativamente, chorando muito.

Respirei fundo buscando forças.

– Pâmela, toma um copo d'água – ofereceu Alexander. – Sente-se aqui na cama e tente se acalmar – pediu guiando-a até a cama. Depois, lhe ofereceu uma caixinha de lenço de papel que estava sobre a mesa.

Esperamos até que ela parasse de chorar. Seus olhos já estavam inchados. Seu nariz pequeno e afilado estava vermelho e com coriza.

Ela bebeu da água e limpou o nariz.

– Está se sentindo melhor? – perguntou Nathan, que estava sentado ao lado dela na cama.

– Pam, por favor, me conte o que aconteceu com Domênico? – perguntei curiosa e preocupada.

– Domênico foi embora – disse ela por fim.

– Embora? Embora pra onde? O que significa "embora"? – falei apressadamente.

– Foi embora levando tudo o que era nosso e me deixou falida com um monte de dívidas pra pagar. Ele me deu um golpe! – despejou com raiva. – Você acredita nisso, Nina? Domênico me deu um golpe frio e calculista.

– Como assim? – gritei.

– Sério isso, Pâmela? – perguntou Nathan, muito preocupado.

Alexander se sentou na cadeira em frente e nos olhava muito sério.

– Cadê Manu? Liga pra Manu – pediu ela. – Não quero contar essa história duas vezes. Não tenho condições físicas pra dizer tudo novamente. Chama Manu aqui.

Pensei em Manu com Kau na praia assistindo ao pôr do sol. Pensei na reação de Pâmela quando encontrasse com Kau. O que era para ser uma festa já não seria mais.

– Golpe? Mas, como ele pôde fazer isso? – tornei a perguntar sem entender direito.

Ela apenas me olhou sem responder. Mais lágrimas lhe vieram aos olhos.

"Devo contar? Devo deixar que Kau faça surpresa?" Olhei aflita para Alexander, que parecia ter captado meus pensamentos.

– Vou até a praia chamar Manu. Ela está bem perto daqui. Eu não demoro.

– Você faria isso, Alê? – perguntei

– Claro. Volto logo – avisou lançando-me um olhar reconfortante.

Ele saiu apressado enquanto eu e Nathan tentávamos consolar Pâmela.

– Pam, a gente vai dar um jeito nisso tudo, tá bem? – falou Nathan com um tom superpreocupado e protetor. Um tom de voz que eu não conhecia.

– Obrigada.

– Além do mais, você é inteligente, batalhadora, linda e totalmente capaz de dar a volta por cima – acrescentou ele.

Depois que Nathan terminou sua fala, nós três ficamos em silêncio, olhando para o piso do quarto.

– Que canalha! – exclamei pensando em como Domênico teve coragem de fazer isso com Pâmela.

Ele sempre foi tão apaixonado por ela. Cobrindo-a com joias, presentes, viagens e carinhos. Para mim, eles eram o Casal 20. O casal exemplar. Eu os invejava abertamente e sempre pedi para o meu Santo Antônio que arrumasse "um Domênico" para mim.

Nota mental: Assim que eu chegar no meu quarto, preciso ter um tête-à-tête com Santo Antônio para que não arrume mais um namorado estilo "Domênico" para mim.

Sim, eu sempre carrego um santo em minha bolsa para emergências como essa.

– Pâmela, olha... – comecei, voltando a me concentrar na situação. Decidi que deveria alertar sobre a chegada de Kau. – Manu não está sozinha. Ela está com alguém...

Nathan me reprimiu com o olhar, mas eu segui firme, convicta do que fazia.

– Alguém especial. Tenho certeza de que você se sentirá melhor depois que eles chegarem.

– Hã? Com quem ela está? – perguntou Pam.

– Não posso dizer. Ele me pediu pra não dizer.

– Não é Domênico, né? Pelo amor de Deus, se for ele...

– Claro que não – disse apressadamente. – Não é Dom. É outra pessoa.

– Mas por que tanto mistério?

– Só podemos dizer que você vai gostar – falou Nathan, ajudando a animá-la.

Alguns minutos depois, uma leve batida na porta:

– Pâmela? – falou Manu entrando de mansinho.

Pâmela ficou onde estava, esperando que Manu e a "pessoa misteriosa" viessem até ela.

– Entre, Manu. Estou aqui.

Manu entrou trazendo Kau pela mão.

– Olha só quem nós encontramos perdido nesta ilha? – anunciou, deixando que Kau passasse por ela.

– E aí, sua loke? – disse ele abrindo um sorrisão.

– Kau! – disse Pâmela num sussurro, reconhecendo-o de cara.

– Sou eu mesmo – disse ele sorrindo.

Pâmela foi até ele abrindo os braços e com lágrimas escorrendo no rosto.

Manu e eu nos juntamos àquele abraço.

Os Lokes estavam reunidos novamente.

Dessa vez, para sempre.

Areia grossa

Meu dementador particular: Domênico.
Um momento bom: banho de mar noturno.

Durante meia hora ou mais de conversa com Kau, Pâmela conseguiu sorrir, brincar e até se esquecer de sua tragédia particular. Aliás, todos nós esquecemos, e parece que voltamos no tempo, matando a saudade e falando sem parar. Um contava uma coisa, outro contava um acontecimento, outro relembrava um momento de nós quatro, na época do colégio. Voltamos a ser os Lokes e nos deixamos levar pela nossa "loke-conversa".

Mas havia chegado o momento de voltar à realidade e tocar no assunto que trouxera Pâmela até a ilha. Então, eu tomei a iniciativa:

– Pâmela, conta o que Domênico fez com você.

– Acho que vou pro meu quarto assim vocês ficam mais à vontade – avisou Alexander.

– O que é isso, Alê, você pode ficar – pedi. – Imagina!

– O assunto é íntimo e eu não quero atrapalhar – disse ele, um tanto sem jeito.

– Você não atrapalha, Alexander. Por favor, fique conosco – pediu Pâmela.

– Tem certeza? Eu vou pro meu quarto na boa.

– Temos certeza, Alê – respondemos em coro.

– Ok – disse ele, sentando-se no chão e cruzando as pernas.

– Domênico foi embora, Pam? – perguntou Manu. – Verdade isso?

Ela balançou a cabeça afirmativamente.

– Vocês brigaram? O que aconteceu?

– Quando aconteceu? – perguntei. – Vocês estavam bem na terça-feira passada, lá no Open Bhar.

– Deixem Pâmela falar – pediu Nathan nos olhando com cara feia.

– Tudo aconteceu na quinta-feira. Nós acordamos e, como de costume, tomamos café juntos – começou Pam com a voz pesarosa. – Combinamos um programa pra fazer no fim de semana... Tudo normal. Depois, ele foi se arrumar e, antes de sair para o trabalho, me disse: "Obrigado por tudo".

Ela respirou fundo para não voltar a chorar e continuou:

– Apesar de ter achado estranha a frase, eu respondi dizendo: "Tudo o que eu faço, faço por você". Ele sorriu e disse: "Foi por isso que eu escolhi você". E saiu pra trabalhar. Logo depois, eu saí também. Durante o dia, eu tentei falar com ele, mas o celular estava desligado. De noite, eu voltei pra casa e ele ainda não tinha voltado. O tempo foi passando e nada de ele chegar. Acabei dormindo e, quando o dia amanheceu, vi que ele não tinha dormido em casa. Fiquei desesperada porque Domênico nunca dormiu fora de casa. O único lugar pra onde eu poderia ligar e obter informações era a loja de carros. Esperei até dar o horário pra ligar. Mas já estava com uma angústia imensa.

– E aí? – perguntei.

– Aí, quando liguei, a moça que atendeu ao telefone disse que não conhecia nenhum Domênico.

– Como não? – falou Manu.

– Escuta – pediu Pâmela. – Pedi pra falar com o Diego, o braço direito de Dom, e ela falou que também não conhecia ninguém com esse nome. Pedi pra falar com alguém responsável e ela me passou pra um cara chamado Estevão. Ele me contou que aquela loja de carros era dele. Que Domênico tinha vendido a loja há mais de três meses pra ele.

– Meu Deus! – exclamou Manu, levando a mão à boca.

Parecia que eu estava ouvindo o relato de um filme. Não conseguia visualizar Domênico fazendo aquilo com Pâmela.

Domênico era um cavalheiro, um cara educado, estudado, atencioso com todos, de bom coração. Aquela história não combinava com ele.

– E aí, o que você fez? Descobriu pra onde ele foi? – quis saber Nathan.

– Não acreditei nesse Estevão e fui até a loja pra saber o que estava acontecendo. Quando cheguei lá foi que percebi que tudo era verdade. A loja tinha mudado de nome, o tal Estevão me recebeu, contou como foi a negociação entre ele e Domênico, por quanto a loja foi vendida e que ele pagou metade à vista e o restante em três vezes.

– Não acredito – falei.

– Mas, nesses três meses, você não desconfiou de nada? – quis saber Nathan.

– Não. Dom saía pra trabalhar todos os dias, quando voltava pra casa ele me contava o dia dele, falava dos negócios, como sempre fazia. Eu não tinha do que desconfiar.

– Você não ligava na loja pra falar com ele? – perguntou Kau.

– Não. Eu ligava pro celular dele. Nunca ligava na loja.

– Mas, e aí, o que você fez depois que falou com o tal Estevão? – perguntei.

– Voltei pra casa e fui consultar a nossa conta-corrente pra verificar se o dinheiro da venda da loja de carros estava lá. Até então, eu pensava que ele poderia ter sido sequestrado ou que algo grave tivesse acontecido. Na verdade, eu pensava mil coisas. Estava em desespero, sem saber o que estava acontecendo. Quando cheguei em casa, tive minha segunda surpresa: a conta estava encerrada. E aí eu comecei a pensar na hipótese de ter sido traída por Domênico.

– A conta era conjunta? – perguntou Alexander.

– Não. Era uma conta só dele. Era a conta central, pra onde iam todas as nossas entradas. Eu tinha acesso, tinha a senha, mas ele era o titular e o administrador.

– Mas você tem uma conta bancária de sua empresa. Não é por ela que você recebe de seus clientes? – perguntou Manu.

– Sim. Só que a gente tinha essa conta que chamávamos de central. E era Domênico que administrava nosso patrimônio. Eu fazia transferências semanais pra conta central e ele fazia os investimentos que achava mais pertinente pra nós.

– Gente, eu não acredito que ele fez isso com você! Não consigo acreditar. É surreal demais – disse indignada.

– Você confiou demais nele – comentou Kau.

– Ele era meu marido, Kau. Como não iria confiar nele? – rebateu Pâmela irritada.

– É que você não o conheceu, Kau. Domênico era um cara legal. Jamais pensaria que ele seria capaz de fazer algo desse tipo com Pâmela – respondi.

– Pelo menos você tem sua empresa e os apartamentos – observou Manu.

Pâmela voltou a chorar.

– Na verdade, não tenho os apartamentos...

– Como ele pode ter vendido sem a sua assinatura? E o apartamento onde vocês moram, como ele pode ter vendido com vocês morando nele?

– Onde moramos é alugado, lembra? – disse ela. – Vendemos o apartamento antigo pra comprar os dois que ainda estão sendo construídos.

– Mas eu me lembro de vocês saindo pra procurar apartamento. Lembro que, quando achou, você mandou o site da construtora pra gente, mostrando o local onde vocês iriam morar – falou Manu.

– Sim, eu fui com ele escolher os apartamentos. Um seria pra gente morar e outro pra alugar. Só que, depois de escolhidos, as negociações e todo o trâmite da compra ficaram na mão dele. Ele só me avisou que tinha fechado o negócio e qual foi a forma de pagamento. E eu fiquei tranquila. Confiava nele.

– Mas você não assinou nada? – perguntou Kau.

– Eu assinei sim. Assim que eu comecei a pensar que havia levado um golpe, passei a verificar tudo o que tínhamos e descobri que ele não comprou apartamento nenhum. Eu liguei na construtora pra saber e me falaram que ele desistiu do negócio.

– Ele não comprou os apartamentos?

– Não, Manu. Ele não comprou.

– Então, o que você assinou... – falou Alê.

– Eram documentos falsos – completou Nathan seguindo o raciocínio de Alexander.

– Se ele não comprou os apartamentos, o dinheiro do apartamento que vocês venderam... – falei, mesmo sabendo qual era a resposta.

– Sim, ele levou.

– Mentira! – exclamou Manu. – Mas... Gente, espera aí. Como ele conseguiu enganar você assim? O apartamento existia. Você estava acompanhando a obra e tudo.

– Acompanhando a obra do prédio. Os supostos apartamentos serão entregues no ano que vem. Até lá, eu não teria o que fazer. A minha parte, que era decorar, só iria começar mais pro final deste ano.

– Que cara mais ardiloso! Ele é profissional – comentou Nathan. – Estava planejando tudo com muito cuidado.

– Desculpa por perguntar, mas quanto ele levou nessa história? – perguntou Alexander.

– A loja, ele vendeu por oitocentos e cinquenta mil reais. Nosso apartamento, nós vendemos por seiscentos e noventa mil. E ainda tínhamos uns setecentos e trinta mil no banco.

– Dois milhões – falou Nathan impressionado.

– Dois milhões duzentos e setenta reais, pra ser mais exata. Fora os investimentos em ações e outros fundos que eu já não tinha mais controle de quanto tínhamos.

– Que sacana! – xingou Manu.

– Um cafajeste! Canalha! Gente, que ódio que eu estou de Domênico – falei com raiva.

– Imagina como eu estou me sentindo – falou Pâmela com uma voz triste.

– E sua empresa, ele fez alguma coisa? – perguntou Manu.

– Graças a Deus, não. Está tudo em meu nome.

– E os carros que vocês tinham? – perguntei. – E todas as joias que ele lhe deu?

– Os carros mais caros ele levou ou vendeu. Fiquei com o meu que, pra ajudar, está no nome dele. Não posso fazer nada com esse carro. E as joias... ele levou também.

– Suas joias? – perguntou Manu.

– Ele não comprava pra mim – explicou ela com tristeza. – Era um investimento, como ele dizia cada vez que me dava algo caro. Hoje eu sei bem que era um investimento *para ele*.

– Mas por que tudo estava no nome dele? – quis saber Alexander.

– Porque... Sei lá por quê. Foi assim desde o início, quando começamos a construir nosso patrimônio. Ele era tão inteligente e bom para negócios que eu concordava quando ele falava pra colocar no nome dele. Hoje eu sei o porquê. Ai, gente, estou me sentindo tão idiota, sabe? Nunca liguei pra essa questão de dinheiro com ele, pois eu confiava cegamente em Domênico. Aliás, esse nem deve ser o nome verdadeiro dele, né?

Alexander assentiu com a cabeça.

– Esses golpistas são profissionais, não trabalham com a real identidade deles, fazem plástica pra não serem reconhecidos, forjam suas próprias mortes em acidentes como os aéreos, e por aí vai, Pam – explicou Alexander.

– Por que você não ligou pra gente, Pam? – quis saber Manu. – Sofrendo sozinha esse tempo todo... Por que não ligou?

– Vocês estavam tão empolgados com a viagem e com os programas, eu não quis atrapalhar.

– Please, Pâmela! – repreendeu-a Manu. – Você estava precisando de ajuda.

– É, Pam. Você devia ter ligado pra gente.

– Mas agora estou aqui. Aguentei sozinha até onde pude. Eu precisava muito conversar com vocês – disse ela. – Ainda não tive coragem de contar pros meus pais.

– A gente vai ajudar você no que for preciso, né, Manu?

– Claro – respondeu ela. – No que for preciso.

– E você tem ideia de aonde ele foi? – perguntou Alexander.

– Não.

– Ele não deixou nada escrito? Uma carta, um e-mail, nada? – perguntou Nathan.

– Não.

Fez-se uma pausa. Todos submersos em seus pensamentos. Eu estava chocada e com muita raiva.

– Pâmela, você deu parte na polícia? – perguntou Kau.

– Não.

– Tem que dar – insistiu ele.

– É mesmo, Pam. Você precisa denunciá-lo – falei.

– Gente, eu não quero. Seria o mesmo que assinar o meu atestado de burrice. Tudo estava nas mãos dele. Eu trabalhava feito uma mula pra dar o dinheiro limpo pra ele cuidar. A loja de carros fui eu quem comprou, com o dinheiro do meu trabalho. Peguei dinheiro da minha empresa pra investir e fazer a loja crescer e ele levou tudo embora. Tudo. Isso sem falar que o fim do mês está chegando e eu não tenho dinheiro pra pagar meus funcionários, as contas, o aluguel... E, certamente, vou descobrir mais coisas que ele fez, dívidas em bancos, etc.

Ela voltou a chorar desesperadamente.

Eu chorei junto com ela porque Pâmela não merecia o que estava passando.

Simplesmente não merecia. Eu estava com muita raiva.

– Mas tem que denunciar, Pam – reforcei soluçando.

– E eu vou falar o que, Nina? Nem casada no civil com ele eu era. Gente, como fui ingênua. Como pude deixar tudo nas mãos dele?

– Era seu marido – lembrou Manu. – Além do mais, ele nunca deu motivos pra que você desconfiasse dele. Não se culpe porque você não tem culpa.

– Sabe o que eu ainda não entendo? Vocês foram casados por tantos anos. Ele amava você, ou fingia muito bem que amava. Era amoroso, atencioso, ciumento às vezes. Cara, parece que estou ouvindo uma história sobre outra pessoa, não sobre Domênico.

– E é outra pessoa mesmo! Domênico era apenas um personagem. Era tudo mentira, Nina. Quando ouço novamente suas últimas palavras, "foi por isso que escolhi você", eu sei bem o que ele quis dizer. Ele não me escolheu porque me amava. Me escolheu porque eu seria a trouxa perfeita pra cair no seu golpe.

– Não diga isso, Pam – falei com pena dela.

– O cara foi muito frio em dizer isso – comentou Nathan. – Ele tinha tudo planejado e estava esperando o momento certo pra cair fora. Esse cara é um psicopata.

– Concordo com você – disse Kau.

– Qual era o nome da loja de carros, Pâmela? – perguntou Alexander.

– Top Car. É uma loja grande, toda envidraçada, que fica na Avenida Brasil – explicou ela.

– Eu já fui a essa loja – contou Alexander. – Fui com um amigo. Ele comprou o carro dele lá.

– Eu estou tão desesperada. Pela primeira vez na vida, não sei o que fazer. Ser traída dessa forma... Eu só fiz amar aquele homem.

– Sem querer comparar e salvando as devidas proporções, eu entendo muito bem como você se sente. Lembram que eu também levei um golpe?

– Do vilão número um, o Darth Vader – lembrou Manu.

– Do que vocês estão falando? – perguntou Kau.

– Outra história, Kau. Outro dia a gente conta – respondi.

– É. Só que Domênico ganha disparado dos seus vilões – comentou Manu.

– Ô, se ganha.

– Pâmela, você quer que eu tente ajudar você? – perguntou Alexander.

– Como?

– Não sei se você sabe que eu sou cigano.

– Sei. As meninas me contaram. Mas como você poderia me ajudar?

– Pedindo ajuda pro meu grupo. Somos muito unidos e, quando um cigano tem um problema, todos se esforçam pra ajudá-lo.

– Mas você não tem um problema, Alexander. Sou eu que tenho.

– Você é amiga de Nina e Manu, que hoje são minhas amigas. Em consideração a elas, e por você também, eu peço ajuda a todos os ciganos que conheço pra tentar localizar seu marido.

– Ex-marido – corrigiu Pâmela.

– Puxa, Alê, você faria isso? – perguntei me sentindo tocada por sua generosidade.

– Claro.

– E como o seu povo pode ajudar, Pam? – perguntou Nathan.

– Quase todos do meu grupo são comerciantes e a gente conhece muita gente na região de Campinas. Sem falar que temos contato com os demais ciganos do país. Pode ser que não consigamos nada, mas não custa tentar.

– Eu também acho – comentou Kau.

– Eu preciso de informações e de fotos do seu ex-marido – disse Alexander.

– O que você precisa saber? – perguntou Pâmela.

– Vamos preparar um documento no computador e daqui mesmo eu mando um faz para alguns amigos meus pedindo ajuda para tentar localizar esse cara.

Alexander e Pâmela se acomodaram na pequena mesa do quarto e começaram a trabalhar no computador.

Nós quatro ficamos sentados em volta, atentos pra ajudar no que fosse preciso.

Alexander parecia um delegado de polícia. Perguntava muito. Queria saber o detalhe do detalhe. E Pâmela respondia com muita boa vontade e interesse.

Lá pelas nove horas da noite, quando nossos estômagos começaram a reclamar de fome, iniciamos uma discussão do que fazer em relação à comida. Se o melhor seria sair para jantar ou pedir uma pizza no quarto. Ninguém queria deixar Pâmela sozinha naquele momento difícil.

Pam sugeriu que nós quatro saíssemos para comer, pois não estávamos colaborando com muita informação. Tudo o que Alexander precisava saber era ela quem respondia. Nós, de certa forma, até atrapalhávamos com nossas conversas cruzadas.

Alexander e Pâmela pediram comida no quarto para não ter que interromper o documento sobre Domênico e nós, então, saímos para jantar.

Kau sugeriu um pequeno restaurante de uma amiga dele, na própria Praia de Encantadas.

Caminhamos pela estreita rua de areia iluminada apenas por nossas lanternas. Na Ilha do Mel não tinha iluminação pública, e a dona da pousada nos cedeu, gentilmente, duas lanternas para andarmos até o restaurante.

Manu e Kau iam na frente. Nathan e eu, poucos passos atrás. Caminhamos quase que em silêncio, fazendo um comentário aqui e outro ali sobre Domênico.

O assunto ainda não tinha sido digerido e talvez nunca fosse.

O que eu não conseguia parar de pensar era por que Domênico havia feito aquilo. Mil outras perguntas pipocavam em minha cabeça, mas a que eu menos entendia era por que razão ele tinha feito isso. Ele tinha uma vida maravilhosa com Pâmela. Morava num apartamento luxuoso, tinha carros de luxo, era dono de seu próprio negócio, viajava quando tinha vontade e para onde quisesse. Nada lhe faltava. E ainda era casado com uma mulher linda, inteligente e que fazia tudo por ele.

– Imagino o quanto Pâmela está se sentindo traída – comentou Nathan. – E também imagino como está a cabeça dela agora. É mais ou menos como me senti quando Elisa me traiu.

– É diferente.

– Não é não – assegurou ele. – Minha vida, assim como a de Pam, estava perfeita, tudo dando certo, fluindo e cheia de felicidade. De repente, acontece uma coisa e tudo desmorona, virando um caos.

– É verdade – concordei me lembrando dos meus muitos caos.

Caminhamos mais alguns metros em silêncio. Manu e Kau conversavam, mas eu não prestava atenção no assunto.

– E que história é essa de que você também levou um golpe?

– Hum... Faz tempo já. Nem se compara com o que Pâmela está vivendo porque eu descobri bem no início.

– Mas o que aconteceu?

– Outro dia lhe conto. Não estou a fim de relembrar essa história hoje.

Tem algumas coisas do meu passado que hoje faço questão de não lembrar mais. Coisas que quero esquecer, apesar de não conseguir apagá-las completamente da minha memória.

Confessando: Eu daria qualquer coisa para deletar alguns arquivos do meu cérebro. Qualquer coisa mesmo. Principalmente arquivos da pasta "amorosa".

Lembrei de uma frase que Alê me disse numa das nossas conversas. Ele disse que foi meu passado que me trouxe até aqui. Se fiz coisas erradas ou não, já não importava. O que importa é que o meu passado me trouxe para onde estou hoje e me fez ser quem eu sou.

Sei lá se concordo com as palavras dele. Queria mesmo uma oportunidade de voltar uns dez anos atrás para refazer algumas coisas... Mas será que se eu tivesse tomado outras decisões eu estaria naquela ilha com os meus amigos?

Nunca saberei. Comecei a imaginar como a vida é misteriosa. Cada suspiro, cada passo e cada segundo de tempo podem mudar completamente nosso futuro, sem que nós nunca saibamos quais seriam as outras direções que poderíamos ter seguido.

– Chegamos – avisou Kau.

O lugar era bem simples e ele começou a explicar que, depois do seu restaurante, aquela era a melhor comida da ilha. Ele nos apresentou Dona Maria, proprietária do estabelecimento, uma senhora gorda com cara de boa cozinheira. Simpatizei com ela e com seu jeito carinhoso de tratar os clientes, tal qual a dona da pousada. Parece que era peculiaridade das pessoas da Ilha.

Escolhemos uma das várias mesas de plástico forradas com uma toalha azul desbotada pelo sol e nos sentamos.

– Vocês querem jantar ou apenas beliscar? – perguntou ela trazendo algumas casquinhas de siri como cortesia.

Optamos por petiscos, cerveja e conversa. Muita conversa.

Estávamos tão passados com a situação de Pâmela que beber e falar de outras coisas nos pareceu tentador e conveniente.

Kau queria saber de nossas vidas, dos nossos trabalhamos, amigos, amores e quase tudo que fizemos nos últimos anos.

E, imersos naquele ambiente simples e tranquilo, tive a sensação de que ele nunca tinha ido embora. Nossa amizade continuava forte como sempre fora e parecia que aqueles nove anos foram apenas nove minutos. Estava muito à vontade e com a intimidade de antigamente, falando de maneira aberta da minha vida, das minhas desilusões e de meus cafajestes de estimação.

Pra variar, virei motivo de gozação. Esse meu ímã invisível que só atrai homens errados foi assunto por um bom tempo.

Nathan aproveitou o momento para também saber mais sobre meus relacionamentos tortos, fazendo gracinha e rindo dos meus tombos.

Manu aproveitou o assunto "relacionamentos" e especulou sobre a tal namorada de Kau:

– Eu a conheci quando ela veio com a família passar um feriado aqui. Eles ficaram na minha pousada e nós acabamos nos aproximando – explicou ele.

– O que significa exatamente se aproximar? – insistiu Manu.

– Quando vou a Curitiba, fico na casa dela. Quando ela vem à Ilha do Mel, fica na pousada.

– Sim, mas e aí?

– Quer que eu conte mesmo o que eu faço quando estou sozinho com Rose? – provocou ele.

– Não. Por favor, não entre nos detalhes – respondeu ela.

– E você gosta dela? – perguntei por Manu.

Eu sabia que, no fundo, era isso que ela queria saber.

– Gosto. Ela é uma boa moça.

– E vai casar quando? – provoquei.

– Com Rose?

– Não, comigo – disse brincando, envesgando os olhos.

– Não vou me casar. Rose é só uma amiga... colorida. Se é que posso explicar assim. Mas não penso em nada sério com ela. A gente se curte e é só.

Os olhos de Manu brilharam com a informação, e eu podia sentir que dentro dela havia uma mistura de esperança, alegria e novas possibilidades.

– Kau, por que sua pousada se chama L'Avventura? – perguntei depois de Dona Maria trazer a terceira porção de camarão ao alho e óleo e nos contar simpaticamente que a previsão do tempo para o dia seguinte seria de sol e calor.

– Por quê?

– Sim. "L'Avventura" é uma música da Legião. E, que eu me lembre, sua música preferida era "Metal contra as nuvens".

– E continua sendo minha música preferida da Legião – confirmou ele. – É que L'Avventura combinou melhor para ser o nome da pousada.

– Pousada Metal Contra as Nuvens. Pousada L'Avventura – falei provando os nomes. – É, realmente, L'Avventura combinou bem mais.

– Não me lembro dessa música, "Metal contra as nuvens" – comentou Nathan.

– É a música mais longa da banda. Supera "Faroeste caboclo" em dois minutos. Por ser longa demais, quase não era tocada nas rádios – explicou Kau para Nathan.

– É uma música muito linda... e forte – comentei. – O final dela que é lindo.

Kau começou a cantar o refrão final:

– "E nossa história não estará pelo avesso assim, sem final feliz. Teremos coisas bonitas pra contar. E até lá, vamos viver, temos muito ainda por fazer. Não olhe pra trás. Apenas começamos. O mundo começa agora... Apenas começamos."

– Acho que a gente precisa conversar – avisou Manu depois que Kau terminou de cantar com sua voz muito bem afinada.

– A gente? – perguntei sem me tocar, claro.

Nathan me salvou.

– Eu queria mesmo conhecer um pouco mais da vida noturna da ilha. Você me acompanha, Nina?

– Mas eu ainda estou com fome – respondi pegando mais um camarão.

– Comemos em outro lugar. Vamos? – pediu me puxando pelo braço, fazendo o meu camarão cair no chão de terra batida.

Quase que saí sem me despedir de Dona Maria. Nathan parecia querer fugir dali o mais rápido possível.

– Você é lerdinha, hein? Não percebeu que Manu queria conversar com Kau a sós? – perguntou quando estávamos bem afastados da mesa.

– Percebi – menti.

Na verdade, eu me toquei bem depois, mas não daria esse gostinho a ele.

– Percebeu. Sei.

– Eu ainda estou com fome – reclamei.

– Vamos comer alguma coisa, então. Pra onde você quer ir? Quer voltar pra pousada?

– Hum... Acho que não – lembrando de Domênico, o que me revirou o estômago...

– Vamos dar uma volta, então, pra ver o que a gente acha.

– Vamos lá.

– Podemos tentar também a praça de alimentação. Lá tem várias opções.

– Boa ideia.

Ele foi me guiando naquela escuridão. A lanterna mal iluminava nossos pés e eu comecei a imaginar coisas. Confesso que estava um tanto receosa. Morro de medo de bichos, e a sensação que eu tinha era de que a qualquer momento algo pularia nos meus pés.

– Nathan?

– O que foi?

– Eu morro de medo de baratas e de insetos – contei enquanto seguíamos pela escura rua de areia, rumo à praça de alimentação.

– E o que exatamente você espera que eu faça com essa informação?

– Que perceba que eu estou com medo de que algum bicho pouse em mim ou morda meu pé.

– Quer que eu segure sua mão?

– Quero. Obrigada – agradeci segurando sua mão.

– Por nada – disse ele sorrindo.

O trajeto foi bem melhor com a mão de Nathan para me salvar. E cheguei sã e salva na praça de alimentação, que estava bastante iluminada pelas luzes dos restaurantes e agitada com os turistas circulando.

Ficamos por ali observando e decidindo onde comer.

– Você está mesmo com fome?

– Não muita. Por quê?

– Este lugar está agitado demais. Não prefere caminhar na praia, longe das baratas e dos insetos devoradores de pés descalços? – perguntou ajeitando os óculos de um jeito engraçado.

Analisei o cenário. Uma mistura de gente conversando alto, com risadas e diversas músicas tocando ao mesmo tempo. De repente, achei que a tranquilidade de uma praia deserta seria bem mais atraente que aquela muvuca.

– Vamos sim. Estou precisando mesmo emagrecer.

– É verdade.

– Você está falando sério? – perguntei parando de supetão.

– Ué, você mesma acabou de afirmar que está precisando emagrecer. Eu só concordei.

– Falei isso para você dizer: "Imagina. Você está ótima!" ou qualquer coisa do gênero. É isso que os homens devem fazer quando as mulheres dizem que estão gordas. Jogar confetes.

– Por que vocês são tão complicadas?

– Eu não sou complicada.

– Claro que não. Você é perfeita.

– Nathan, deixe de ironia.

– Ué, não era pra eu dizer algo contrário do que você disse?

– Ai, desisto!

Nathan sorriu e falou alguma coisa que eu não consegui entender. Isso é algo que me irrita muito.

– Fale alto o que você falou de mim – pedi.

– Não falei nada.

– Você falou alguma coisa de mim e eu quero saber.

– Deixa de ser chata e vamos caminhar. Digo, você não está precisando emagrecer nem nada disso, mas caminhar é muito bom pra saúde.

– Ah, não enche! – resmunguei.

– Vou comprar umas cervejas – avisou ele segurando um sorriso. – Você aceita ou está de di...

– Eu aceito – respondi antes que ele terminasse a maldita frase.

Colocamos algumas garrafas em uma sacola plástica que enchemos de gelo e saímos sem destino, caminhando pela praia. À medida que nos afastávamos da praça de alimentação o silêncio crescia. Realmente, estava bem mais agradável que a mistura de música com conversas paralelas.

Naquela noite, mesmo sem combinar, nós não estávamos a fim de agito.

– Pergunta. Para quem você ligaria se descobrisse que o mundo iria acabar em dez minutos?

– Não entendi sua pergunta, Nathan.

– É um jogo. Nunca brincou de Pergunta e Resposta?

– Já.

– Então me responda – pediu sentando-se na areia.

Eu me sentei ao seu lado, pensei um pouco sobre a pergunta e respondi.

– Eu ligaria pra minha mãe – disse anotando mentalmente que, no dia seguinte, seria um bom dia para retornar a ligação dela.

– Sua vez.

– O jogo de Perguntas e Respostas que eu conheço não é assim.

– E como é? Com perguntas picantes?

– Não. Com perguntas engraçadas.

– Do tipo...

– Do tipo: O que é um cigarro de maconha feito com papel de jornal?

– Não sei.

– Um baseado em fatos reais – respondi rindo.

– É pra rir?

– Não achou graça? Essa é ótima! – exclamei. – Fala a verdade, não é muito bem bolada?

Ele balançou a cabeça negativamente.

– Posso fazer outra?

– Manda.

– Tem um cara com um beiço enorme dormindo embaixo do pé de mamão. O mamão cai do pé, passa raspando por sua cabeça e toca em seu beiço. Qual é o nome do filme?

– Não faço ideia.

– Um mamão que balança o beiço – falei rindo muito. – Entendeu?

– A *mão que balança o berço*. Um mamão que balança o beiço...

– Isso mesmo.

– Fala sério!

– Deixa de ser ranzinza. Essas perguntas são muito engraçadas.

– Eu brinco com esse tipo de pergunta quando estou com meu sobrinho Lucas. Ou brincava quando estava na sétima série.

– Desculpa aí – disse eu, bebendo um gole da cerveja.

– Que loucura essa história de Pam, né?

– Acho que não quero falar desse assunto, Nathan. Estou tentando controlar a raiva que estou sentindo por Domênico, e falar sobre ele só vai piorar esse sentimento tão pouco nobre.

– Tudo bem.

– Pergunta: Se você pudesse voltar ao passado, qual dia da sua vida você escolheria para reviver?

– Eu voltaria para o ano de 1999. Mês de maio. Dia cinco.

– O que aconteceu nesse dia?

– Foi quando conheci Elisa.

– Uau! Você consegue se lembrar da data. Mas por que você voltaria para esse dia? Por que não voltar pro dia do seu casamento?

– Pra recusar o convite de expor na galeria de artes onde Elisa trabalhava e aceitar o convite da outra galeria, que também me fez proposta na época.

– Mas aí, você não iria conhecer Elisa.

– Essa é a ideia.

– Ah, entendi! – falei percebendo onde ele queria chegar. Queria apagar Elisa de sua vida, assim como eu queria apagar certas pessoas da minha. – Você tem pensado muito nela?

– Às vezes.

Esperei que ele falasse mais a respeito de Elisa, mas Nathan preferiu o silêncio e bebeu sua cerveja.

– Pergunta – disse ele depois de uma longa pausa. – Você já atingiu o seu objetivo na OFI?

– O de limpar Marcelo do meu coração? – Ele respondeu balançando afirmativamente a cabeça. – Sim, eu consegui.

– Sério mesmo?

– Sim.

– Mas pensa de vez em quando nele?

– Muito de vez em quando só pra me lembrar de que preciso ter mais cuidado na minha próxima escolha.

– E já está pensando na próxima escolha?

– Já – disse a minha boca antes do meu cérebro pensar.

Preciso me controlar. Preciso ser menos impulsiva. Nada de me entregar. Certo. Já me situei.

– Você não perde tempo, hein?

– Meus trinta anos estão cada dia mais perto. Preciso me mexer. Tic tac tic tac tic tac... – respondi movendo o dedo para um lado e para o outro como o pêndulo de um relógio cuco, daqueles bem antigos.

– Tá com medo de virar uma balzaquiana e não quer encarar os trinta sozinha?

Odiei o comentário dele. Dessa vez, por se tratar de uma verdade muito difícil de ser ouvida. Já não bastasse minha consciência me lembrar disso a cada momento, várias vezes por dia, ainda tinha que ouvir isso da boca de outra pessoa! Isso é muito dolorido.

– Mais ou menos isso – respondi dando de ombros.

Ele se calou e deduzi que aquele assunto estava encerrado. Bebemos por alguns minutos sem conversar, olhando o mar.

– Ficar em silêncio ao seu lado é agradável. Eu geralmente não gosto do silêncio. Ele me incomoda demais. Mas com você eu gosto – disse Nathan.

– Devo me sentir lisonjeada? – perguntei.

– Só se quiser.

Eu queria. Claro que queria. E me senti sim. Mas não admiti para ele.

– Pergunta: O que faz seu coração bater mais forte, suas pernas tremerem e sua barriga gelar? – perguntei quebrando o silêncio.

– Correr uns cem metros sem preparo físico.

Humpf!

– Por que você precisa ser sarcástico o tempo todo? Por que você simplesmente não responde como todos fazem?

– Essas perguntas fazem parte do jogo?

– Não me responda com outra pergunta. Isso me irrita muito.

– Achei que gostasse de pessoas bem-humoradas.

– Gosto de pessoas com senso de humor, mas inteligente.

– Entendi o recado. Pergunta: O que você fez que nunca mais faria em sua vida novamente?

– Que difícil essa, hein?!
– Tem que ser rápida e falar o que vier à cabeça.
– Me trancar no meu quarto com uma garrafa de vinho e chorar horrores por um homem que não merece.
Ele me olhou de canto de olho e perguntou:
– Sério que você fez isso?
– Muito sério – afirmei brincando com a garrafa vazia. – Acho que todo mundo já teve uma noite dessas na vida. Costumo chamar de Noite Negra.
– Noite Negra?
– Noite Negra.
– Certo.
Fez-se uma pausa e, depois, Nathan falou:
– Nunca tive uma Noite Negra em minha vida. Quer dizer, já sofri por amor, por rejeição, nunca fui um garoto popular...
– Posso imaginar o porquê.
– Você provavelmente foi muito popular – afirmou com deboche.
– Não, eu não fui popular. Manu e Pâmela foram. Eu não.
– Posso entender o porquê – disse me alfinetando. – Mas, como ia dizendo, eu já sofri e tudo. Só que nunca chorei uma noite inteira por alguém.
– Mas já tomou um porre por alguém?
– Já. Vários.
– Ótimo. Me sinto mais humana agora.
– Que música é essa? – perguntou Nathan atento ao barulho.
– Ih, é meu celular – disse ficando de pé e tirando o aparelho do bolso de trás do meu short.
Olhei para o aparelho, que continuava tocando "Mariane", da Legião Urbana, e senti um leve tremor.
Aquela música eu tinha escolhido para ser o toque de Marcelo.
Hoje eu me arrependo de ter escolhido uma música tão linda, mas tão linda, para um infeliz que não vale a pena.
– Não vai atender? – quis saber Nathan.
– Vou – respondi incerta da minha resposta.
– Então, atende logo, pode ser Pâmela ou Manu.
Apesar de saber que não eram elas, eu não respondi e atendi ao telefone:
– Alô? – disse dando uns passos em direção ao mar.

– Oi, gatona – falou ele com uma voz rouca e arrastada. Sinal de que já havia bebido bastante.

– Quer falar com quem? – perguntei com atuação teatral.

– Puxa, gatona, é Marcelo, me deletou da sua agenda? – perguntou tentando parecer sóbrio.

– Ah, Marcelo, boa noite, tudo bem? Não foi isso, é que troquei de aparelho e só passei os números que me interessavam para o novo. – Uau, estava ficando boa nisso!

Estava ansiosa para saber qual o real motivo daquele estranho telefonema.

Podia ser que ele tivesse errado o número na hora de ligar e ainda não tivesse se dado conta de com quem estava falando.

– Tenho pensado tanto em você. Quero ver você. Acho que a gente precisa conversar, não acha?

Definitivamente, ele tinha ligado para a pessoa errada.

– Marcelo, me desculpa, você sabe mesmo pra quem você ligou?

– Pra você, Nina. Eu liguei pra minha gatona. Ou você acha que eu chamo outra pessoa de gatona?

– Ah, eu... bem... – Certo. Por essa eu não esperava. – Achei que, de repente, pudesse ter se equivocado na hora de teclar o número.

De repente me lembrei do gosto amargo do seu beijo.

– Você pensou isso de mim? Jamais faria isso com você, gatona – disse tentando parecer apaixonado.

– Você fez coisa bem pior.

– Eu sei. Eu sei e... – Ele fez uma pausa para dramatizar. – Puxa, se você soubesse o quanto eu estou arrependido. Sério, Nina. Quero muito conversar com você pessoalmente.

– Arrependido? – perguntei sem acreditar no que ouvia.

– Muito arrependido. Você é uma mulher muito especial a quem eu não soube dar o valor.

"Será que eu bebi tanto assim? Agora estou na dúvida aqui. Quem está mais bêbado, eu ou o traste?"

Como não falei nada, ele continuou:

– Quero muito consertar a merda que eu fiz. Sei que fiz tudo errado com você.

– Fez mesmo.

– Viu? Eu estou assumindo os meus erros. Estou evoluindo como pessoa. Não é assim que você pensa? Que quer evoluir como pessoa?

Hum, que papo mais estranho. O que tinha dado em Marcelo?

– Marcelo, olha...

Ele, porém, não me deixou terminar e arrematou:

– Você deve estar em casa sozinha agora, né? Puxa, seria tão bom se a gente pudesse conversar e se acertar novamente. Depois passar o domingo juntinhos nessa sua cama gostosa... Que tal?

Ai, que papo mais cansativo!

Ele pensava que eu estava em casa em pleno sábado à noite? Coitado. E, provavelmente, devia estar bêbado em uma festa entediante. Não conseguiu ninguém para passar a noite e, para não voltar para casa zerado, ele ligou para mim.

Lembrei de Manu e suas teorias masculinas. Realmente alguns homens chegam a dar nojo.

O que será que ele imaginou? Que eu ia cair naquele papinho fajuto e pedir para ele ir correndo para minha casa? Que estava mofando na minha cama de casal sem ninguém para me fazer companhia?

Ah, se ele soubesse onde eu estava, com quem estava e que estava me divertindo horrores sem nem lembrar de sua existência...

– Marcelo, você tem razão – falei dando alguns passos para trás e voltando mais para perto de Nathan. – Eu sou uma mulher muito especial. Muuuito especial mesmo.

E me sentei ao lado de Nathan.

– Você é sim, gatona. Daqui a uns cinco minutos eu chego aí e a gente continua essa conversa.

Nathan me olhou e fez um gesto para me livrar logo daquele telefonema e eu fiz mímica com a boca dizendo que era Marcelo.

Nathan se espantou e pediu para eu colocar no viva voz.

– Não, venha pra cá conversando comigo no telefone.

– Claro. Se você prefere ficar ouvindo a voz do seu gatão... Eu estou saindo e devo chegar em dez ou quinze minutos.

Meu gatão?

Como ele era patético!

– Ai, que ótimo! – falei sentindo um prazer imenso.

Nathan segurou o riso.

Alimentar a esperança de que Marcelo ia se dar bem. Fazê-lo dirigir até a minha casa em vão... Puxa, como sou má!

– Você vai ver como eu mudei – continuou ele confiante.

O som de uma batida de porta e do arranque do motor me indicou que ele já estava a caminho da minha casa.

– Posso imaginar o quanto.

– Eu não soube lhe dar valor. Mas agora vai ser bem diferente. Eu prometo.

Quantas vezes eu ouvi esse "eu prometo" de Marcelo? Umas cem mil vezes. No mínimo.

– É, você não soube me dar valor. *Eu* não soube *me* dar valor. Mas agora vai ser bem diferente – respondi bastante calma.

– Vai sim – concordou ele sem ao menos prestar atenção na minha ironia. – Você... é muito especial – repetiu ele, reticente como se, por um momento, tivesse esquecido meu nome. Definitivamente estava bêbado e pagando até pouco pelo traste que é.

– Sou mesmo. Sou especial demais pra perder tempo com trastes e com quem não merece.

– Não. Mas a gente vai conversar e você vai entender...

– Marcelo, querido, não subestime a minha inteligência. Eu sei que você me usou, que me fez de idiota, me traiu e me enganou.

– Passado, gatona. Esse era o meu passado. Agora, eu sou um novo homem.

– E essa mudança toda ocorreu em... uma semana?

– O quê?

– Perguntei se você mudou isso tudo na última semana que passou?

– Pra você ver. Quando eu chegar aí você vai ver o novo Marcelo e vai me amar ainda mais.

Nathan cuspiu a cerveja de sua boca por não conseguir conter a risada.

– Você acha que vai se dar bem, né? Fala a verdade. Você acha que vai chegar aqui em casa e me passar uma conversa mole e pronto, tudo resolvido. Vai dormir comigo e tudo volta como era antes.

– Não, gatona. Não pensei nada disso. É que eu não paro de pensar em você, sabia? E esses dias eu pensei, pra que ficar de orgulho com Nina? Orgulho não leva a gente a nada. Estou quase chegando aí pra gente continuar essa conversa – disse o imbecil.

– Mal posso esperar.

Ficamos em silêncio. Nathan me passou o último gole da cerveja dele. Eu bebi e fiquei ouvindo, pelo telefone, os barulhos de Marcelo dirigindo seu carro.

– Nina, você ainda está aí?

– Estou. Você chegou? Não vejo você da janela.

– Estou estacionando. Vou precisar manobrar. A gente se vê daqui a pouquinho.

– Não desliga. Fica comigo. Pode manobrar seu carro que eu espero.

– Sério? Se é assim que você quer, tudo bem. Me espera aí na linha que eu já falo com você.

– Ai, Má, não faz maldade comigo, estou ansiosa demais pra ver você. Não consigo me conter – disse em tom provocativo, contendo meu riso.

Marcelo manobrou o carro e, depois, voltou a falar comigo.

– Pronto, gatona. Vou subir agora.

– Ok. Estou esperando.

Ouvi Marcelo subindo os seis degraus que levam até a portaria do meu prédio e cumprimentar Airton, o porteiro da noite:

– Boa noite, grande – exclamou ele. – Vou ao 708.

– É 908, Marcelo. Meu apartamento é o 908.

– Ah, ok – disse sem graça. – 908. Nina tá me esperando.

– Nina tá viajando. Não tem ninguém no apartamento dela.

– Nina não está viajando. Ela tá lá em cima me esperando – ouvi Marcelo responder para Airton.

– Acho que você está enganado – respondeu Airton com sua habitual paciência e seu sotaque mineiro.

– Ela está aqui no telefone falando comigo – disse Marcelo. – Nina? Alô?

– Oi, Marcelo.

– Avisa o porteiro pra ele me deixar subir? Ele acha que você está viajando.

– Claro, gatão, ele deve ter se enganado. Passe o telefone pra ele.

Nathan não se controlava de tanto que ria.

– Oi, Dona Nina. Boa noite!

– Airton, olha só, diga que o elevador está quebrado e deixa ele subir até o meu apartamento de escada. Se ele reclamar depois, diga que eu disse mesmo pra você que estou no prédio e que você achou que tinha se confundido, tá, Airton? Faz esse favor pra mim.

– Pode deixar.

– Senhor – começou Airton entrando no jogo –, creio que realmente o senhor tem razão. Dona Nina me disse que o senhor pode subir. Só tem um inconveniente, o elevador está quebrado, precisa utilizar as escadas.

– Gatona? Você tá na linha?

– Oi, gatão, claro que estou. Ai, tadinho, vai ter que subir de escadas? Vou preparar um óleo com cânfora pra fazer uma massagem bem gostosa quando você chegar aqui, tá?

– Uau, o que mais gatona? – perguntou o idiota já com sinais de cansaço na voz.

– Nossa, Má, você está ofegante? Puxa, pensei que seria uma noite de reconciliação.

– E vai ser, gatona, vai ser... É que estou subindo rápido pra que possamos nos ver logo... Depois de uma massagem, estarei refeito pra uma noite inteirinha de reconciliação – disse rindo vitorioso, em meio a baforadas sem ar.

– Em que andar você está, gatão? Tá demorando tanto!

– Calma, gatona! Já estou no quin... quin... uffffff... quin... to an... dar...

– Aiiii, caramba! Esqueci de lhe pedir um favor!

– Hã?! – perguntou Marcelo bufando, parado no sexto andar, calculei.

– Eu estou esperando uma essência de cânfora com pimenta rosa que encomendei semana passada, e deveria ter chegado hoje. Sem a essência não consigo fazer a massagem. É pedir muito você ir perguntar pro Airton se chegou?

Eu mesma não estava me contendo de tanto rir. Estava a ponto de fazer xixi nas calças, mas o olhar de aprovação de Nathan me encorajou a continuar.

– Er... Não, claro que não, gatona, pra baixo todo santo ajuda!

Ouvi então os passos velozes descendo a escada e, após receber a notícia de que infelizmente não chegara nada para o apartamento 908, tornou a subir vagarosamente.

– Puxa vida, que droga! – continuei judiando. – Não tem problema, vou pegar um sabonete cheiroso e misturar na água quente. Fica bem gostoso também.

– Olha, vou precisar mesmo de massagem. Minhas pernas estão tremendo – avisou ele subindo os degraus.

– E aí, chegou?

– Ufa, pronto... – Ele fez uma pausa para respirar. – Cheguei! Estou aqui... – Outra pausa. – Na frente de sua porta.

– Ih, sei não, hein, gatão. Acho que você está sem preparo físico. Tão ofegante! Estou com medo de deixar você entrar e você ter um treco aqui no meu apartamento. Daí, vão dizer que eu coloquei alguma coisa na sua bebida, pois estava com raiva, etc. Pode dar um problemão pra mim, você não acha?

– Nina, para com isso... – pediu arfando. – Abre logo a porta! Preciso dessa massagem logo...

– Putz, gatão! Esqueci de outra coisa....

– Nina, não há nada que me faça descer de novo, para de graça, abre a porta... – pediu batendo na porta. – Quando o elevador voltar a funcionar, faço qualquer coisa que você queira, mas estou exausto e com muito calor.

– Nossa, eu estou sentindo até frio, sabe? A noite na praia é sempre muito agradável e a temperatura amena...

– Hããã?! – gritou o escalador de degraus, sem entender nada.

– Então, gatão, a outra coisa que eu havia me esquecido de dizer é que estou mesmo viajando... Quando você passou o telefone pro Airton, me confundi e disse a ele que você podia subir, mas, infelizmente, ou melhor, felizmente, estou aqui com um amigo, tomando umas cervejas geladinhas, sentada na areia, olhando o mar...

– Você só pode estar de brincadeira. Nina, abre logo a porta! – falou elevando a voz.

– Ô, babacão otário, já deu! Vou desligar o telefone de Nina pra retomar de onde paramos, beleza? – disse Nathan se divertindo. – Ah, manda um abração pro Airton quando você descer.

– Quem é você?

– Isso aí é pra você aprender a dar valor pra mulheres de verdade! Seu babaca! – disse Nathan com raiva. Depois, desligou sem ouvir a resposta de Marcelo.

Muitas gargalhadas e ligações não atendidas de Marcelo depois, Nathan e eu retomamos a conversa.

– Que Zé Mané esse que você arrumou, hein?

– Ai, Nathan, você não existe... Hahahaha... Pois é... Passado, Nathan, passado – falei me sentindo aliviada, vingada e de alma lavada.

– Sério mesmo que você chamava esse babaca de "gatão"?

– Eu não! Ele que se autointitulou.

– Que cara mais babaca! Tomara que tenha aprendido a lição.

– Vamos mudar de assunto? – disse me jogando para trás.

Nathan também se deitou e, em seguida, perguntou:

– Como será que Kau e Manu estão se saindo?

– Espero que eles estejam se acertando.

– Tomara que eles se entendam mesmo. Gosto muito da Magrela. Se não fosse por ela, nós não estaríamos aqui e eu não estaria conhecendo você melhor.

– Me conhecendo melhor?

– É. Digo, você, Alexander e até a própria Manu – apressou-se em dizer.

– Realmente, está sendo maravilhoso conhecer vocês dois... Melhor – comentei. – Logo que conheci você, o achei um chato, irônico e debochado.

– Mas eu sou isso mesmo – brincou ele.

– Sério. Eu detestei você naquele dia lá na Festa da Uva. Mas, aos poucos, vi que você pode ser um cara legal.

– Hoje você me acha um cara legal? Hum... Entendi. E Alê? Você também o detestou no dia em que o conheceu?

– Alê é um doce de pessoa, né? Sempre tão gentil, solícito, educado e atencioso... Uma grata surpresa em minha vida, com certeza.

– Dá pra ver, pela quantidade de adjetivos.

– Hum... Tá com ciúme de Alê?

– Eu não. Tá certo que o cara rouba a cena por onde passa com aquele corpo malhado, e que você e Manu só faltam babar quando o cara aparece sem camisa. Mas não fico com ciúme não.

Eu ria muito. A cara que Nathan fez ao falar de Alê era algo muito, muito engraçado.

– Você tá com ciúme sim – disse dando um empurrão nele com meu braço esquerdo.

– Estou brincando. O cara é boa pinta, isso eu não posso negar. E é gente boa também.

– É verdade.

– Tá rolando alguma coisa entre vocês?

– Comigo? – perguntei com uma voz esganiçada e surpresa com a pergunta de Nathan.

– Tá rolando sim – afirmei mantendo certo suspense.

Nathan não falou nada. Só fitou o mar.

– Tá rolando uma amizade bacana, que espero cultivar pra sempre. Ele é um bom amigo.

– Tem certeza?

– Por que você duvida?

– Achei que pudesse estar interessada nele – disse dando de ombros.

"E eu realmente estava!", pensei. "Só que não rolou."

– Vou dar um mergulho. Estou precisando esfriar a cabeça – disse brincando, sem responder à pergunta dele. – Cuida das minhas coisas? – pedi enquanto tirava o short, a camiseta regata e o celular.

Ajeitei o biquíni e rumei pro mar.

Mergulhei na água morna com vontade. Mergulhar no mar à noite era algo que estava em minha lista "Coisas que quero fazer antes de morrer" e que eu protelava sempre.

Mas não dessa vez. Senti uma dose de adrenalina e uma sensação de liberdade que eu costumava sentir quando andava de bicicleta sem as duas mãos, aos doze anos de idade.

Naquele momento eu pensei que deveria levar mais a sério a minha lista de coisas que queria fazer antes de morrer. Até porque, depois daquela sacanagem com Marcelo, ele devia estar, literalmente, com vontade de me matar. "Hahahahahahahaha!", gargalhei mentalmente enquanto boiava e olhava a Lua sorrindo para mim. "Daqui em diante, será sempre assim; não vou deixar as oportunidades passarem sem realizar meus desejos", pensei feliz com a decisão.

Nathan não me acompanhou no mergulho. Ficou ali, imóvel, olhando pensativo... Cuidando de minhas roupas.

Que pena! Achei que ele viria nadar por um tempo e depois conversaríamos mais um bocado, sentados na areia, esperando a brisa morna nos secar.

Talvez ele quisesse ficar cuidando de nossas coisas para ninguém roubar.

Pensei em convidá-lo... O grito veio na garganta, mas parou antes de sair.

Vamos lá, lembrar mais uma vez: "Preciso me controlar. Preciso ser menos ansiosa e impulsiva. Não pule de cabeça nos seus sentimentos, Nina".

E, assim, fiquei mais um tempo nadando.

Depois dessa nossa saga noturna, resolvemos voltar para a pousada. Havia um ar de satisfação e cumplicidade no ar. Sentia que estava andando ao lado de uma pessoa com quem podia contar e que parecia conhecer há muito tempo. A brisa quente me fez imaginar as mãos do meu pai me acariciando o rosto e pensei que gostaria muito que Nathan o tivesse conhecido. Nem que fosse como amigo.

Chegando, fomos direto para o quarto de Pâmela para conferir como iam as coisas. Ela e Alê seguiam trabalhando e eu pude perceber que ela estava bem mais animada. Alexander já tinha mandado vários fax e feito alguns telefonemas. Estavam bastante esperançosos.

– Uau, isso é um quarto de pousada ou a sede do FBI? – brinquei feliz em ver os progressos na investigação e no ânimo de Pâmela.

Estava exausta e resolvi não ficar com eles, mesmo porque eu não iria ajudar em nada. Dei boa noite e segui para o meu quarto. Nathan fez o mesmo.

– O dia foi bom, não foi? Quanta coisa aconteceu – disse para Nathan, em frente à porta do meu quarto.

– Foi mesmo. Notícias boas e ruins. Mas o saldo final foi positivo.

– Será que Manu voltou?

– Vê aí.

Abri a porta e chamei por ela sem resposta.

– Nada – falei.

– Então, eles se acertaram.

– Será, Nathan? Puxa, queria tanto saber o que está rolando entre eles agora.

– Aceita uma última cerveja?

– Aceito. Onde?

– Aí, no seu quarto – falou com os cabelos jogados na testa e com seu sorriso torto. – Quem sabe, nesse meio tempo, ela chega e aí a gente pergunta tudo pra Magrela.

"Preciso me controlar, preciso me controlar.

Preciso me controlar, preciso me controlar.

Preciso me controlar, preciso me controlar."

Quase uma pedra

Meu dementador particular: Nathan.
Um momento bom: ver meus amigos juntos.

Não foi apenas uma cerveja. Foram várias. Acabamos com o estoque do frigobar, que precisou ser reabastecido quatro vezes. O rapaz da recepção já sabia até o que era quando o telefone tocava.

A noite avançava e com ela também nossa conversa na varanda do quarto.

Brincamos de jogo da verdade, falamos sobre física quântica (Nathan falou, eu ouvi), música, artes e planos para o futuro.

Rimos muito também. Risadas altas e saborosas, como só faço quando estou com Manu e Pâmela em nossas Noites do Batom.

Descobri que gostava de várias coisas em Nathan. Sua espontaneidade, por exemplo, me encantava. Assim como sua inteligência e suas tiradas rápidas. Adorava seu jeito relaxado e desencanado de ser. De viver uma vida sem muitas regras, aproveitando ao máximo o presente, mas sem perder o futuro de vista. Tão diferente de mim, que vivia sofrendo com o passado e me preocupando demasiadamente com o futuro. As contas que precisava pagar, compromissos que não podia perder, o que faria quando meus trinta anos chegassem, como conseguiria um namorado que não fosse uma canalha, e, assim, acabava me esquecendo do meu agora, que rapidamente ia se transformando em um passado nada interessante para ser lembrado, só sofrido ao ser ruminado.

Acabei sabendo um pouco mais sobre Nathan. Ele trabalhava ativamente como artista plástico, faz muitas exposições na região de Campinas e na capital, também fazia alguns trabalhos como fotógrafo e tinha uma paixão secreta por cinema. Morava sozinho em uma casa pequena no bairro de Sousas e sua família era de Americana, uma cidade próxima a Campinas.

Não, nós não ficamos juntos. Apesar de ter rolado alguns olhares fuzilantes e de ter sentindo o meu coração batendo forte por várias vezes. Durante alguns momentos de silêncio, eu jurava que ele ia me beijar. Ou quando ele me elogiava, quando admirava o meu olhar ou alisava o meu braço enquanto contava uma história da sua vida.

É certo que ele não se insinuou. Parecia estar curtindo o momento e a minha companhia. Mas não demonstrou em momento nenhum que estava desesperado para me beijar.

A minha insegurança odiou essa parte. Mas a minha razão logo a acalmou lembrando-a que era preciso mais controle e menos impulsividade.

– Preciso dormir agora ou vou apagar aqui mesmo – disse ele a certa altura da madrugada. – E a Magrela, nada de voltar, hein? Não perdeu tempo.

A minha vontade logo gritou: "durma aqui!".

– Tá tarde, né? E Manu, pelo jeito, não vai voltar mais hoje.

Ele se colocou de pé tão rapidamente quanto o álcool permitiu e caminhou em direção à porta, penteando os já bagunçados cabelos com as mãos.

– Estou bastante tonto – avisou abrindo a porta e se escorando no batente.

– Eu também. Ainda bem que não tenho que dirigir pra voltar pra casa e que minha cama tá logo ali.

– Sabe o que eu quero? – perguntou ele.

– Dormir?

– Não... Quero uma pessoa que entre na minha vida por acaso e que permaneça com um propósito.

– Ainda bem que você não desistiu.

– Do quê?

– Do amor.

– Não desisti do amor. Só estou esperando o momento certo.

Não entendi o comentário dele. Não era ele o descrente do amor? Não vivia dizendo pra mim que não acreditava mais?

O que tinha acontecido, afinal, para ele mudar de ideia?

Fiquei olhando para a cara dele sem reação, o que é bem típico da minha parte, ao mesmo tempo em que queria convidá-lo a se sentar novamente na varanda e debater o assunto até o Sol nascer.

Só que eu não fiz nada. E, então, ele me abraçou, me desejou boa noite e sumiu pelo corredor...

Quando acordei, dei uma espreguiçada gostosa, abri os olhos e descobri onde estava, virei para dar bom-dia para Manu, os meus olhos focaram primeiramente o relógio na parede e...

– O quê? – Esfreguei os olhos para ver que horas eram.

Caramba, onze e doze.

Meu primeiro pensamento foi o de que havia perdido boa parte da manhã. E que aquele era o nosso último dia na ilha. Tinha passado tão rápido!

Fiquei desejando ficar ali mais dias com os meus amigos.

Continuei o trajeto do meu olhar turvo até a cama de Manu e vi que estava intacta, do jeito que a arrumadeira deixou no dia anterior.

"Se Manu não dormiu aqui é porque ela dormiu com Kau."

– Finalmente Manu desencalhou! – falei alto e me sentindo feliz por ela.

Ver os meus amigos juntos, depois de tanto tempo, era quase uma realização pessoal. Eles se amavam e mereciam um ao outro.

Agora, só faltava eu e Nathan...

Nathan... Huuumm!

Ao pensar nele, abri um super-mega-*double-enhanced*-sorriso testemunhado apenas pelo ventilador de teto, e senti meu dia se iluminar ainda mais. Não via a hora de encontrá-lo novamente só para estar perto.

Depois de um longo e revigorante banho, me vesti e saí do quarto para encontrar Pâmela, Alê e Nathan.

Encontrei Pâmela e Alexander na piscina, tomando sol e conversando.

– Bom dia – disse me aproximando dos dois.

– Olá! – disse Alê ao me ver.

Alexander estava de sunga branca e seu corpo moreno e másculo estava ofuscando os demais hóspedes da piscina. Ele parecia não notar que todas as mulheres que ali estavam não tiravam os olhos de cima dele.

E eu, de alguma forma, as entendia perfeitamente.

– Bom dia não. Boa tarde – respondeu Pâmela. – A noite foi boa, hein?

– Boa pra quem, pra mim ou pra Manu?

– Como assim? Onde está Manu?

– Eu lhe faço a mesma pergunta – disse alimentando o suspense.

– Ela não dormiu no quarto com você?

– Hum, hum – respondi me sentando em uma cadeira debaixo do guarda-sol.

– E onde ela dormiu?

– Imagino que com Kau, na pousada dele.

– Não acredito! – exclamou ela se ajeitando na espreguiçadeira.

– Nem eu! – falei empolgada. – Acho que eles finalmente se acertaram.

Pâmela estava linda em um biquíni tomara que caia azul turquesa. Combinava muito bem com seus olhos e com seus cabelos loiros.

Toda vez que olho para Pâmela eu me lembro da boneca Barbie. Acho Pam uma Barbie em forma de gente. Meiga, linda e perfeita.

Como Domênico teve coragem de dispensar uma mulher assim?

"Bem, não quero estragar meu dia pensando nele."

O fato é que Pam parecia mais tranquila e bastante entrosada com Alê. O que não é nenhuma surpresa, pois, quem não fica "entrosada" com Alexander?

Contaram que até aquele momento não tinham novidades com as buscas por Domênico e que estavam bastante otimistas.

– O importante é manter a confiança de que vamos conseguir – disse Alê.

– Mas se não conseguir nada, você deve continuar sua vida, Pam. Você é inteligente, tem sua empresa e tem tudo para se levantar desse tombo que a vida lhe deu – disse em motivação. – Daqui a pouco você vai estar com sua vida toda organizada novamente, você vai ver.

– Nina tem razão – me apoiou Alê.

– E Nathan, não acordou ainda?

– Acho que não – respondeu Alê. – Quando saí do quarto pra tomar café ele ainda estava dormindo... De óculos e tudo – completou rindo.

Ficamos na piscina conversando e deixando que o tempo passasse devagar.

Nathan apareceu depois da uma da tarde, de bermuda, camiseta branca, chinelos e a maior cara de sono.

– Acho que dormi demais – disse ele quando se aproximou de nós.

Cumprimentou Alê com um aperto de mão. E Pâmela com um beijo no rosto. Depois, veio em minha direção, fazendo meu coração acelerar, e me deu um beijo...

... no rosto.

E, como se tivessem combinado, Manu chegou em seguida, de mãos dadas com Kau, irradiando tanta felicidade que quase ofuscava o Sol.

Nós soltamos gritinho de "aeeeeeeh!, uh-hu!" E outros do mesmo estilo, que os deixaram encabulados.

– Adivinhem o que encontrei nesta ilha? – disse Manu, depois que ficamos quietos.

– Um passarinho verde? – perguntou Nathan limpando os óculos com a camiseta.

– Também, meu amigo. Só que, além do passarinho, eu encontrei o meu amor e não vou mais desgrudar dele.

Pâmela e eu abraçamos Manu e Kau desejando muitas felicidades e alegrias ao casal.

– Mas e aí, você volta pra Campinas com a gente? Como vai ser? – perguntei.

– Volto. Tenho que cuidar do meu salão. Não pensamos ainda como vai ser esse namoro à distância.

– Estamos vivendo um minuto de cada vez – disse Kau, que abraçava Manu pelas costas.

Eles faziam um casal muito bonito.

– Fotos – avisou Manu.

– Você ainda continua com essa mania? – perguntou Kau.

– Essa e muitas outras.

– Pensa bem enquanto ainda é tempo! – avisou Nathan em tom de brincadeira.

Sorrimos com o comentário de Nathan e nos envolvemos em uma conversa sobre como seria o namoro de Kau e Manu. Cada um deu seu pitaco e, no fim, todos concordamos que o melhor seria Manu se mudar para a Ilha do Mel só para que tivéssemos onde passar férias, ou seja, ficar na pousada de Kau. Na faixa, claro.

– E nada de cabelo na comida – pediu Nathan. – Aliás, vou ligar para aquela dupla, Zezé di Camargo e Luciano, e dizer que achei uma música mais interessante do que um fio de cabelo no meu paletó!

Gargalhamos todos com o furo de Nathan...

– É Chitãozinho e Xororó, seu mal-informado musical...

Almoçamos na beira da piscina da pousada mesmo, pois o papo estava animado. E, quando a a tarde foi chegando ao fim, Kau e Manu voltaram para a pousada L'Avventura para ficarem juntos e mais à vontade.

Pâmela foi tirar um cochilo. Alexander foi fazer uma caminhada e sobramos Nathan e eu na beira da piscina.

– Vou dar um mergulho – disse Nathan tirando a camiseta e jogando os chinelos para o lado. – Você vem?

– Estou sem biquíni.

– Vai colocar pra gente aproveitar a piscina.

– Que tal uma caminhada pela ilha? Podemos fazer uma trilha e ver o pôr do sol de algum lugar.

– Boa ideia – disse ele vestindo novamente a camiseta.

O lugar escolhido para admirar o Sol poente foi o trapiche da Praia de Encantadas.

O lugar estava vazio e tranquilo. Sentamos na beira do trapiche admirando a paisagem em silêncio.

Nathan fotografava o cenário atento às mudanças de cores no céu, que eram um espetáculo à parte.

– Vou sentir saudade deste fim de semana – disse enquanto fotografava.

– Eu também – suspirei.

Novo silêncio.

Tirei meu celular do bolso, vi que havia mais de dez chamadas de "o alpinista" (Nathan tinha trocado o nome de Marcelo na minha agenda na noite anterior). Mostrei para ele sem dizer nada, sorrimos com os olhos... Então, peguei meu discman da mochila e apertei o play.

Deitei nas tábuas de madeira do trapiche e cruzei os braços sob a cabeça.

Fechei os olhos e viajei pelos acordes da canção.

Senti Nathan se deitar ao meu lado e puxar o fone do meu ouvido direito.

– Os Tribalistas... "Velha infância". Muito bom, aliás, finalmente uma música boa vindo de você.

– Nathan?

– O quê?

– Posso lhe pedir um favorzão?

– Pode... – respondeu curioso.

– Cala a boca – disse séria, rindo por dentro.

O Sol se pôs... e nós não vimos, só percebemos o decréscimo gradual da luminosidade. Ficamos ali, deitados no trapiche, ouvindo música de olhos fechados. Cada um em seu mundo.

Tem momentos em que o silêncio é fundamental e que palavras são desnecessárias.

E aquele, com certeza, era um deles.

Era bom estar ali com ele. Diferente. Novo. A sensação que tinha era de que nos conhecíamos há séculos, tamanha era a nossa sintonia.

E o que eu sentia era algo calmo e sereno. A pressa, a urgência e o impulso que sempre me atrapalhavam estavam quietinhos... E, por isso, duvidada dos meus sentimentos.

"O que sinto por ele, afinal? Paixão? Interesse? Curiosidade?"

Não sabia e nem tinha pressa em saber. O tempo que me mostrasse.

Aproveitei para fazer um pacto comigo mesma de nunca mais me relacionar com os cafajestes da vida. Sim, cinco já havia sido o suficiente. Chega de sofrer, você não acha?

"De agora em diante vou ter mais cuidado com minhas escolhas", pensei, mesmo sabendo que, de repente, a minha futura escolha estava deitada ao meu lado, roçando seu pé no meu, me causando leves arrepios.

Voltamos para a pousada no escuro da noite. Tínhamos esquecido as lanternas e tive que me controlar para não dar faniquito no meio do caminho, por medo dos insetos. Nathan, pacientemente, segurou minha mão até chegarmos à pousada.

Encontramos Pâmela e Alexander sentados no bar da piscina, e nos juntamos a eles.

– Como foi o passeio? – perguntou Pâmela.

– Bom. Fomos até o trapiche da Praia de Encantadas para ver o pôr do sol – respondi.

– E vocês, descansaram? – perguntou Nathan.

– Bastante – disse Alê. – Acabei de acordar.

– Eu não preguei os olhos. Fiquei pensando e revivendo todos os momentos que tive com Domênico. Ainda não acredito que ele teve coragem de fazer isso comigo.

– Muito menos eu – completei. – Mas o que vai adiantar ficar pensando nisso?

– É... nada, eu sei. Mas é praticamente impossível não pensar. Por mais que eu me esforce, não consigo.

– Eu sei. Comigo também foi assim. Quando peguei Elisa no flagra com Alain, eu passei dias tentando entender por que ela tinha me traído. Ou onde eu havia errado. Mas hoje eu não penso mais. Uma hora passa e a gente segue com a vida.

Não pensava mais em Elisa? Sério?

Uh-hu!

– Tomara que essa hora chegue logo – comentou Pâmela.

– Pelo menos eu tenho uma notícia boa pra dar – anunciou Alê.

– Qual é? – perguntei curiosa.

– Convenci Pam a denunciar Domênico – disse ele com orgulho.

– Jura? Mas isso é ótimo! Tem que denunciar mesmo, Pam – falei, feliz com a novidade.

– Alê me convenceu e, quando voltar pra Campinas, é a primeira coisa que vou fazer.

– Eu vou com você na delegacia – informou Alê.

– Maravilha, Pam. É isso mesmo – reforçou Nathan.

– Vocês têm planos pra noite? É nossa última noite aqui – perguntei mudando de assunto.

Ficar falando de coisas ruins baixava a energia e eu não queria que nossa OFI terminasse em baixo-astral.

– Não pensei em nada – respondeu Pâmela. – E você, Alê?

– Podemos dar uma volta pra Pâmela conhecer um pouco da ilha, já que ela chegou e nem saiu da pousada.

– Ai, adorei! Por mim ótimo – respondeu ela. – E vocês?

– Qualquer paixão me diverte – disse Nathan.

– Verdade? – perguntei botando pilha.

Ele me respondeu fazendo uma careta.

– Acho que não teremos a companhia de Kau e Manu – observou Alê.

– Pode crer que não – disse Nathan.

– Ah, deixa eles – falou Pâmela. – Depois de tantos anos, eles fazem muito bem em ficar juntos.

– Deixa a Magrela tirar o atraso! – brincou Nathan.

– Então, vamos lá pra praça de alimentação? Quem sabe a gente termina a noite dançando um forró – sugeri animada.

– Forró? – perguntou Pâmela, que detestava o gênero. – Cruz-credo!

– Você não gosta de forró? – perguntou Alê.

– Detesto. Além do mais, nem sei dançar – finalizou Pam.

– Pode deixar que eu ensino – surpreendeu-nos Alê.

Quase uma pedra

Meu dementador particular: Nathan.
Um momento bom: espaguete ao molho de ervas.

Alguns dias depois...

– Achamos que você não viesse – disse para Manu quando ela chegou dez minutos atrasada, o que é muito raro, na nossa boa e velha Noite do Batom.

– Desculpa. Estava no MSN com Kau – falou se acomodando em uma cadeira.

Ela deu um suspiro e depois prosseguiu:

– Estou com tanta saudade dele que estou pensando em ir pra Ilha do Mel neste fim de semana.

– Manu, a Ilha do Mel não é aqui do lado. Não vai gastar todo o seu dinheiro com passagem área – alertou Pâmela.

Era Pam que fazia a contabilidade do salão de Manuela. Logo, ela sabia do que estava falando.

– Por ele, eu gasto todo o meu dinheiro em passagem aérea sim. Namorar por computador é tão chato...

– Acalma a periquita aí, mulher – brinquei. – Não tem nem quinze dias que voltamos de lá.

– Sabe, estou pensando seriamente em uma coisa e queria saber o que vocês acham – começou ela.

– Pode falar – disse eu, pressentindo o que viria.

– Mas, antes, me deixa explicar uma coisa.

– Nossa, que mistério! – exclamou Pâmela tomando seu chope.

– Não tem nada de mistério e conhecendo vocês duas como eu conheço...

– Diga de uma vez, Manu – pedi cortando-a.

Sabia que ela estava enrolando por não saber como abordar o assunto. Manu é sempre tão objetiva. Só faz rodeios quando está insegura com alguma coisa.

– Tudo bem. Estou pensando seriamente em me mudar para a Ilha do Mel – despejou, sendo a Manu que eu conheço.

– O quê? – gritou Pâmela, quase engasgando com o chope – Ele pediu você em casamento?

– Não... Ainda não – respondeu para, em seguida, dar uma bicadinha em sua bebida.

– Ele vai pedir? – perguntei excitada com a possibilidade de um casamento.

– Gente, mais cedo ou mais tarde isso vai acontecer. Só quero antecipar as coisas.

– E a "ficante" dele? Ele já a despachou, como é? – quis saber Pâmela.

– Já. No domingo mesmo, quando estava com ele na pousada, ele ligou pra ela e contou tudo.

– E aí? – perguntei.

– E aí nada. O que ela poderia fazer?

– Sei lá. Tem tantas mulheres que não aceitam que o namorado termine o namoro e passam a infernizar a vida do cara. Sei de cada caso. – Lembrei de uma garota toda errada que fez da vida de Sílvio, amigo de Lúcio, meu ex-traste, um inferno. Até eu fiquei com medo da garota na época.

– Mas não é o caso dela. Pareceu boa pessoa – esclareceu Manu. – Além do mais, eles não tinham nada sério.

– Melhor assim – comentei.

– E o que Kau pensa disso? – questionou Pam.

– Ainda não exploramos o assunto. Mas todas as vezes que nos falamos por telefone ele dá a entender que me quer morando com ele.

– Você vai nos abandonar? – perguntei fazendo cara de triste. – Como vou viver sem você? Quem vai me atazanar a vida?

– Ai, não começa que estou superdividida – confessou com uma voz pesada. – Kau ou minhas amigas? – perguntou para si mesma.

Pela primeira vez desde que nos conhecemos, surgiu uma possibilidade real de nos separarmos.

Como seria isso? Manu faz parte da minha vida, da minha rotina. Simplesmente não me vejo sem ela.

O meu coração ficou apertado, mas feliz também por saber que ela iria viver o seu grande amor.

– É óbvio que sentiremos muito a sua falta, Manu. Mas, por Deus, você ainda está pensando? – perguntou Pâmela.

– Claro que estou pensando. É uma decisão difícil pra caramba. Se fosse só me desfazer do meu salão e ficar longe dos meus pais... Mas e vocês? Quem vai cuidar de Nina? Quem vai analisar minhas finanças? Quem vai cuidar dos cabelos de vocês? O que será da Noite do Batom?

Apesar do tom de brincadeira na voz de Manu, nós preferimos não responder às suas perguntas.

Mesmo sabendo que a verdadeira amizade não morreria com a distância e que poderíamos nos falar por telefone ou por MSN, sabíamos que não seria a mesma coisa. Com o tempo, cada uma mergulharia em sua rotina e a possibilidade de nos afastar era um fantasma.

Manu disse que iria pensar bem antes de tomar qualquer decisão. Que não iria fazer nada precipitado e que iria levar o namoro à distância até quando desse.

Intimamente, sabíamos que a decisão dela já estava tomada. Só nos restava saber quando ela a colocaria em prática.

– O que você vai fazer no fim de semana? – me perguntou Manu assim que estacionou Precioso em frente a minha casa.

– Vou visitar minha mãe. Prometi a ela que assim que retornasse de viagem iria vê-la e mostrar as fotos.

– Ótimo! Quer que eu vá com você?

– Obrigada. Melhor você fazer companhia pra Pâmela, ela está precisando mais do que eu.

– E você vai viajar sozinha naquele seu carro velho? Pirou, sua sem juízo? – perguntou com cara de reprovação. – Tá vendo, é por isso que não posso ir embora! – brincou no final.

– Está preocupada comigo? – perguntei só para provocar.

– Claro! João não vai salvar você no meio da Anhanguera.

– É Carlão, sua pata choca! – gargalhei. – Empresta o seu carro, então, já que está tão preocupada – cutuquei.

– É... Não vai ser possível.

– Sei que não. Mas, só pra você ficar tranquila, eu vou no carro de Nathan.

– Ele emprestou o carro dele? Que corajoso.

– Não, sua ruim, ele vai comigo.

– Hum... Já vi tudo.

– Ótimo. Veja tudo e mande boas energias que eu estou precisando desencantar deste meu eterno estado civil.

– Vou torcer por vocês. Sempre soube que Nathan é o cara certo pra você.

Tomara que seja. Estou cansada de tentativas frustradas.

– Volta quando, domingo?

– Sim, pra festa que Alê convidou. Você vai, né?

– E eu sou mulher de perder uma festa?

– Achei que iria trocar seus amigos para ficar namorando Kau por MSN.

– Isso quem faz é você.

Na manhã do sábado, Nathan chegou para me buscar.

– E aí, está pronta? – perguntou se largando no sofá.

– Estou terminando minha mala. Mais dois minutos...

– Mala?

– É. Minha mala.

– Nada de mala. Coloque tudo o que você precisa em uma mochila. E seja prática. Nada de fantasias.

– Por que mochila se eu posso levar o que preciso numa mala?

– Porque vamos de moto.

Então, eu reparei em seus trajes: calça jeans escura, camiseta branca, jaqueta de couro e botas de cano alto. Parecia um James Dean nerd.

– Eu não vou de moto com você. Está maluco? Quero viver mais alguns anos. Sou jovem demais para morrer.

– Para com isso. Ainda não percebeu que eu não coloco você em furada? Você vai se divertir e, se bobear, vai ficar me enchendo o saco pra andar de moto depois.

– Duvido.

– O tempo dirá! – filosofou. – Agora vai lá terminar de se arrumar pra gente ir logo – pediu pegando o controle remoto e ligando minha TV sem pedir, como se fosse dele.

Fui resmungando para o meu quarto.

"Será que devo ir de moto com Nathan? Será seguro?", pensava enquanto colocava metade das coisas que separei para levar em uma mochila.

Depois que terminei, voltei para a sala usando uma calça de couro preta, só para provocar.

– Mas ainda falta muito tempo pro próximo Rock in Rio – comentou analisando minha calça e minha jaqueta de couro com franjas.

– Você é ruim nessa questão de moda, hein? Este é o meu traje de motoqueira. Fala sério, não estou linda?

– Está parecendo a Sula Miranda depois de um furacão – disse tirando sarro de mim sem piedade.

– Ai, que mau humor!

– Agora pode tirar esse treco e vestir um jeans que não quero passar vergonha na rua.

Eu ri com gosto. Ele achou que eu iria com aquela calça mesmo. Precisava ver a cara que ele fez.

– Vergonha de mim? – me fiz de magoada. – Que amigo você, hein?

– Tenho uma reputação a zelar no mundo dos motoqueiros.

Depois que vesti jeans, camiseta e uma jaqueta, voltei para a sala e Nathan aprovou minha vestimenta.

– Desta vez estou salvo! – disse ele quando me viu de cabelo preso num coque, carregando minha mochila. – Você fica bem de jeans e tênis. Deveria usar mais.

– Vou anotar seus conselhos de moda, Senhor Armani.

Descemos pelo elevador combinando coisas como velocidade máxima, tempo de viagem, paradas para cafés, entre outras coisas.

Ao chegarmos na portaria, ele falou:

– Ei, Jeremias, me passa minhas coisas, por favor?

Jeremias, o porteiro, alcançou dois capacetes e uma mochila.

– Valeu! – agradeceu Nathan. – Bom fim de semana!

– Bom fim de semana, Nathan. Pra senhora também, Dona Nina.

– Obrigada – respondi olhando com curiosidade para os dois.

– Desde quando você tem essa intimidade com o porteiro do meu prédio? – quis saber quando nos afastamos.

– Sou um cara simpático e popular – gabou-se, me entregando o capacete. – Agora, coloca isto e ajuste o intercomunicador em sua orelha.

– Pra que serve esse treco? – disse tentando me entender com o capacete modernoso.

– Pra gente ir conversando. Veja bem, conversando, não gritando.

Coloquei o capacete e observei Nathan fazer o mesmo.

– Agora, vamos fazer um teste – avisou. – Está me ouvindo, Nina?

– Que fantástico! – exclamei. – Muito legal...

– Eu pedi pra não gritar, cacete! – brigou ele. – Quer me deixar surdo?

– Desculpa – pedi rindo.

– Vamos, então? – perguntou ele sentando-se em sua Virago 535 preta.

– Lindona sua moto, Nathan – elogiei com sinceridade. – E o que eu faço? Sento aqui? – perguntei apontando para o lugar do garupa.

– Você nunca andou de moto?

– Não.

Ele me olhou com um riso contido e depois falou:

– Só tem esse lugar, né, sua Mané?! E, se quiser, pode se encostar aqui – disse apontando para o encosto junto ao assento do garupa.

– Ótimo – falei tentando parecer tranquila.

Na verdade, estava tensa.

Só relaxei quando Nathan saiu da cidade e pegou a rodovia. Aí, passei a curtir o passeio.

O dia quente e de céu azul combinava com a sensação de liberdade que estava sentindo ao andar de moto. Nathan se mostrou um bom piloto, guiando a moto em uma velocidade relativamente aceitável, permanecendo em uma única pista e sem fazer manobras arriscadas.

Fomos conversando o caminho inteiro. Ele me explicou sua paixão pelas motos, falou das viagens solitárias que já fez, da viagem dos sonhos que gostaria de fazer para a Patagônia com sua estradeira, e eu me vi participando com entusiasmo e curtindo tudo aquilo.

Quase duas horas depois, chegamos ao sítio da minha mãe. E, para minha alegria, ela me esperava ao lado da porta.

– Oi, mãe – disse assim que consegui me livrar do capacete.

– Olá! Fizeram boa viagem?

– Sim. Foi uma viagem muito agradável – respondi tirando a mochila e dando um abraço nela. – Mãe, este é Nathan.

Nathan, que já estava sem capacete e sem a jaqueta, se aproximou de onde estávamos.

– Oi, prazer em conhecê-la. A senhora é muito bonita.

– Me chame de você que eu ficarei mais feliz.

– Claro. Você é muito bonita – corrigiu ele.

– Obrigada. Vocês são namorados? – perguntou ela me fazendo corar.

– Não, mãe. Somos amigos.

– Ah, que pena – respondeu. – Vamos entrar?

Entrei tentando entender o "ah, que pena" da minha mãe. Nathan riu sem se deixar intimidar.

Minha mãe nos guiou até os quartos da casa e perguntou:

– Quartos separados, então?

– Sim – respondi atrás dela.

– Ok. Nathan, você fica neste quarto – disse apontando o quarto de solteiro que estava com a porta aberta. – E você, Nina, neste daqui, de casal.

– Obrigado. Posso acomodar minhas coisas? – pediu Nathan.

– Claro. Fique à vontade para usar os armários, o banheiro, que fica aqui – disse abrindo uma porta – e serve os dois quartos. Se você quiser usar o meu, Nina, pode usar, tá?

– Obrigada, mãe. Acho que este aqui vai servir.

– Precisando de alguma coisa, é só pedir, Nathan. Quero que se sinta à vontade na minha casa.

– Já estou me sentindo – disse ele com seu sorriso torto.

– Ótimo. Encontro vocês na sala daqui a pouco – falou nos deixando sozinhos no corredor.

– Quer trocar de quarto? – perguntou Nathan depois que minha mãe se foi.

– Por quê?

– Porque prefiro cama de casal. Acabei me acostumando.

– Hum, que pena! Eu também me acostumei a dormir em cama de casal.

– Puxa, olha o meu tamanho. Fico com os pés pra fora em cama de solteiro.

– Eu também – respondi sem me deixar levar pelas suas tentativas de roubar o meu quarto.

– Vai ter troco.

– Do futuro a gente fala depois – devolvi entrando no meu quarto e fechando a porta, rindo com gosto.

Depois que me livrei do jeans e do tênis, saí do quarto para encontrar minha mãe na sala.

Não está faltando nada? – quis saber ela.

– Não, mãe. Está tudo certo – respondi sentando na poltrona ao lado dela.

Minha mãe estava diferente. Embora o olhar triste ainda estivesse presente, algo nela tinha mudado e eu estava muito curiosa para saber o que tinha provocado aquela mudança de comportamento.

Tudo começou com seu telefonema repentino quando eu ainda estava na Ilha do Mel. A maneira como ela me recebeu em sua casa também me surpreendeu e eu resolvi perguntar:

– Mãe, aconteceu alguma coisa nesses últimos dias? Você está diferente.

– Eu sei que não agi certo com você. Deixei você sozinha, não lhe dei atenção quando você mais precisou... Me sinto tão culpada e arrependida – contou com uma voz triste e pesada.

– Não foi culpa sua, mãe. Você está doente. Depressão é uma doença muito séria.

– Eu sei... – iniciou para, logo em seguida, fazer uma pausa. – Você tentou por diversas vezes me ajudar, se oferecendo para me levar ao médico, a um psiquiatra, igreja, tantos lugares... E eu não aceitei a sua ajuda.

– Está tudo bem, mãe. Não se culpe. Cada um tem seu tempo.

– Queria que você entendesse que eu me sinto muito envergonhada por ter desistido de viver, por ter lhe abandonado. – Seus olhos se encheram de lágrimas, que rolaram em seguida pela sua pele branca. – Como pude fazer isso com você? Que tipo de mãe eu sou?

– Mãe, não se culpe. Eu estou bem. Não guardo ressentimentos, nem mágoas – falei mesmo sabendo que lá no fundo eu guardava sim. Mas que importância isso tinha agora? Ela estava ali, se abrindo para mim. Reconhecendo sua culpa.

Suspirei criando forças para encarar aquela conversa sem colocar para fora anos de ressentimentos guardados. Depois eu cuidaria disso com alguma terapia.

– Eu li muito sobre depressão, mãe. Sei que é uma doença que destrói as pessoas. Acaba com a vontade de viver, com a autoestima das pessoas... Tira completamente o brilho da vida e deixa tudo cinza. Não é assim?

Ela consentiu com a cabeça e eu continuei:

– O que passou não importa. Ficou no passado e pronto. O que eu quero saber é o que aconteceu que provocou essa mudança em você.

Vi Nathan se aproximando da sala e, discretamente, fiz um gesto para que ele nos deixasse a sós.

– Solidão. A solidão me fez pedir ajuda – confessou ela. – Depois que você e Manu estiveram aqui, eu decidi que precisava de ajuda. Estava me sentindo muito sozinha e o medo de envelhecer longe de você me fez acordar. Procurei um psiquiatra, que me atendeu e há três semanas estou tomando um remédio leve, segundo ele. Estou fazendo terapia duas vezes por semana também.

– Que notícia boa, mãe! Que bom que você está se cuidando. Vejo que está melhor mesmo, e deve ser efeito da medicação.

– Me perdoa, Nina. Preciso que me perdoe pela ausência, pelo descaso que tive com você – pediu ela em meio a lágrimas.

Corri para perto dela, me ajoelhei no chão e deitei minha cabeça em seu colo.

– Está tudo bem. Agora está tudo bem.

Fiquei alguns minutos assim, permitindo que ela fizesse cafuné em meus cabelos. Depois, quando minha perna começou a querer ficar dormente, eu me levantei e tornei a me sentar na poltrona ao lado.

– Quero ajudar você a sair do fundo desse poço. Que tal passar uns dias comigo em Campinas? Podemos sair pra passear, ir ao cinema, ao teatro. Vai ser bom pra você se distrair.

– Quero fazer isso sim, mas não agora. Agora, meu foco é a terapia, que está me fazendo muito bem.

– Claro! Podemos fazer uma viagem no fim de semana, ir pra algum lugar perto daqui, só nós duas – disse, me lembrando da sugestão que Alexander deu quando estávamos na Ilha do Mel. – O que acha?

– Seria ótimo. Vamos combinar sim – concordou animada.

– Você vai sair dessa, mãe. Vai superar essa doença, você vai ver.

– Sabe, tem dias que ainda sinto uma tristeza muito grande e a vontade de ficar na cama quase me domina. Mas estou me esforçando e sei que, se eu fraquejar, volto para a estaca zero.

– Ainda é recente e deve ser normal se sentir assim. Você está no início do tratamento, mas sei que vai conseguir – disse tentando passar motivação e coragem.

Ficamos um tempão conversando. Parecia até que eu havia reencontrado uma velha amiga que não via há muito tempo e estava colocando o papo em dia. Mamãe quis saber do meu trabalho, dos meus relacionamentos, da nossa viagem e dos meus amigos. Respondi com entusiasmo a todas as suas perguntas.

Minha mãe é muito nova ainda. Tem espírito jovem e uma conversa agradável. Às vezes eu até esqueço que ela é minha mãe e começo a falar como se estivesse com Manu e Pâmela.

Nathan acabou se juntando a nós, antes de morrer de fome em seu quarto.

– Ih, Nathan, comida não é o forte da minha mãe – anunciei baixando suas expectativas com relação ao almoço.

– Nina tem razão. Nunca fui prendada mesmo. Podemos sair pra almoçar em algum restaurante da cidade, o que acham?

– Sério? Aqui é tão agradável que não me animo a sair – falou ele. – Como está a sua despensa, Lia?

– Por quê? Tá achando que eu vou cozinhar? – perguntei olhando para ele. – Nesse aspecto, eu puxei a minha mãe. Não sou nada prendada.

– Ah, mas eu já havia percebido isso quando abri sua geladeira e quase fui sugado pelo vácuo que tinha dentro dela – disse rindo.

Minha mãe riu com gosto da piada sem graça de Nathan.

– Nathan é um comediante frustrado, mãe. Vai se acostumando.

– Eu vou cozinhar. Isto é, se tiver ingredientes pra fazer algo.

– Você vai cozinhar? – perguntei para ver se havia entendido direito.

– Lógico. Moro sozinho, logo, cozinho – explicou como se fosse óbvio.

– Será que devemos arriscar nossos estômagos, mãe?

– Acho que devemos dar esse crédito a ele – brincou mamãe levantando da poltrona. – Vamos até a cozinha pra ver o que temos por lá.

– Vocês precisam provar o meu churrasco.

– Somos vegetarianas, Nathan – lembrei. – No máximo, um peixinho.

– Ah, é. Tinha me esquecido desse detalhe. Mas você também é vegetariana?

– Sim. Adquirimos esse hábito com o Fábio, meu marido – explicou ela.

Entramos na pequena cozinha e deixamos que Nathan explorasse a geladeira e a despensa.

Ainda estava duvidando de Nathan, achando que essa coisa de cozinhar era mais para impressionar a minha mãe e eu, mas não é que ele sabia mesmo?

Enquanto eu e mamãe nos acomodamos na mesa da cozinha, Nathan abria e fechava armários, pegava panelas, talheres, temperos.

E ele fazia com maestria, com prazer. Sem seguir receitas, criando na hora com os ingredientes que tinha à disposição.

Quando o cheirinho de alho frito invadiu o ambiente, minha boca encheu de água aprovando de imediato o que Nathan iria servir.

E o momento Ofélia foi muito agradável. Notava como mamãe estava relaxada e participando dos papos malucos de Nathan sobre temperos, ervas, combinações exóticas.

– Acho incrível você ter uma horta com todos esses temperos e ervas e não gostar de cozinhar! – exclamou ele limpando as mãos em um pano de prato.

– Você vai ter que voltar aqui mais vezes, pra cozinhar pra mim – disse ela, com certa dose de charme.

– E eu virei. Pode me esperar. Aliás, já reserva aquele quarto pra mim. Coloca uma placa lá na porta com meu nome. Não vou sair daqui.

– Olha só o que eu fui arrumar pra você, mãe – disse eu, brincando.

Enquanto Nathan terminava seu misterioso prato, nós arrumamos a pequena mesa com pratos, taças e talheres somente usados em ocasiões especiais. Coisas que há muito tempo estavam guardadas sem uso. Descobrimos até uma garrafa de vinho no fundo da despensa.

– Será que ainda está bom? – perguntei olhando para a garrafa.

– Deve estar. Não tem um ditado que diz que quanto mais velho o vinho, melhor? – comentou mamãe.

– Abre pra provarmos – pediu Nathan, mexendo uma panela. – Está quase pronto. Alguém aí está com fome?

Lembrei dos almoços com meu pai. Era exatamente assim. Meu pai pilotando o fogão e minha mãe e eu em volta, beliscando, conversando, rindo...

Fiquei preocupada que minha mãe tivesse uma espécie de recaída, mas ela me parecia animada.

– Eu estou com fome. E, se a comida estiver tão boa quanto o cheiro, hoje mesmo eu coloco uma plaquinha com seu nome na porta do quarto.

– Aê, Lia! É assim que se fala.

Nathan pegou nossos pratos e nos serviu um espaguete ao molho de ervas, temperos diversos e tomates frescos.

O vinho estava divino e brindamos aquele momento com alegria.

– Vamos lá – pediu ele esfregando as mãos. – Quero saber se eu já posso casar.

– Vou provar – falei provando com cautela.

Estava delicioso.

– Nathan, este macarrão está maravilhoso!

– Macarrão, não – reprimiu ele. – Espaguete, por favor.

Fiz uma careta com a boca cheia demais para mandá-lo às favas.

Depois de saciados, minha mãe se retirou para seu cochilo da tarde e eu ajudei Nathan a lavar a louça.

No meio da tarde, fizemos um passeio até o bosque que tem nos fundos do sítio; um lugar que eu acho muito bonito.

Caminhamos por entre as árvores, sentindo o cheiro de mato. Explorando o lugar feito duas crianças curiosas. Depois, nos sentamos para conversar perto do riacho.

Estar perto de Nathan novamente me deixava eufórica. Desde que voltamos de viagem, aquela era a primeira vez que ficávamos sozinhos.

Confessando 1: Eu estava com saudade de Nathan. De estar com ele, como fizemos naqueles dias na ilha. Estava com muita saudade do meu nerd.

Confessando 2: Minha boca estava com aquele aroma de alho que mata vampiro de longe. E se rolasse clima de beijo?

Controlava os meus impulsos com muita garra para não roubar um beijo.

Mas e ele? Eu me perguntava. O que ele sentia por mim? Será que era apenas amizade?

Tínhamos uma sintonia perfeita, gostávamos de estar na companhia um do outro, criamos o hábito de nos falar todos os dias por telefone... Estava tudo perfeito, com um porém: seria só amizade? Ele não ia tomar nenhuma iniciativa? Ou será que era eu quem devia tomar?

Estava com tanta vontade de fazer tudo certo daquela vez que sentia medo de fazer besteira. Achei que o melhor seria ficar na minha, mesmo que o meu coração implorasse por mais.

Tudo bem, o bafo de alho ajudou muito na tomada dessa decisão.

À noite, pedimos pizza e jogamos baralho com a minha mãe. Redescobri o prazer da sua companhia e o quanto ela é uma mulher divertida e agradável. Como uma amiga antiga.

No domingo, depois do almoço, voltamos para Campinas com promessas de voltar em breve.

– De agora em diante, tudo será diferente – prometi abraçando-a fortemente antes de subir na moto.

Quase uma pedra

Meu dementador particular: Nathan.
Um momento bom: a viagem de moto.

– Este é o segundo dia da festa do casamento de Niglo e Katrina – explicou Alê quando estávamos entrando na tão famosa festa de casamento cigano. – O segundo dia é festejado na casa dos pais do noivo, onde o casal irá residir a partir de hoje.

– Morar com a sogra não vai dar certo – comentou Nathan sem perder a piada.

– Putz! Ninguém merece – acrescentou Manu.

– Mas é assim que as coisas funcionam aqui. Estão vendo lá na frente? – disse Alê apontando para a porta de entrada da casa. – Aquela toda vestida de vermelho é a noiva. Vamos lá que vou apresentá-la a vocês.

– Que linda, Manu! Olha só! – exclamei entusiasmada.

Eu tenho uma paixão secreta por casamentos. Adoro o ritual, a cerimônia, a festa, o clima. E aquele casamento cigano era diferente de tudo o que eu já tinha visto.

– Linda mesmo. E o que ela está entregando para os convidados?

– São cravos vermelhos – explicou Alê. – Temos que dar dinheiro em retribuição.

– Dinheiro? – perguntou Pam, que estava a meu lado toda linda, usando um vestido azul-marinho.

– Uma quantia simbólica. Faz parte da tradição. A noiva entrega o cravo, lava as mãos do convidado e ele lhe dá dinheiro.

– Bom, vamos ver o que tenho aqui... – falou Nathan examinando sua carteira.

– Adorei esse ritual – falei, olhando tudo com muita atenção.

– Alê, sua noiva está nesta festa? – quis saber Pâmela.

– Bem, provavelmente sim – respondeu ele.

– E ela não vai ficar chateada se ver você com a gente? – perguntou Manu.

– Acredito que não. Ela deve estar com as amigas dela e eu estou com os meus amigos.

– Só que não somos ciganos, Alê – lembrei eu.

– Mas são meus convidados e receberam a autorização do meu pai para virem.

Manu, Pâmela e eu estávamos curiosíssimas para saber como era Thalia. Curiosidade básica feminina, sabe como é?

Nos aproximamos da noiva. Alexander nos apresentou a ela falando em romani, a língua dos ciganos. Retribuímos seu cumprimento com nossos melhores sorrisos. Peguei meu cravo com ela e lhe dei cinco reais. Depois, desejei felicidades ao casal.

Entramos na casa e nos acomodamos em volta da uma grande mesa que estava posta com vários pratos. Havia muita fartura e bebidas à vontade para os convidados. Festa com comida à vontade... "Ai, estou perdida!"

Alê permaneceu o tempo todo com a gente, explicando cada gesto do seu povo, esclarecendo nossas curiosidades e nos deixando muito à vontade.

– Olhem aquela moça de cabelos longos pretos lá naquele canto com três meninas. Ela é a Thalia.

Thalia era uma adolescente muito bonita. De pele cor de jambo, cabelos negros e rosto angelical.

– Ela é muito bonita, Alê – comentou Pâmela.

– Muito bonita mesmo – concordou Nathan.

– Ela não vem aqui falar com você ou você não vai falar com ela? – perguntei.

– Não temos esse tipo de contato antes do casamento – respondeu Alê.

– Que estranho. Se eu estivesse na mesma festa que meu noivo e o visse com outras pessoas, não sei o que eu faria – comentei sem pensar.

Em seguida, foi servido o banquete e fomos convidados a nos sentar para almoçar. Depois, teve dança e foi impossível ficarmos sentados enquanto os ciganos dançavam em volta dos noivos. A verdade é que eu nunca tinha visto um povo tão animado e festeiro.

O casamento religioso tinha sido no dia anterior, seguido de uma grandiosa festa em um salão. E naquele domingo, a festa seguia a todo vapor. Alexander explicou que os casamentos ciganos são assim mesmo, com muita música, comida e alegria. Às vezes, a festança dura mais que dois dias.

– O pessoal aqui gosta de uma festa, hein? Bem que Alê tinha dito – comentei com Nathan.

Nathan estava sentado comigo em uma mesa, observando Alê, Pâmela e Manu dançando.

– Não está a fim de dançar? – perguntei.

– Agora não. Sua companhia me basta.

"Uau!", pensei flutuando.

Ultimamente Nathan me falava essas coisas que me faziam sorrir para as paredes e me deixavam sem respostas.

Palavras bonitas sobravam. Iniciativas e atitudes é que faltavam.

"Até quando vou aguentar esse joguinho torturante?"

– Eu tinha outro conceito sobre os ciganos – admitiu Nathan. – Como a gente é mal-informado, né?

– Nem me fale. Às vezes julgamos sem nem saber, o que é muito errado.

– Gostei muito da sua mãe – disse ele mudando completamente de assunto. – E como ela é bonita e jovem.

– Ela é bonita mesmo. Mas o melhor de tudo é que as coisas entre nós estão melhorando e eu sei...

– Olá! – falou uma cigana que se aproximou e interrompeu nossa conversa. – Alexander pediu para que eu viesse ler sua sorte.

– Minha sorte? – perguntei surpresa olhando para Alê. Ele me acenou com a cabeça, me encorajando a dar a mão para aquela cigana.

– Isso vai ser divertido – comentou Nathan nos olhando com um riso contido.

– Tudo bem – falei estendendo minha mão para a cigana, que se sentou ao meu lado e pegou minha mão direita.

– Olha lá o que você vai falar, hein? – pedi nervosa.

Ela olhou por alguns segundos e depois falou:

– O que você precisa é ter coragem.

"Eu e o resto do mundo", pensei.

– Coragem para tomar a iniciativa – continuou ela. – Depois de muitos tropeços, chegou o tempo de acertar. Mas para acertar é preciso ter coragem.

Certo, até agora nada demais. Tudo muito vago.

– Hum, hum – falei concordando com ela.

– Você e sua mãe farão uma viagem em breve, algo que ficará marcado para sempre em suas lembranças.

Sobressaltada, olhei para Nathan com um olhar de quem pergunta: Como ela sabe disso?

– Vi... Viagem? – gaguejei.

– Sim. Só vocês duas... Para recuperar o tempo perdido.

Ok. Já estava com medo daquela cigana.

– Depois disso, vejo um período negro que ainda não está totalmente decidido... Porque vai depender de várias coisas.

– Período negro? Comigo?

– Com sua família.

– Não entendi.

– Não é nada certo. Depende muito do que ainda está para acontecer – falou cheia de mistérios.

Nathan estava ouvindo tudo com muita atenção. O riso irônico havia desaparecido.

Alexander, Pâmela e Manu nos observavam de longe, conversando e rindo.

– Mas é comigo esse período negro? – perguntei arrepiada com a hipótese de mais um período negro em minha vida.

Quero períodos azuis, rosas, vermelhos, amarelos... Nada de negro.

Mas ela não me respondeu.

– Você demorou para encontrar o amor, não é? – prosseguiu, rumando para o terreno amoroso. – Vejo você vivendo intensamente esse amor, mas com medo de perdê-lo. Não precisa ter medo, criança. Está no destino de vocês: pertencer um ao outro. – Ela fez uma pausa olhando com mais atenção minha mão. – Só não demore muito. Pode ser que outra pessoa chegue e pegue o que é seu, só para estragar a vida dele e a sua.

– Como assim? – perguntei. – E quem é que vai estragar a minha vida? Aí diz o nome dessa pessoa?

– Não tenha medo – insistiu. – Pode ir que ele está esperando por você. E não demore – disse ela por fim, levantando e agradecendo.

Ele quem? Era de Nathan que ela estava falando?

A cigana se afastou e foi se juntar a um grupo de mulheres. Fiquei ali, cheia de perguntas e com Nathan zoando das previsões que a cigana fez para a minha vida.

A festa seguiu a tarde toda com bastante animação, música e danças. Quando estava quase na hora de ir embora, Alexander nos chamou para conversar.

– Temos uma pista do paradeiro de Domênico.
– Pista? – Pam perguntou.
– Sim. Um cigano viu um cara muito parecido com Domênico em Foz do Iguaçu e me ligou pra informar. Eles estão seguindo esse cara pra ter certeza de que se trata de Domênico mesmo.
– Sério? E aí? – perguntou Manu.
– Acho que poderíamos avisar a polícia – ponderou Nathan. – Se tem alguém que se parece com Domênico na fronteira do Brasil com o Paraguai, a polícia precisa saber.
– Tem razão – observei.
– Eu vou ligar agora mesmo pro delegado que está cuidando do caso – avisou Alê.
– Ai, meu Deus, e se for ele? – perguntou Pâmela.
– Tomara que seja e que a polícia consiga pegá-lo – falei para ela.
– Acho que não quero me encontrar com Domênico. Não vou ter condições de estar no mesmo ambiente que ele sem desejar matá-lo com minhas próprias mãos.
– Controla sua raiva, Pam. Você precisa de inteligência, não de raiva – observou Manu.
– Pronto! – avisou Alê juntando-se a nós novamente. – O delegado vai acionar a polícia de Foz do Iguaçu e, quando tiver alguma novidade, ele entrará em contato.
– Obrigada, Alê. Aliás, quero agradecer a todos vocês pela força e pela ajuda que estão me dando neste momento da minha vida. Não sei o que seria sem esse apoio.
– Imagina, Pam. Somos amigos e estamos aqui pra isso mesmo – disse Nathan seguido de outros comentários do mesmo estilo.

Voltamos para casa com Manu. O assunto principal era o casamento cigano e sua alegria. Apesar de estarem todos animados e conversando, eu estava submersa em meus pensamentos.
A cigana.
A cigana e suas previsões.
"Que outra pessoa pode pegar o meu lugar? Como assim? Será que ela falava de Nathan? Ele vai conhecer alguém? E que tipo de iniciativa eu tenho que ter? Agarrar Nathan a força? Ou chamá-lo para um jantar romântico?"
Ai, que coisa! Seria melhor não ter ouvido aquela cigana.

A semana passou como muitas: trabalhando, trabalhando, trabalhando.

Depois de uma viagem maravilhosa como a que tivemos, ainda era difícil me acostumar com a rotina. Por um instante, pensei que a vida tinha que ser como Nathan tentava pregar: viver, curtir e aproveitar.

E acordar cedo e passar o dia apertando celulite de um lado pro outro, até às sete da noite, não é o que se pode chamar de viver, curtir e aproveitar.

Fala sério!

Na sexta-feira, quando estava atendendo minha última cliente, Manu ligou para dizer que iria para a Ilha do Mel fazer uma surpresa para Kau.

– Não estou aguentando de saudade. Preciso ir ou vou enlouquecer.

– E como você vai?

– Comprei passagem de avião até Curitiba. De lá, eu pego um ônibus até Paranaguá e o resto você já sabe.

– E volta quando, segunda?

– Volto segunda.

– Ok. Você faz bem. Vai lá curtir o seu amor e aproveita pra namorar bastante. Precisa recuperar todos esses anos de abstinência – brinquei.

– E você se cuida, hein! Fica longe dos trastes até eu voltar – falou como se fosse minha mãe.

– Pode deixar, chefa.

Sem Manu, o meu fim de semana estaria limitado a ver algum filme com Pâmela, que não andava nada animada para sair. Quem sabe Alexander e Nathan poderiam nos fazer companhia.

Liguei para combinar algo:

– Oi, Pam. O que vamos fazer no fim de semana? Estamos só eu e você.

– E Manu?

– Se mandou para a Ilha do Mel.

– Estava demorando mesmo – disse se referindo aos dias que Manu conseguiu ficar longe de Kau.

– E, então, cineminha? – perguntei.

– Filme com pizza na sua casa?

– Que tal na sua?

– Decidi que vou me mudar – confessou ela.

– Por quê?

– As sombras dos momentos felizes com Dom me perseguem dentro deste apartamento. Não dá mais pra morar aqui. Está ficando insuportável pra mim.

– Ai, amiga. Que barra! E já sabe onde vai morar?

– Achei um apartamento bem menor que este em um residencial perto do Shopping Galleria. Vou assinar o contrato de locação hoje, depois do expediente. E, se tudo correr dentro do previsto, me mudarei na semana que vem.

– Que bom! Se precisar de ajuda é só falar. A gente convida Nathan e Alexander pra carregar as caixas e montar os móveis.

– Com certeza. Mas, então, voltando ao fim de semana. Fica um filme com pizza na sua casa?

– Ok. Você convida Alexander e eu chamo Nathan.

– Combinado assim.

Na madrugada do sábado, o meu celular tocou me desenterrando violentamente de um sono muito profundo:

– Alô.

– Nina, sou eu, Pâmela.

– Ei, Pam. Aconteceu alguma coisa? – perguntei ainda sonolenta.

– Liguei pra avisar que estou indo pra Foz do Iguaçu com Alexander. Encontraram Domênico.

Rapidamente fiquei de pé.

– Sério? Como?

– Os ciganos conseguiram localizar Domênico em um apartamento, vivendo com outra mulher. Alexander acha melhor eu ir até lá.

– Mas e a polícia, foi avisada? – perguntei.

– Acho que eles avisaram. Não sei. Só sei que preciso ir até lá e ver Domênico. Preciso encará-lo de frente.

– Quer que eu vá junto?

– Não precisa, Nina. Obrigada. Alexander vai comigo e me dará o apoio que preciso.

– Tudo bem. Cuidado, tá bem? Não faça nada com raiva. Cabeça fria agora, amiga.

– Fica tranquila.

– Me mantenha informada, tá bem?

– Pode deixar. Agora, volte a dormir.

– Beijos.

Eram quase cinco horas da manhã e eu não consegui mais dormir. Fiquei preocupada com Pâmela, em como Domênico iria reagir ao vê-la. Mas lembrei de que Alê estaria com ela e fiquei mais tranquila.

Já que eu estava sem sono, mandei uma mensagem para Nathan, cancelando nosso filme e ele respondeu prontamente:

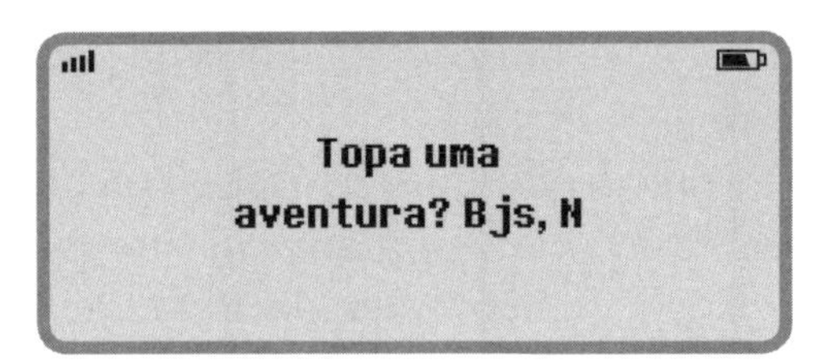

"Ih, lá vem.
O que será?"

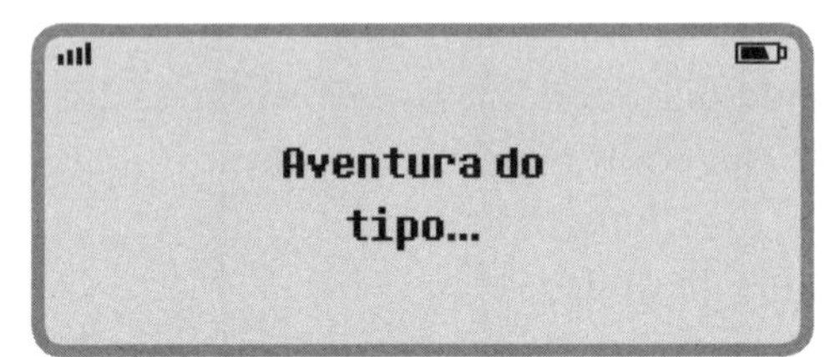

Do tipo fica
pronta que estou
passando aí de
moto pra te pegar.
Beijos, N

São cinco da manhã,
Nathan!!!!

E daí? É permitido
sair às cinco da
manhã nesse país. Vc
tem 15 min. Beijos, N.

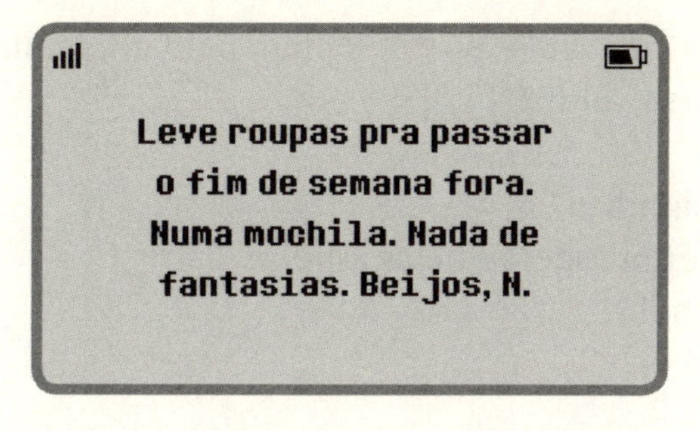

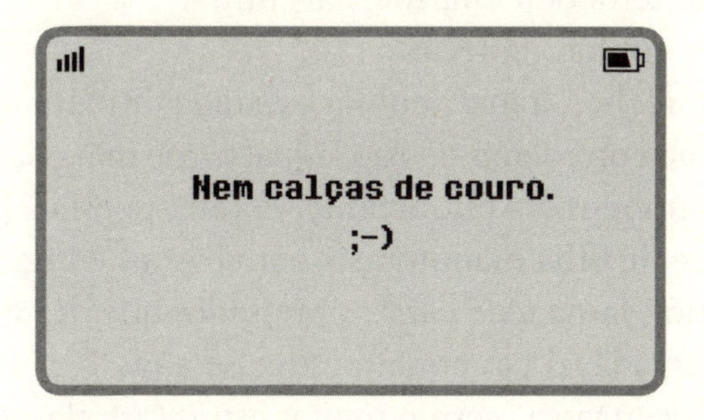

Mais de quarenta minutos depois, ele chegou. Eu, calejada pela pontualidade de Manu naqueles anos todos, já estava pronta há bastante tempo e quase dormia no sofá quando o porteiro anunciou a chegada dele.

– Antes de embarcar nessa moto, preciso saber pra onde estou indo.

– Que diferença faz saber o destino?

– Você pode ser acusado de sequestro, sabia? – provoquei.

– E quem sequestraria você? – disse ele me entregando o capacete.

Mas, antes que eu respondesse sua piadinha sem graça, ele emendou:

– Vamos pra Monte Verde, em Minas Gerais. Conhece?

– Fui com meus pais quando era pequena. Mas nem lembro mais do lugar.

– Ótimo... Pronta? – perguntou já de capacete e dando partida na moto.

Saímos de Campinas e pegamos a Rodovia Dom Pedro em mais um dia de céu azul daquele final de março. A rodovia estava vazia e agradável de passear e eu me flagrei mais uma vez adorando andar de moto... com Nathan. Colada ao corpo dele, o que, confesso, era o melhor de tudo para mim. Sentir seu corpo e seu perfume valia qualquer viagem.

Depois, pegamos a Fernão Dias sentido Minas Gerais e em Camanducaia pegamos uma estradinha de terra que dá acesso a Monte Verde.

– *Per aspera ad astra* – avisou Nathan pelo intercomunicador.
– O que é isso, latim?
– Sim.
– E o que significa?
– Por caminhos ásperos até as estrelas.
– Não entendi.
– Logo verá.
E logo vi.
A estrada de terra deu charme à aventura.
E dores em minhas nádegas.
Em alguns trechos, a mata cobria a estrada formando um teto verde lindo. A beleza das corredeiras do Rio Jaguary, que margeia o caminho em alguns pontos, também era estonteante. Porém, poesia à parte, a estrada estava precisando de uma manutenção com bastante urgência. Cheia de buracos, cascalhos, lama e de carros apressados que deixavam um rastro de poeira nada agradável para quem estivesse atrás.
Era bom que eu visse mesmo muitas *astras* (estrelas) depois daquela estradinha de terra esburacada.
Ao entrar na cidade, veio a próxima etapa da aventura:
– Agora vamos procurar uma pousada – disse Nathan.
– Você não tinha uma previamente reservada?
– *Non.*
– Não? E viemos sem ter onde ficar? – perguntei incrédula.
– Faz parte da aventura, rodar por aí e procurar por uma pousada charmosa para ficarmos.
– E se estiverem todas lotadas?
– Pessimista, hein?
– Não se trata de pessimismo...
– Fica tranquila. É baixa temporada e tem muita pousada implorando por hóspedes nesta época do ano. Vamos começar a procurar?
– Que tal pedir indicações? Melhor que ficar rodando por aí feito barata tonta – sugeri.
– E a aventura de descobrir nossa própria pousada não conta?
– Não, não conta. Por que vocês homens têm dificuldade em pedir informações?
– Eu não tenho dificuldade. Só gosto da aventura em si.
– Certo. Eu vou optar pela aventura de ir até aquela lojinha de cachaça do outro lado da rua e pedir indicações de pousadas.

– Boa sorte – disse ele encostando-se à moto para me observar, com um leve sorriso nos lábios finos.

Cinco minutos depois eu estava de volta com alguns panfletos:

– Temos essas opções. O que você acha desta aqui? – perguntei apontando para um panfleto com uma pousada bastante charmosa.

– Beleza. Por mim tá ótimo. Vamos até lá?

– Vamos ligar antes para saber se tem vaga, né?

– E a aventura de...

– Vamos deixar a aventura para o que realmente é aventura – falei sacando meu celular da mochila.

Nathan fez uma careta de deboche e esperou que eu ligasse para a pousada.

– Prontinho – falei com orgulho. – Tudo resolvido. Reservei dois chalés com lareira e tudo o que temos direito. Agora podemos começar a aventura de descobrir o caminho até a pousada. Vamos embora?

– Dois chalés?

– Não são dois?

– Não sei.

– Hum... Você quer dividir um chalé comigo só pra se aproveitar de mim no meio da noite.

– Não viaja, Nina.

– Então por que perguntou se eu reservei dois chalés?

– Por nada. Sobe aí – disse jogando a mochila nas costas e colocando o capacete.

Lembrei da cigana dizendo para eu não ter medo e agir rapidamente. Será que Nathan esperava por um quarto só para nós dois?

"Ainda está em tempo de reverter a situação", pensei enquanto ele guiava pelas ruas da cidade.

Mas não foi o que fiz. Ao fazer o *check-in* na pousada, optamos por dois chalés. Que, aliás, eram lindos e aconchegantes. O meu tinha uma grande cama de casal, com uma lareira no centro do quarto e uma banheira de hidro em um jardim de inverno.

Enquanto Nathan se acomodava em seu chalé, que ficava ao lado do meu, eu rolava na cama desejando ardentemente que ele estive ali comigo.

Ter acordado tão cedo e viajado me cansou tanto que acabei pegando no sono, mesmo sem querer.

Fui acordada algum tempo depois por Nathan, que entrou no meu quarto pela janela que deixei aberta.

– Dormi muito? – perguntei me espreguiçando na cama.

– Você fica linda enquanto dorme – me elogiou, sentando em uma poltrona ao lado da lareira.

– Tem certeza? Não fico toda descabelada, babando e roncando de boca aberta?

– Não, sua autodepreciativa, você não ronca nem baba.

– Hum... E agora, qual o programa?

– Nenhum. Só curtir. Somos donos do nosso tempo – falou abrindo os braços e jogando suas longas pernas em cima da cama. – Se quiser, pode continuar dormindo. Ou se quiser podemos explorar a pousada. Ou conversar, ou...

– Ou?

– Estou com inveja da sua cama – comentou com um olhar maroto.

– Por acaso você está me paquerando?

– Eu não! – respondeu, fingindo ter ficado indignado.

– Por um minuto pensei que sim.

– Paquerando você... Essa é boa.

– Seria estranho mesmo... Logo você que tem anunciado aos quatro ventos que não quer mais se relacionar com ninguém – provoquei.

– Mas e aí, vamos ficar de conversa mole? Viemos aqui pra fazer o quê, afinal?

– Somos donos do nosso tempo – respondi usando as palavras dele.

– Você está ficando boa nisso – debochou.

Resolvi que iria provocar Nathan só para ver até onde ele iria resistir. Se ele estivesse mesmo interessado em mim, em algum momento, ele teria que ceder.

Pior seria se ele não tomasse nenhuma atitude ou se me desse um fora.

"Bem, se isso acontecer, paciência! Faço uma terapia depois para tratar da minha decepção."

– Que tal ficarmos por aqui mais um tempo, depois, podemos sair pra procurar um lugar pra comer e, por fim, ver um filme. Tem uma programação interessante nos canais da TV a cabo – sugeri.

– Filme?

– Filme – sustentei com um olhar que variava entre o sensual e o presunçoso.

– Viemos até Monte Verde pra ver filme? Está maluca? Filme...

Este é o Nathan.

– O que sugere, então?

– Trilhas, arvorismo, trilha a cavalo, um passeio de quadriciclo.

– Vou tomar um banho – anunciei sem dar ouvidos às suas sugestões. Meu negócio era atacar. – Vi que lá fora tem uma mega-hidromassagem no meio do jardim, você viu?

– Vi.

– Deve ser uma delícia tomar banho enquanto se aprecia o vale. O que você acha?

Ele me olhou por uns segundos pensando em sua resposta e depois disse:

– Se é o que você quer.

– É o que eu quero.

– Beleza. Lá na hidro em dez minutos – disse ele se levantando. – Vou ligar na recepção e pedir pra que reservem o horário pra gente.

– Ok – respondi sorrindo.

Caminhei pelo jardim vestindo um roupão imaculadamente branco da pousada com o meu maiô preto por baixo. De longe, avistei Nathan, que já estava mergulhado dentro da água morna esperando por mim. Nossos olhares se cruzaram e assim permaneceram até que eu entrasse na hidro. Era como se estivéssemos brincando de desafiar um ao outro.

"Resista-me se for capaz!", pensei enquanto tirava o roupão lentamente, deixando que ele escorregasse sozinho até o chão.

Ele me olhou de cima a baixo sem falar nada. Por dentro, eu sorria.

Entrei na água. Minha pele automaticamente se arrepiou com a temperatura e mergulhei deixando apenas a cabeça para fora d'água.

Nathan me observava calado.

Infelizmente, a hidro era grande o suficiente para ficarmos os dois lá dentro sem nos tocarmos... Isto é, se quiséssemos.

E nós queríamos.

– Que vida mais ou menos – falei deixando meu corpo relaxar.

– É uma dureza mesmo.

Um garçom chegou trazendo dois coquetéis dizendo serem de boas-vindas.

– Agora sim que complicou ainda mais.

– O quê? – perguntou Nathan.

– A vida. Viver assim é muito difícil. Se tornaria ainda pior se eu recebesse uma massagem nos ombros pra relaxar a tensão da viagem.

– Pena que não tem massagista nesta pousada.

– Realmente é uma pena.

Minhas tentativas de seduzir Nathan não funcionaram muito bem na hidro e logo ele estava reclamando de fome, querendo sair para almoçar.

Almoçamos uma salada com filé de peixe e andamos pela rua principal da cidade para ver as lojinhas.

– E agora, pronta pra viver uma aventura? – quis saber Nathan depois de muito andar.

– O que você sugere?

– Arvorismo ou trilha?

– Trilha.

– Leve ou pesada?

– Leve.

– Então, vamos nessa – anunciou me puxando pela mão.

Seguimos de moto até a entrada de uma trilha que levava à Pedra Partida, nosso destino final.

A trilha apresentava trechos com piso bem irregular. Era preciso bastante atenção e pouca conversa, por isso, não pude seguir com meus planos de ataque.

Ele, por sua vez, seguia na frente abrindo caminho, controlando nosso ritmo de subida e me contando coisas típicas da Serra da Mantiqueira.

Apesar de não estar fisicamente preparada para fazer uma trilha puxada como aquela, eu até que estava me saindo muito bem.

– São dois mil e cinquenta metros de altitude – disse ele em uma breve parada para descansar. – O final da subida é bastante íngreme, mas a vista vai compensar todo o esforço. Você vai gostar.

– Tomara que sim.

– Você não tá curtindo, né?

– Estou. Claro que estou – disse com um sorriso, tentando passar confiança.

E realmente estava. Mas, naquele momento, estava colocando os bofes pela boca e não estava muito a fim de admitir isso para ele.

– Então, vamos que falta pouco para chegar ao topo da pedra.

– Nathan, espera! – disse com voz sensual. – Preciso lhe dizer uma coisa que está passando na minha cabeça e que, se não disser agora, talvez nunca mais diga.

– Uau! – disse Nathan sentando em uma pedra. – Continua...

– Na verdade é uma pergunta...

– Hum... Ok, vamos lá, manda! – continuou empolgado com o momento.

– Foi Marcelo que pediu pra você me trazer aqui e lá em cima me contar que tudo não passou de uma vingança, né? – perguntei já morrendo de rir.

– Cacete, Nina! E eu aqui achando que era algo sério! Não temos tempo a perder.

Ao ouvir sua última frase eu me lembrei de Manu. Se ela estivesse ali, aposto que cantaria "Tempo perdido". Mas Nathan ainda precisava ser iniciado nas letras profundas da Legião.

Resolvi deixar para lá.

Seguimos adiante no mesmo ritmo de caminhada e logo chegamos ao cume da Pedra Partida.

– Uau! – exclamei olhando a vista. – É simplesmente ma-ra-vi-lho-so, Nathan.

– Lindo mesmo. Este é um dos meus lugares preferidos no mundo.

A Pedra Partida proporciona uma vista de trezentos e sessenta graus do Vale do Paraíba, da cidade de Monte Verde e da Pedra do Baú, que fica na divisa de Campos de Jordão e São Bento do Sapucaí.

Tivemos sorte em pegar um dia de sol e sem nuvens. Assim, além do calor, a vista se perdia no horizonte sem nem uma nuvem para atrapalhar. Um belo horizonte digno de cartão-postal.

Deitei na pedra maior para descansar e Nathan me acompanhou. Ficamos ali por muito tempo, descansando e conversando.

– Fala a verdade, não é bem melhor que uma balada ensurdecedora?

– Bem melhor mesmo.

– Por isso que eu falo, não coloco ninguém em furadas.

– Até o momento não.

– Você precisa sair mais comigo.

– Está me convidando pra sair novamente?

– Sempre que você quiser.

– Sempre que eu quiser... Hum... Isso parece um convite eterno pra sairmos.

– E é.

– Acho que você tá interessado em mim, Nathan.

– Tá se achando, hein? Interessado em você... Até parece.

– Certo. Vou acreditar que não.

Fechei os olhos para sentir o momento. Até quando eu aguentaria aquele joguinho?

"Não tenha medo, criança", ouvi a voz da cigana em meu ouvido.

Era para não ter medo de quem? De mim ou de Nathan?

"O que você precisa é de coragem", tornei a ouvir a voz dela.

Coragem.

Certo.

Mas como?

– Vamos tirar algumas fotos? – perguntou ficando em pé. – Vou pedir pro casal ali tirar umas da gente.

– Manu não veio ao passeio, mas mandou um representante fiel da categoria – brinquei com ele.

– Precisamos dessas fotos pra, no futuro, relembrar o passado.

– Ótimo. Vamos lá tirar fotos, então.

Depois das fotos, Nathan emendou um papo com o casal e eu me afastei para, mais uma vez, apreciar a vista e recarregar as baterias com a energia da natureza.

Sentei na pedra e fechei os olhos.

Sim, Nathan tinha razão. Aquilo era bem melhor que qualquer balada que eu tenha ido. Quanto tempo perdido procurando por felicidade em lugares errados! Ali eu me sentia feliz e não precisava de nada mais do que isso.

Quer dizer, precisava sim.

Ah, como precisava! *Precisava* de Nathan. Inteiro.

Não era para ter medo e o que me faltava era coragem. Ok. Então era para eu me entregar? Para me jogar naquele sentimento?

Foi o que eu sempre fiz e sempre deu errado.

Mas a cigana disse para eu não ter medo. Se ela disse isso é porque ia dar tudo certo.

E o meu plano de ser cautelosa na minha próxima relação?

Ai, que coisa mais complicada!

Não ter medo, ser corajosa, ser cautelosa e menos impulsiva... Dá pra explicar como? Não peguei o cartão da cigana, nem o 0800 para casos de dúvidas ou emergências.

Minhas confusões sentimentais voltaram a me atordoar.

Eu tinha que agir e estava disposta a fazer isso... "Já sei como!"

De repente, veio uma ideia. Ia continuar com o joguinho que Nathan estava fazendo comigo. Só que bem mais provocativo. Insinuante, sabe?

Veríamos se ele resistiria.

Senti quando ele se sentou atrás de mim e, sem encostar o corpo dele no meu, falou em meu ouvido:

– Vamos voltar? O tempo está fechando e parece que vai chover.

Ele não se moveu e eu provoquei. Era hora de começar.

– Você quer me abraçar?

– Não.

– Então, por que está parado a centímetros do meu corpo?

– Pra saber se você é forte.

"Não acredito! Nathan teve a mesma ideia que eu! Deixa ele comigo!"

– Eu sou mais forte do que você pode imaginar, Nathan. Sobrevivi a cinco cafajestes da pesada, não será um *nerdzinho* que vai me desestabilizar.

Nathan ficou em silêncio por alguns instantes. Depois, colocou a mão no meu pescoço e sussurrou no meu ouvido:

– Quer saber a verdade?

Eu estava muito arrepiada com aquela mão quente roçando nos curtos pelos da minha nuca, pronta para aquele momento. Coragem, hora de agir!

– Quero, Nathan... – disse virando lentamente o pescoço.

– Foi Marcelo que mandou eu trazer você aqui e dizer que tudo não passou de uma vingança... – completou Nathan em uma alta gargalhada que durou apenas até o momento em que ele caiu com o meu forte empurrão.

– Seu besta. Tomara que fique roxo – disse com satisfação e frustração concomitantes.

A descida foi, naturalmente, bem mais tranquila que a subida... até o momento em que caiu uma chuva forte, daquelas típicas de fim de verão. Tentamos acelerar a descida, mas a trilha estava ficando enlameada e lisa. Em determinado momento, eu escorreguei e caí. Nathan veio rapidamente me ajudar a levantar:

– Você se machucou? – perguntou ele me estendendo a mão com ares de preocupação.

Segurei sua mão, mas, em vez de ele me puxar para eu ficar de pé, eu o puxei, e ele caiu em cima de mim desajeitadamente.

– Tá maluca! – berrou ele se apoiando nos cotovelos.

Eu, que estava embaixo dele, não respondi de imediato. Apenas buscava seus olhos com os meus, sem deixar que fugissem ou piscassem.

– Estou maluca sim – falei com um sorriso irônico.

– Sua sacana – disse com a boca quase encostada na minha, mas tomando impulso para se levantar.

O resto do caminho foi marcado por eventuais guerrinhas de lama e chegamos na pousada parecendo dois moleques arteiros que aprontaram a tarde toda.

E, mesmo assim, Nathan resistiu às minhas provocações. Eu, do meu lado, também gerenciava bravamente a vontade de ceder. Bravamente mesmo. Usei de todo o meu autocontrole para não o beijar quando ele caiu em cima de mim na trilha. Foi por muito pouco.

Quando chegamos na pousada, eu ataquei novamente:

– Estou precisando de uma ajudinha pra tirar essa lama toda das minhas costas. Você poderia me ajudar? Com todo o respeito e cavalheirismo, claro – pedi parada na porta no meu quarto.

– Sabe o que é? Deixei aberta a torneira da banheira lá do quarto. Preciso ir fechar.

– Entendi. Está fugindo.

– Não estou fugindo. Preciso ir fechar a torneira pra não gastar água sem necessidade. Você sabe, temos que economizar a água do planeta.

– É claro.

Ele sorriu e disse que me acordaria às sete e meia para jantarmos.

E, enquanto eu tomava banho, ardilosamente preparei meu próximo ataque.

Às oito horas da noite, quando ele bateu na porta do meu quarto, atrasado mais uma vez, eu gritei para que entrasse:

– A porta está aberta.

Ele entrou no quarto silenciosamente procurando por mim.

O quarto estava iluminado apenas com o fogo da lareira. Ouvi seus passos na minha direção. Pararam abruptamente ao lado da mesa, que estava posta com um *fondue* de queijo e uma garrafa de vinho, já aberta.

– Está usando de artilharia pesada – comentou, enchendo uma taça de vinho. – Onde você está?

– Aqui.

– Não íamos sair pra jantar?

– Resolvi mudar os planos. Não gostou?

– Gostei – falou da porta do banheiro, onde eu estava terminando de passar batom.

– Preciso de ajuda – pedi, olhando para ele pelo espelho do banheiro.

Nathan estava parado na porta com uma mão no bolso da bermuda enquanto a outra segurava a taça de vinho.

– O que você precisa?

– Que feche o meu vestido – pedi dando um passo para trás e tirando o cabelo das costas para que ele fechasse o zíper.

Eu tremia de ansiedade e nervosismo ao mesmo tempo em que temia uma possível rejeição. Mesmo achando que ele estava gostando da provocação mútua, eu temia ser rejeitada.

Era a minha insegurança querendo estragar o momento.

– Vestido preto, maquiagem... Tudo isso pra mim? – perguntou com um meio sorriso de satisfação.

– Você gostou?

– Gostei.

– Então, me ajuda aqui, por favor – insisti dando mais um passinho para trás.

Ele colocou a taça de vinho no chão e respirou fundo antes de tocar a minha pele. Seu dedo percorreu toda a extensão da minha coluna e tive que fazer um esforço enorme para ficar parada. Precisava seguir o plano.

– Com licença – pediu fechando o zíper.

– Mas eu não me vesti pra você. Me vesti pra mim... Gosto de me ver bonita – menti.

– Hum... Eu também – falou ele muito baixinho.

– O que você disse?

– Nada.

– Está com fome? – perguntei passando pelo pequeno espaço entre Nathan e o batente da porta, esbarrando todo o meu corpo no dele. – Ai, desculpa. Não foi por querer.

– Não foi nada – respondeu virando-se e me seguindo.

– Vem, senta aqui – pedi acendendo a vela que estava no castiçal sobre a mesa. – Espero que goste de *fondue* de queijo. É uma receita milenar.

– Gosto sim – respondeu sentando-se à mesa sem nem reparar no comentário da receita.

– Imagino que curta um vinho branco também.

– Adoro. Você pensou em tudo, hein?!

– Eu sempre penso em tudo.

– Em todos os "tudo"?

– Sim, em todos eles.

O jantar seguiu com muitas provocações e conversas insinuantes. Descobri um olhar de Nathan, feito ao tentar ser provocante e ao mesmo tempo sério, que me arrepia e bambeia minhas pernas.

As minhas borboletas estavam cansadas de tanto que dançaram *O Lago dos Cisnes* no meu estômago.

E nada de Nathan ceder.

Quando as nossas mãos se tocavam, às vezes sem querer (e muitas vezes por muito querer), ele brincava com os meus dedos para, em seguida, me pedir desculpas pelo gesto íntimo.

Rapidamente acabamos com a primeira garrafa de vinho e ele correu até o seu quarto para pegar outra.

– Onde estávamos mesmo? – perguntou sentando-se em seu lugar novamente e me servindo mais vinho.

– Na parte onde você dizia que está louco por mim, mas tem medo de admitir.

– Não, nada disso. Você estava me dizendo que desde que me conheceu não para de pensar em mim. Que mal consegue dormir à noite, não era isso?

– Era isso mesmo. Mal consigo dormir à noite de tanto que penso em você e nas suas piadinhas sem graça.

Meu pé, dessa vez sem querer mesmo (eu juro), esbarrou na perna dele. E aproveitei o pequeno descuido para provocá-lo um pouquinho mais, fazendo o meu pé subir pela sua perna preguiçosamente.

Ele riu com o carinho, lançando aquele olhar que me desconsertava.

Mais uma revoada de borboletas. Mais uma onda "segura essa Nina que você é forte" me assolou.

– Então, conta agora a história que você disse que um dia me contaria? – pedi.

– Que história?

– De que você vem planejando essa viagem há muito tempo, só pra ficar sozinho comigo.

Ele riu e raspou o restinho de *fondue* que tinha na panela.

– Eu sabia que você não era perfeita – falou. – Não calculou direito a comida e agora vamos ter que sair pra comer em algum lugar.

– Então, vamos sair – desafiei. – O que você quer comer?

– Um *fondue* de chocolate seria uma boa pedida.

Ri com gosto.

– O que foi? – ele quis saber do que eu ria. – Já está altinha, né?

– Nathan, eu sou uma mulher perfeita, sabia?

– É mesmo? Prove.

– Provo – falei ficando de pé e me inclinando na direção dele.

Ele me deu um sorriso de vitória e um olhar de quem diz: "eu sabia que você não iria resistir aos meus encantos por muito tempo".

Nossos narizes se tocaram. Nossos olhos se fixaram um no outro. Nossas respirações ficaram mais pesadas.

Me afastei bem na hora em que ele ia fechando os olhos para receber o beijo, e sai da mesa deixando o pobre com uma cara de quem quase venceu a partida.

Fui até o telefone, liguei para a recepção e pedi para que retirassem a mesa.

– O que você pediu?

– Um táxi pra sairmos. Você ainda está com fome, certo?

Ele pareceu desapontado e confirmou:

– Estou faminto.

– Eu sei.

Rapidamente, duas funcionárias bateram na porta do chalé. Eu corri para abrir. Uma delas recolheu a mesa enquanto a outra entrou com os demais itens.

Nathan continuou sentado no mesmo lugar, olhando tudo aquilo sem proferir uma palavra.

Devia estar abismado com minha eficiência. Aposto.

Depois que elas se foram, eu voltei para a mesma posição que estava antes. Encostei o meu nariz no dele novamente e disse:

– E, então, eu não sou perfeita?

– Exatamente o meu número – admitiu pegando um morango, passando no chocolate e devorando-o com vontade.

Não conseguimos comer todo o *fondue*. Era muita comida para nós dois. Na verdade nossa fome não era de *fondue*. Tínhamos fome de outra coisa. E, com isso, seguimos com as provocações e testes de sedução. Estávamos dispostos a saber qual dos dois cederia primeiro.

Naquela noite, eu descobri que posso ser ousada quando quero. Que posso deixar o medo e a insegurança trancados em uma gaveta do armário e deixar uma Nina corajosa e determinada livre para conquistar aquilo que ela quiser.

Estava me sentindo. Adorando me perceber naquele novo papel. A cada "besteira" que eu falava para Nathan, eu me parabenizava por dentro.

Bendita seja aquela cigana que me aconselhou a ser corajosa!

A única coisa com a qual eu não estava conseguindo lidar direito era o fato de me manter longe da boca dele. O resto, eu estava tirando de letra.

Nathan também resistia às minhas investidas com muita determinação e se demonstrava bastante seguro de que iria vencer aquele jogo. Achei que eu o venceria quando me sentei ao lado dele e falei um monte de besteiras em seu ouvido com uma voz sensual. Ali, eu achei que o jogo estava ganho. Mas o danado resistiu.

Xingando muito, mas resistiu.

Depois da terceira garrafa de vinho, o meu repertório de investidas já estava acabando. E nada de Nathan ceder.

– Desiste – pediu ele se esparramando nas almofadas em frente à lareira sem camiseta.

Ele tinha tirado a camiseta alegando estar com muito calor.

Como ele jogava sujo!

– Desistir de quê?

– De resistir a mim.

– Não sei do que você está falando – disfarcei procurando desesperadamente por algo que pudesse tirá-lo do sério.

– Claro que sabe.

Olhei para os lados e, ao avistar, a panela com o *fondue* de chocolate ainda repousada sobre a mesa, eu tive um rápido vislumbre e levantei para pegá-la, antes que ele tivesse aquela ideia.

Voltei. Sentei ao lado dele. Tirei os sapatos e os joguei para um canto. Estiquei minhas pernas longamente pelo tapete felpudo onde ele estava deitado. Posicionei a panela no meu colo e lambuzei meu dedo no chocolate. Lancei um olhar sedutor nível máximo e perguntei:

– Quer chocolate?

– Quero.

– Vem pegar – falei lambendo o chocolate do meu dedo.

– Muita covardia da sua parte.

– Não é covardia. Estou oferecendo chocolate, é só você vir pegar.

– Posso resistir a isso.

"Ai, Nathan, colabora!", pensei com um sorriso irônico.

"Ok. Sem perder a calma.

Ao ataque com fogo total."

– Estou doida pra confessar uma coisa.

– Pode falar. Estou precisando mesmo de uma conversa pra me manter lúcido.

– Só que pra você saber o que é, precisa percorrer um longo caminho.

– Qual caminho?

Superando todos os meus medos, fiquei de pé, tirei o meu vestido e me sentei novamente só de lingerie (uma cuidadosamente selecionada para a ocasião. Óbvio).

Fiz aquele movimento com a maior naturalidade. Ou será que foram as três garrafas de vinho que deram aquela "naturalidade"?

Bem provável.

Nathan esfregou os olhos. Passou as mãos pelos cabelos e sentou-se tentando se conter.

– É, você tem razão, está muito quente mesmo aqui dentro. Espero que você não se importe. Onde estávamos mesmo? – perguntei.

– Ah, Nina, assim você está pegando pesado – gemeu ele, ajeitando os óculos.

– Quer ou não quer saber o que tenho pra contar?

– Quero. Quero muito... Fala de uma vez.

– Então – comecei fazendo um caminho de chocolate com a ponta do meu dedo indicador desde o meu pé até o meu queixo –, *per aspera ad astra*.

– Por caminhos ásperos até as estrelas – repetiu ele.

– Isso mesmo.

– E o que eu tenho de fazer é percorrer esse "áspero" caminho de chocolate até chegar nas "estrelas"?

– Só se quiser saber o que eu tenho pra contar.

– Moleza!

Ele olhou o caminho de chocolate que desenhei no meu corpo. A última gota estava no meu queixo e ele a olhava com desejo.

Então, ele tirou os óculos e começou a subida, lambendo a primeira gota que estava no peito do meu pé. Eu quase gritei com o calor da língua dele na minha pele e me perguntava se eu iria ser forte o suficiente para esperar a chegada no meu queixo.

– Você está indo muito bem – elogiei, tentando me distrair com alguma coisa.

Depois, ele avançou para a minha perna e, em seguida, para o meu joelho.

– Vai ter troco – avisou com um sorriso torto lindo. – Você não vai sair ilesa dessa.

– Bom saber que você já está pensando na sua vingança.

E ele chegou na minha barriga com muita vontade; eu mordi os meus lábios com força para me conter.

A eterna barba por fazer de Nathan fazia cócegas na minha barriga, além de me arrepiar inteira.

Ao perceber que eu estava sentindo cócegas, ele segurou as minhas mãos e não deixou que eu fugisse daquela tortura.

– Quer que eu pare? – perguntou enquanto eu me contorcia.

– Se você parar, não vai saber o que tenho pra dizer.

– Então, não me resta outra saída a não ser continuar.

– Eu sabia que você era curioso, mas não sabia que era tanto assim – provoquei só para ver sua cara de bravo.

Ele me respondeu com uma leve mordida na cintura, que arrancou um gemido de satisfação. Depois retomou o caminho das gotas de chocolate e chegou perto dos meus seios. O chocolate estava entre eles e não sobre eles. Algo que fiz propositalmente só para deixá-lo ainda mais louco.

– Com licença, vou ter que passar por aqui.

– Fique à vontade.

Ele apertou as minhas mãos e suspirou, mantendo o autocontrole, e seguiu seu caminho.

Eu fingia me divertir com aquela provocação. Fingia. Porque era muito difícil sentir a boca de Nathan passeando pelo meu corpo e me manter imóvel. A minha sorte é que ele, sem saber, segurava as minhas mãos mantendo-as bem longe do corpo dele.

Finalmente, ele alcançou o queixo. Antes, porém, me torturou bocados explorando o meu pescoço.

– Oi, estrela – disse com uma voz carregada de desejo. – Diz de uma vez o que você tem pra me contar.

– Nathan – fiz uma pausa proposital olhando fundo em seus olhos castanhos –, você perdeu.

– Engano seu – sussurrou me deixando paralisada pelo medo de ele se levantar e sair correndo para o seu quarto, para fechar mais uma torneira. – Eu ganhei – disse colando a sua boca na minha. – Eu ganhei você.

E me beijou demoradamente ao mesmo tempo em que as borboletas do meu estômago retomavam o quinto ato de *O Lago dos Cisnes*.

Com licença. Hora de privacidade. Obrigada.

Areia

Meu dementador particular: Elisa com S.
Um momento bom: a viagem que fiz com minha mãe.

Mais alguns dias depois...

– Tem uma madame, cliente minha, interessada em comprar o salão – contou Manu em nossa Noite do Batom.

Dessa vez estávamos fazendo uma open house no novo apartamento alugado de Pâmela. Um quarto e sala bastante aconchegante onde ela estava temporariamente instalada. Temporariamente, porque Pâmela tinha muita força para conseguir se reerguer novamente e poder comprar um apartamento melhor que aquele. Ela é uma mulher batalhadora e muito inteligente para ficar sentada no chão chorando pelo leite derramado.

A viagem a Foz do Iguaçu foi um fiasco. Quando chegaram lá, Domênico já tinha sumido outra vez, sem deixar novas pistas. Mas os ciganos estavam ajudando e, com certeza, ma hora ou outra a polícia iria pegá-lo.

Era uma questão de tempo. Assim como para Pâmela dar a volta por cima.

– Qual das madames que está interessada em comprar seu salão? A que faz festa de aniversário pro cachorro ou a que vai ao salão todos os dias pra lavar o cabelo? – perguntei muito interessada no assunto.

– A que faz festa de aniversário pra Gigy, a poodle pink.

– E você vai vender mesmo o salão? – quis saber Pam.

– Vou.

– E vai morar com Kau na Ilha do Mel?

– Vou.

– Está segura disso? – perguntei.

– Muito.

– Ótimo! Vamos brindar à sua decisão – sugeri feliz por Manu e Kau, levantando o copo de guaraná.

As coisas de Pâmela estavam, em sua maior parte, nas caixas. Nós a ajudamos com a mudança, que tinha sido feita no fim de semana anterior. Foi uma força-tarefa entre amigos, como Manu chamou. Alê pegou uma pickup emprestada de um cigano amigo dele para transportar a mudança. Eu emprestei a minha faxineira para limpar o apartamento, Manu contratou um encanador para arrumar um vazamento, Nathan e Alexander pintaram as paredes e, assim, ajudamos Pâmela sem que ela tivesse mais gastos.

E nós, depois de termos colocado tudo no novo apartamento, resolvemos sair para um barzinho em vez de desencaixotar as coisas. Por isso, estávamos ali, sentadas à mesa da sala comendo pizza com as mãos e tomando guaraná em copos descartáveis.

– Posso tratar da negociação, se você quiser – ofereceu Pâmela.

– Eu quero Pam, prefiro não me estressar com a madame da poodle pink. Ela é muito chata.

– Tudo bem, eu cuido de tudo pra você. Só me diga quando pensa em ir que começo as negociações – pediu Pâmela.

– Quando eu estiver segura de que vocês duas estarão bem, eu me mudo.

– Eu estou bem – garantiu Pâmela. – Nina está ótima com Nathan. Está tudo lindo. Você não precisa se prender a nós.

– Ainda não é o momento – disse pegando seu terceiro pedaço de pizza de calabresa.

– Pâmela está bem, Manu. Além do mais, Nathan, eu e Alexander estamos aqui, caso ela precise de ajuda.

– E se você precisar de ajuda?

– Ué, sou maior de idade, moro sozinha e tenho namorado – falei as últimas palavras com um sabor especial.

Desde que voltamos de Monte Verde, Nathan e eu nos víamos todos os dias. Algumas vezes, na minha casa. Em outras, na dele. Tudo estava indo muito bem entre nós.

Sim, ele me pediu em namoro e acabou confessando que tinha se interessado por mim bem antes de eu ter me interessado por ele. E que ficou com medo de me perder para Alexander. O que ele não sabia é que fiquei superdividida entre ele e Alê e que, por causa de uma química mal medida, Alê e eu seguimos como amigos.

Mas o destino sempre sabe o que faz e ele sabia o que estava fazendo quando tirou Alexander do meu caminho amoroso.

Alexander é um amor de pessoa, um cavalheiro e amigo para todas as horas. Além de ser um gato de tirar o fôlego.

Só que eu não troco Nathan por ele. Nem por ninguém.

Nathan é o meu Mark Ruffalo às avessas. Está certo que fisicamente um não tem nada a ver com o outro. Mas nos meus sonhos de consumo masculinos, eu me sinto mais realizada em ter um Mark Ruffalo nerd e de cabelos bagunçados do que um Mark Ruffalo de verdade.

E olha, nem precisei da ajuda do meu Santo Antônio. Estava tão à vontade na presença de Nathan que esqueci completamente dele. Só espero que Tonhão entenda que não foi nada pessoal e continue me ajudando ao longo da vida.

Finalmente, eu pude conhecer o cafofo onde Nathan morava. Um loft metade ateliê e metade casa, todo bagunçado. A cara dele, por sinal. Eu adorei!

Apesar da bagunça generalizada, a casa é bastante ampla e arejada. Logo na parede da porta de entrada, está o quadro que ele pintou do meu olhar. Depois de brincar que era para espantar moscas, ele confessou que o colocou ali porque a primeira coisa que ele quer ver quando chega em casa é o meu olhar.

Muito fofo, não acha?

Eu acho e não me canso de achar.

O quadro é uma mistura muito grande de cores e, sinceramente, só Nathan mesmo que consegue ver o meu olhar naquele quadro. É como ultrassom de bebê. Só os pais é que conseguem ver algo naquele treco. Mas, enfim, quem sou eu para discutir arte?

– E você e Alê? Andando juntos pra cima e pra baixo e ainda não rolou nada? – perguntou Manu com a boca cheia.

– Eu e Alê? – questionou Pam. – Claro que não rolou nada entre nós. Somos amigos.

– Eu e Kau também éramos e veja só como terminamos.

– Como você mesma diz, please, né?! Nada a ver. Somos amigos e, além disso, ele vai se casar no fim do ano.

Eu não tinha pensado naquela possibilidade, de Pâmela e Alê juntos. Até que não era tão surreal assim. O único problema era que Alê encasquetou que ia se casar com a garota de dezesseis anos, sendo fiel às suas tradições.

Espero que ele não desapareça depois de casar, como tantos amigos nossos que desapareceram após suas novas rotinas de recém-casados.

– Hum... Vai me dizer que você não fica abalada na presença do cigano sexy? Que aquele homem bonito não mexe nadinha com seus sentimentos?

– Não, Manu, eu não fico abalada na presença de Alê. Reconheço que ele é um homem muito bonito e ponto. Não tenho nem cabeça pra me envolver com alguém no momento.

– Pois saiba que eu e Nina ficamos derretidas por ele.

Eu corei ao lembrar. Parecia algo tão distante agora que estava apaixonada por Nathan.

– Ficaram?

– Ficamos. Chegamos a disputar no par ou ímpar quem ficaria com ele primeiro – brincou Manu com cara séria.

– Ah, deixa de contar mentira.

– É sério – reforcei. – E eu até o beijei!

Pâmela fez uma cara de espanto.

– Não foi, Manu? – pedi apoio.

– É verdade. Mas aí eles chegaram à conclusão de que não serviam pra namorar e voltaram a ser amigos.

– Foi. Não teve química – expliquei.

– E por que vocês nunca me disseram nada?

– Sei lá... Acho que ficamos tão passadas com toda a história de Domênico que acabamos não contando os detalhes da viagem – expliquei.

– Me conta essa história direito, então – pediu Pam pegando mais um pedaço de pizza. – Você e Manu estavam interessadas em Alê, mas foi você quem o beijou?

– Foi.

– E você o beijou também, Manu?

– Não. Só estava interessada nele, encantada com a sua beleza e o seu cavalheirismo... E, quando Nina me contou que não parava de pensar em Alê, eu resolvi deixar o caminho livre pra ela. Acho que o destino sabia o que estava fazendo.

– E Nathan sabe disso?

– Não, ele não sabe. Pelo menos eu acho que Alê não comentou nada.

– Alê não comentou. Tenho certeza – afirmou Manu.

– Como você sabe? – perguntou Pam.

– Porque ele não é esse tipo de homem, que beija alguém e sai espalhando por aí, só pra se gabar.

– Será que não é? Afinal, não é você que vive nos lembrando que os homens não prestam? – disse Pam.

– Ultimamente tenho aberto exceções à minha regra. Por enquanto, apenas para Kau, Nathan e Alexander. O resto não vale muita coisa mesmo.

– Afe! – bufei. – E os planos pro feriado? – perguntei mudando de assunto.

– Vou pra Ilha do Mel, claro – respondeu Manu.

– Vou ficar por aqui, não estou em condições de gastar com supérfluos no momento. Você vai viajar com sua mãe, não é isso?

– Isso! – vibrei ao lembrar – Vou levá-la pra Bonito, no Mato Grosso do Sul.

– Lia vai gostar dessa viagem – disse Manu. – Vai ser bom pra vocês duas.

– É. Eu sei. Não vejo a hora.

– Nathan vai com vocês? – perguntou Pam.

– Não. É uma viagem só nossa.

– Vamos comigo pra Ilha do Mel, Pam? A gente fica na pousada de Kau, não vai ter gastos.

– Obrigada, amiga. Mas não tenho como gastar mais do que o meu orçamento me permite.

Puxa, como eu admirava Pâmela. Ela, que morava em um apartamento de luxo no melhor bairro de Campinas e que tinha dinheiro sobrando para fazer o que bem entendesse, agora estava contando trocados com a mesma simpatia e humildade que sempre teve.

Sou muito orgulhosa das amigas que tenho e hoje em dia isso é tão raro. Estamos em pleno século XXI e as pessoas parecem estar mais preocupadas e sem tempo. Imersas em contas para pagar e tarefas a cumprir, as amizades verdadeiras não têm lugar para se instalar.

Infelizmente, todos parecem estar preocupados com sua ascensão profissional e em ter carro do ano e todos esses novos itens tecnológicos que estão nos isolando mais e mais em nosso próprio mundinho.

Por essas e outras, é que valorizo muito minhas amizades e fico tranquila em saber que, em qualquer dificuldade que eu tiver, meus amigos estarão de mãos estendidas para me ajudar.

Na véspera do feriado de 1º de maio, Nathan e eu fomos buscar minha mãe em Araraquara, porque, no dia seguinte, sairíamos de avião de Campinas para Campo Grande, capital do estado do Mato Grosso do Sul. Ele fez questão de ir comigo buscar a minha mãe só para ficar mais tempo comigo. Para conversar e recarregar o estoque de amor e carinho que precisaríamos para suportar cinco dias longes um do outro.

Você deve estar pensando: "Como o amor é lindo!".

Sim, o amor é mesmo lindo e eu amava estar amando. Por mais redundante que possa soar.

Bonito fica localizada a duzentos e setenta e oito quilômetros da capital do estado. Trecho que fizemos em uma van, previamente contratada pela agência de turismo onde comprei nosso pacote.

Abusando do clichê "Bonito não ganhou esse nome à toa", as maravilhas naturais desse pedaço do país são tão incríveis que fica até difícil de entender por que tantos brasileiros preferem visitar o exterior a conhecer o que o Brasil tem. Minha mãe, que já rodou o mundo todo, ficou extasiada diante de tantas belezas naturais. Aliás, eu estava superanimada com aquela viagem e feliz de estar conhecendo Bonito, mas ela ganhava de mim no quesito animação. Parecia que era outra pessoa que estava ao meu lado.

Ao mesmo tempo em que me sentia feliz por vê-la reagindo e vivendo, eu ainda ficava questionando o que a fez mudar. Será que foi apenas a solidão?

E será que isso tem tanta importância para mim? Digo, ela mudou, não é?

Só esse fato já bastaria para eu me sentir bem e curtir a companhia dela.

Preciso aprender a deixar as mágoas para trás. Perdoar nos engrandece. Preciso me lembrar disso.

Passamos quatros dias mergulhando nas águas dos rios Formoso, Olho D'Água e Sucuri. Difícil colocar em palavras o que é mergulhar nesses rios de águas transparentes. Exploramos cavernas, praticamos a flutuação com snorkel para observar os mais variados tipos de peixes e tomamos banho de cachoeira. A minha mãe parecia ter rejuvenescido de espírito. Estava alegre, participando dos passeios com interesse, conversando com os demais turistas, contando, a toda hora, uma informação nova sobre o local... A viagem estava sendo muito boa para nós duas, fortalecendo nossos laços de mãe e filha e também de amigas. Ela queria saber mais da minha relação com Nathan, dos meus objetivos profissionais, etc.

Todo passeio que fazíamos eu me lembrava de Nathan e no quanto ele estaria curtindo se estivesse conosco. Bonito é a cara dele. Um lugar cheio de energia, ecoturismo e natureza exuberante.

Prometi a mim mesma que, se um dia nos casássemos, a nossa lua de mel seria lá. E aproveitei para dar uma viajada mental em um possível casamento com Nathan.

Sonhar não custa nada. Eu estava apaixonada.

Espero que me entenda.

No sábado à noite, a agência de turismo avisou que nosso voo de volta seria adiantado por um problema interno da companhia e, em vez de chegarmos no domingo à noite, chegaríamos no domingo ao meio-dia em Campinas.

Não preciso dizer que adorei o "transtorno". Eu iria ver o meu amor antes do previsto.

Mas decidi que não iria avisá-lo da minha chegada. Tive uma ideia maravilhosa e resolvi que lhe faria uma surpresa.

"Será que ele vai gostar? Acho que sim. Afinal, Nathan adora surpresas."

Empolgada com a ideia, comecei a pensar em tudo.

Pedi para Pâmela nos buscar no aeroporto. E também pedi para ela fazer companhia à minha mãe, assim eu ficaria disponível para preparar o meu plano:

– Claro – respondeu com sua voz gentil. – Vou levá-la ao cinema.

– Isso! Faz séculos que a minha mãe não vai ao cinema. Ela vai adorar.

Só depois que as duas saíram, pude preparar todas as coisas necessárias; peguei uma tolha de mesa que nunca usei. Uma caixa de papelão serviu como cesta. Copos, talheres e guardanapos.

Tomei um banho apressado e saí de casa. Antes de ir para a casa de Nathan, eu tinha que passar na padaria e pegar a comida para o piquenique que imaginei fazer com ele.

"Ele vai adorar! Vai adorar a ideia de sentarmos embaixo de uma árvore para comer, conversar e namorar, claro."

O meu coração batia forte. Mal podia esperar o momento de tocar a campainha da casa dele e pular nos seus braços para sentir seu perfume amadeirado que já me era tão familiar.

Praticamente fiz o Kelvin voar pelas ruas de Campinas, ignorando completamente sua idade avançada e seu hábito de me deixar na mão quando eu mais preciso.

Mas, daquela vez, ele colaborou. Foi um carro bonzinho.

A minha mão tremia quando toquei a campainha. O meu coração parecia querer saltar do peito. Enquanto a porta se abriu lentamente, juntamente eu abri um sorriso. Ali estava...

– Quem é você? – perguntei olhando aquela estranha.

– Está procurando alguém?

– Nathan está?

– Ele saiu. E você é...?

– Sou Nina e você é quem?

– Elisa.

O meu corpo gelou, olhei para baixo para me certificar de que o chão continuava ali, pois eu não conseguia senti-lo.

Olhei para aquela mulher que eu tinha aprendido a odiar. Ela era miúda, tinha cabelos loiros e lisos, usava um shortinho jeans, uma regata branca e estava descalça e de cabelos molhados. Parecia muito à vontade e satisfeita em me ver.

– Onde Nathan foi? Por que você está aqui?

Eu estava perdendo o meu autocontrole e algo me dizia que eu tinha perdido o jogo.

– Saiu pra comprar umas coisas pra gente – disse ela sem me convidar para entrar. – Ele me falou de você.

– Falou o que de mim?

– Que se manteve ocupado por uns dias... Mas agora que eu cheguei... Você sabe, somos casados.

– Você o traiu com o amigo dele! – exclamei assustada com o que ouvia. – Como ousa voltar e achar que ele vai perdoar você?

– Ele já perdoou. Nós voltamos – anunciou com um sorriso irônico mostrando dentes amarelados. – Acho melhor você seguir com a sua vida. Agora, se me dá licença – pediu fechando a porta.

– O quê? Você está mentindo! – berrei.

Ela abriu a porta me deixando ver um colchão no chão da sala com lençóis revirados, travesseiros espalhados... Como se alguém tivesse passado bons momentos nele.

– Olha e veja se eu estou mentindo. Agora, se me dá licença.

Ela bateu a porta na minha cara me deixando petrificada de horror.

Como ele podia receber aquela mulher de volta depois de tudo o que ela fez com ele? Será que ele não a tinha esquecido completamente e que só me usou para tentar fazê-lo?

E a OFI não serviu para nada? Os dias em Monte Verde, as noites que passamos juntos... Tudo em vão?

Lágrimas brotaram no meu rosto. Senti a velha dor da rejeição novamente. A habitual dor que sempre me apunhalava o coração depois de ser enganada por um traste.

E como doeu dessa vez.

Entrei no carro e saí dirigindo de volta para casa. A minha cabeça rodava. Eu não conseguia pensar direito. Nathan não parecia ser esse tipo de cara.

Tentei ligar para o celular dele, que tocou até cair na caixa postal.

Não deixei recados. Queria falar com ele. Ouvir dele que era um grande engano. Que aquela não era a vaca da Elisa com S, que era outra pessoa...

Ele tinha me prometido que nunca iria me magoar.

– Ai! – gritei alto de dor quando parei em um semáforo. A moça do carro ao lado chegou a ficar preocupada. Mas não a ponto de perguntar se eu precisava de ajuda.

Tentei mais uma vez o celular dele e nada.

Antes de chegar em casa, parei o carro na rua e desabei a chorar. Não queria entrar em casa sozinha e ver os momentos bons que passamos juntos impregnados em cada canto, prontos para atacarem a minha memória. Não estava pronta para eles.

Precisava de Pâmela, mas ela estava no cinema com a minha mãe.

Precisava muito de Manu, só que ela estava na Ilha do Mel com Kau.

Precisava de alguém para conversar... Precisava de Nathan – meu nerd com cabelos bagunçados e uma piada pronta para aquela situação.

Eu chorava demais tentando entender tudo o que passamos juntos, o que eu sentia por ele, o que ele sentia por mim... O que era real e o que era mentira.

Nathan não poderia ter duas caras. Ele não era um cafajeste. Não aceitaria se ele fosse um. Simplesmente não aceitaria.

Por que, meu Santo Antônio? Por quê? Fui tão má assim na outra vida para merecer tanta falta de sorte com os homens?

Onde errei? Foi em me entregar demais novamente? Fui fácil demais para ele?

O tempo passou lentamente. E eu ali, dentro do carro. Já não chorava mais. Acho que o meu coração, calejado depois de tantos tombos, aprendeu a não derramar rios de lágrimas por alguém.

O que, de certa forma, era bom.

Vi Pâmela entrar na garagem do meu prédio com minha mãe. Vi o Sol se pôr. E eu sem coragem para sair dali.

Tinha medo da dor. Medo de enfrentar o meu futuro e saber que ele seria horrível sem Nathan.

– Nina? Nina? – ouvi alguém batendo na janela do carro.

Virei para olhar. Abri a porta e me atirei nos seus braços.

Chorei novamente.

– O que aconteceu?

Ele veio ao meu socorro quando eu mais precisava. Como sempre fazia.

– Nina, fala comigo!

O meu corpo tremia e eu soluçava sem conseguir falar.

– Vamos caminhar um pouco?

Caminhamos de braços dados até uma pracinha que fica no final da rua da minha casa. Escolhemos um banco e nos sentamos. Ele estendeu o seu lenço com as iniciais A.D. bordadas nele para que eu secasse as minhas lágrimas.

– Se sente melhor?

– Ai, Alê. Desta vez eu caí um tombo muito feio, meu amigo. Muito feio...

– O que aconteceu, Nina?

– Nathan voltou com a vaca da Elisa com S.

– Nathan voltou com a ex-mulher?

– Sim.

– Impossível.

– Voltou.

– Não... Tem certeza?

– Absoluta. Vi com os meus próprios olhos.

– O que você viu?

– Voltei mais cedo da viagem que fiz com a minha mãe e fui até a casa dele fazer uma surpresa. E ela estava lá, toda à vontade na casa dele.

– E o que ele disse?

– Ele não estava lá. Foi ela que me recebeu e me contou que ele a perdoou e que eles voltaram.

– E onde Nathan estava?

– Não sei. Ele não atende os meus telefonemas. Eu não sei o que fazer. Estou sem chão.

– Puxa, Nina. Nathan estava apaixonado por você. Ele não iria fazer uma coisa dessas com você. Ele tem bom caráter... Não consigo acreditar.

– Nem eu – suspirei fundo me sentindo cansada. – Nem eu.

– Vamos até a casa dele?

– Fazer o quê? Parabenizá-lo pelo retorno do casamento? Ah, Alê, não me peça um negócio desses.

– Você precisa conversar com Nathan e entender o que aconteceu. Pelo pouco tempo que o conheço, custo a acreditar que ele pudesse fazer isso com você.

– Não quero me humilhar.

– Humilhar? E por que você se humilharia? Estamos falando de Nathan.

– Não sei... Aquela mulher me pareceu muito prepotente e arrogante. Se já não gostava dela, agora então...

– Nós vamos lá para conversar com Nathan não com ela. Além do mais, se ele não atende as suas ligações é porque está muito envergonhado.

– Ai, Alê – suspirei fundo. – Por que tudo dá errado comigo?

– Nina, acho difícil Nathan ter feito uma sacanagem dessas com você. Algo aconteceu que a gente não sabe. Você não acha?

– Eu vi, Alê! Ela de cabelo molhado e de shortinho toda à vontade na casa dele, o colchão todo desarrumado... É óbvio que alguma coisa aconteceu entre eles.

– Caramba! Você é osso duro de roer.

– Ah, não fala assim comigo. Não estou em condições de levar esporro.

– Então está jogando a toalha? Vai deixá-lo para Elisa assim, de mão beijada?

– Vamos amanhã?

– Amanhã pode ser tarde demais. Tarde demais pra entender o que aconteceu. Tarde demais pra brigar pelo que é seu.

Areia

Meu dementador particular: Elisa com S.
Um momento bom: a descoberta do amor.

– O que me deixa mais angustiada é que, desta vez, eu fiz tudo certinho.

Estava dirigindo para casa de Nathan e falando sem parar. Colocando para fora as minhas angústias em forma de palavras, com Alexander ao meu lado me ouvindo com paciência.

– Não fui impulsiva, soube esperar o momento certo pra me envolver com ele, não senti ciúme exagerado nem fiquei colada nele, controlando sua vida.

– Não se culpe, Nina. E não julgue Nathan sem antes ouvir o que ele tem a dizer.

– Sabe o que me deixa mais irritada?

– Não, não sei.

– É que eu não consigo sentir raiva de Nathan. Tento trazer a imagem de Elisa me dizendo que eles voltaram para ver se a raiva floresce... mas eu não consigo.

– Acho que é porque você está amando.

Olhei para Alê para saber se ele estava falando sério comigo ou se estava debochando.

Alexander não debocha. Quem faz isso é Nathan. Ele realmente estava falando sério.

– Eu não estou amando. Estou apaixonada.

– Está amando sim e, se quer saber, vocês foram feitos um pro outro. Agora tendo a certeza de que você o ama, fico mais seguro ainda em ir até a casa de Nathan.

Alexander me colocou para pensar sobre os meus sentimentos.

Eu e Nathan nos conhecíamos há alguns meses e eu tive de cara uma antipatia muito forte por ele. Depois, com o convívio forçado, eu fui me simpatizando por ele. E, depois, me senti atraída para, no fim, me apaixonar. Tudo muito rápido e, no final, tudo muito intenso.

Não seria cedo para afirmar que o que eu sentia era amor?

Alexander devia ter se enganado.

– Amor não tem essa forma – afirmei depois de ter deduzido que o que eu sentia não era amor.

O que para mim seria maravilhoso. Se Nathan realmente tivesse voltado com a vaca, eu não sofreria tanto.

É mais fácil esquecer uma paixão do que um amor.

Eu acho.

– E como é o amor? – quis saber ele.

– Amor é... Forte – disse sem muita convicção. – Por isso é que acho que o que sinto por Nathan não é amor. Deve ser... hum... atração, talvez... ou paixão – analisei olhando para o nada, completamente imersa nos meus pensamentos.

– Eu tenho certeza absoluta de que é amor.

– Pois acho que é só uma paixãozinha que vai passar logo.

– Tem certeza disso?

Não, eu não tinha.

Sabia que era algo diferente de tudo o que já tinha sentido. Analisando os meus relacionamentos anteriores, eu posso garantir que o que sentia por Nathan era totalmente diferente.

Era melhor. Era mais intenso e calmo. Por isso, achava que não era amor.

– Que estranho... Onde está o frenesi, o coração descompassado e todas aquelas coisas loucas que sentimos quando estamos ao lado da pessoa amada? – perguntei para Alê. – O que sinto é calmo demais.

– A fase de sentimentos loucos e turbulentos já passou. Você está na fase do amadurecimento, do amor profundo. É agora que vem a melhor parte: a plenitude e a felicidade completa.

– Acho que você está enganado. Não pode ser amor. Amor é outra coisa.

– Estou seguro disso. Provavelmente, você está confundindo amor com paixão, que é o que você estava acostumada a sentir. Um sentimento avassalador que passa por nós feito um furacão e que, depois, se vai, deixando os destroços pra trás.

– Pra mim eles são iguais. A única diferença é que o amor é mais estável que a paixão.

Sorri tentando transmitir segurança.

– Não, não. Eles são sentimentos bem distintos e posso lhe garantir que o que você está sentindo é amor – retrucou Alê.

– Nossa, como você pode estar tão certo? – perguntei incomodada com a sua tranquilidade e com a sensação de que talvez ele me conhecesse melhor do que eu mesma.

– Porque você está calma e serena, como você mesma disse. Não está ansiosa, nem impulsiva. Está pensando no ser amado, o que mostra que seu egoísmo deu lugar ao companheirismo. Amor é um sentimento nobre, Nina. Ele respeita o outro, ele cede, é paciente e sabe esperar. A paixão é devastadora. Amor é calmaria. O amor é cúmplice, atencioso, cuidadoso, visa sempre o bem comum do casal, a felicidade do outro. E vejo em você essas características. Além de um brilho diferente nos seus olhos.

– Certo. Então quer dizer que eu estou amando? Pela primeira vez, eu estou amando? – minha voz saiu mais aguda do que gostaria.

– Sim, é exatamente isso. A sua busca acabou.

– Ok. Me deixa pensar... E ele está lá com aquela... aquela... vaca! – disse a última palavra com repulsa.

Se Alexander estivesse certo, e eu achava que ele estava... eu perdi Nathan?

– Bem que a cigana falou. Ela me falou! – falei exaltada demais. – Ela falou que alguém poderia chegar e tirá-lo de mim. Só não pensei que fosse ela.

– Não seria melhor se saíssemos do meio da rua? Os carros querem passar – aconselhou ele, sem querer que eu percebesse que olhava pelo retrovisor do carona.

Por que ela voltou? Não tinha nada que voltar aqui e estragar o que estava certo.

– Tira esse carro daí, mulher! – berrou o motorista do carro de trás, irritado comigo.

O seu grito me tirou daquele transe e eu olhei para o lado. Pela minha janela, eu vi, no carro ao lado, um rapaz ajeitando os cabelos da namorada. Um gesto singelo de carinho, porém o seu olhar transmitia amor, ternura e admiração.

E me lembrei do nosso fim de semana em Monte Verde. Foram dias de entrega que ele não podia jogar fora assim.

"Ele me ama. Ama a mim e está iludido com a volta dela."

– Não pode ser que ele tenha dúvidas depois dos dias que passamos juntos – disse enxugando as lágrimas que rolavam pelo meu rosto.

– Precisamos saber o que aconteceu antes de tirar conclusões precipitadas.

– É tudo tão claro e, ao mesmo tempo, confuso... Meu Deus, por que ele está fazendo isso?

Eu não ouvia mais o que Alê me dizia.

– Sai do meio da rua! – gritavam os motoristas ao mesmo tempo em que buzinavam.

Apesar dos gritos e das buzinas, eu não conseguia pisar no acelerador. Estava sem reação, parada em uma das principais avenidas da cidade, sem força alguma para sair do lugar. Que ideia estúpida ir até a casa de Nathan!

– Nina, vamos sair do meio da rua? Daqui a pouco alguém vai bater no seu carro – pediu ele com um tom de desespero.

– O que eu vou fazer? Diz o que eu vou fazer se eles realmente voltaram? – perguntei aflita, não dando ouvidos às suas palavras.

Ele, no entanto, não respondeu. Apenas me olhou em silêncio. Pela primeira vez, ele não soube o que me dizer.

Aquela minha pergunta me matava... Se era amor, eu não podia perder Nathan.

E se ele me dissesse que tudo não passou de uma curtição? Como ia sobreviver depois?

– Tira esse carro do meio do caminho! – gritou outro motorista com raiva, e os demais buzinaram em apoio.

Enxuguei as lágrimas com a palma da mão e, com certa raiva, pisei no acelerador com força, sem realmente pensar no que estava fazendo.

– Nina, tenha cuidado! – me alertou Alê assustado com o movimento do carro. – Entra nessa rua e para em qualquer vaga pra que você se acalme.

O pedido dele entrou por um ouvido, saiu pelo outro... A agonia me consumia, a dor me dilacerava e aqueles gritos me irritavam ainda mais. O meu pé afundava no acelerador de tanta raiva. Em um lampejo de consciência, olhei de relance e vi pelo retrovisor que os carros ficaram para trás, parados. As buzinas, os berros, tudo ficou para trás. Estava me sentindo em um filme mudo, passado em câmera lenta. Algo estava errado. Em outro relance, dessa vez à direita, vi carros crescendo em minha direção, um deles assustadoramente rápido.

– Ninaaaaaaa! – berrou Alê colocando o rosto entre as mãos e inclinando-se para o meu lado, tudo ainda em câmera lenta.

Tive o reflexo de jogar o carro para a esquerda e o movimento fez com que o carro derrapasse na pista.

Na mesma câmera lenta, começou, então, a passar, em uma tela escura, o filme da minha vida, como uma projeção amarelada e com chuviscos. A primeira vez que fui à praia com os meus pais. Era um dia quente e eu fazia castelos de areia com o meu pai enquanto mamãe passava protetor solar nas minhas costas.

O meu primeiro dia de aula no colégio novo de Campinas, eu estava morrendo de medo e de ansiedade ao mesmo tempo. O início da minha amizade com Manu e Pâmela e todas as coisas que fizemos juntas; a morte repentina do meu pai, o sofrimento e a depressão da minha mãe, o meu ingresso na Unicamp, a viagem de formatura da turma de 1994 para o Rio de Janeiro, os meus relacionamentos desastrados e tortos, os dias maravilhosos com Nathan em Monte Verde...

De repente, o filme acabou e tudo ficou escuro novamente... Um cheiro de coisa queimando, borracha derretendo e água suja evaporando misturavam-se com o barulho de vidros quebrando, luzes caleidoscópicas surgiam na escuridão, algumas vozes bem longe...

Dor.

Areia

Meu dementador particular: Elisa com S.
Um momento bom: sobreviver.

Não sei quanto tempo depois...

Com muita dificuldade tento ajustar o foco do olhar. Um quarto branco, muito branco, ofuscante...

Então, eu não consegui voltar? Não saí da passarela branca, não pude seguir o conselho do meu pai? Foi isso?

Não pode ser. Deixei bem claro que gostaria de voltar. Ninguém me ouviu? Lembro de gritar e só ouvir ecos da minha própria voz... sem resposta.

Lembro que não dei o primeiro passo em direção àquela luz. Não entendo por que estou aqui. O que será que deu errado?

Tento virar meu pescoço com muita dificuldade. Onde estarei?

Dor... Dor... Dor insuportável.

Estou zonza e minha cabeça dói ainda mais.

Sons pulsantes e intermitentes ao fundo, o que seriam?

Finalmente, focalizo uma forma humana. Toda vestida de branco e com uma cara de alívio e preocupação.

Seria um anjo? Será que estou em um hospital espiritual? Havia visto em algum lugar, não sabia onde.

– Doutor, ela está acordando! – a ouço exclamar.

– Oi, onde estou? – pergunto com uma voz fraca.

– Não diga nada, você ainda está muito fraca. Tente ficar quieta até o doutor chegar.

Doutor? Estou em um hospital, já sei. Mas...

– Eu morri? – resolvo arriscar. – Você é um anjo?

Ela ri e me responde:

– Não.

Sinto fraqueza e torno a apagar.

Novamente algum tempo se passa...

Olho em volta, em busca de foco, e reconheço o mesmo quarto branco onde estava acomodada.

Os bipes tocam irritantemente e não tem ninguém que eu possa chamar para fazê-los parar. Eles vibram nos meus ouvidos fazendo a minha cabeça doer ainda mais.

Por que estou aqui neste lugar cheio de fios, luzes e bipes? Por que estou sozinha?

O que terá acontecido, afinal? Forço a mente para lembrar.

Não é tarefa fácil com a dor que estou sentindo, mas eu quero muito saber o que aconteceu, e só me resta recorrer à minha memória.

A primeira pessoa de quem lembro é a minha mãe. Onde ela estará neste momento? Lembro que fizemos uma viagem para um lugar lindo e que passamos por bons momentos juntas... E que ela estava feliz.

Fecho os olhos com força para tentar me lembrar de mais coisas... Eu a deixei com Pâmela e elas foram ao cinema...

E onde estará Pam? E Manu? E... Nathan?

Ao pensar no nome dele sinto uma dor aguda. A minha cabeça parece querer explodir.

A minha memória começa a fornecer informações. Elas estavam todas lá. Nathan tinha voltado com a vaca da Elisa com S e me abandonado.

Fui trocada por outra novamente. Enganada. Usada para que ele a esquecesse. E, depois que ela voltou com aqueles cabelos loiros (não é à toa que sempre desconfio das loiras), ele simplesmente esqueceu tudo o que tínhamos e voltou para ela.

Que ódio! Que ódio de mim mesma por não sentir ódio dele. Por amá-lo da mesma forma ou ainda mais.

Lembro-me do dia em que estávamos indo para a casa dele. Alexander estava comigo. Ele tinha insistido para irmos até a casa de Nathan. Tá, mas e o que aconteceu em seguida?

Torno a forçar a mente em busca de mais informações...

Lembro-me de ter empacado e não conseguir mais dirigir... Lembro-me de pessoas impacientes e nada amigáveis buzinando incessantemente para que eu saísse do meio da rua. Lembro-me também de um carro vindo em alta velocidade na minha direção e, depois disso, eu não me lembro de mais nada.

É isso! Eu sofri um acidente de carro e pelo jeito eu não morri.

Mas Alexander estava comigo. E se eu estou aqui, onde estará Alexander?

Sinto um pavor crescente. Lembro do momento, do seu grito, de vê-lo proteger o rosto com as mãos, do barulho de vidro quebrando, o cheiro de queimado... Será que aconteceu algo sério com ele?

Eu não vou me perdoar nunca se algo sério tiver acontecido com Alê. Nunca.

Os bipes começam a soar mais alto e mais rápido. Eu sinto que me falta o ar. Preciso saber o que aconteceu com Alexander.

Alguém aparece na minha frente, do nada. Ela checa tudo, mexendo em botões e falando comigo.

– Você está me ouvindo?

– Sim – respondo agitada. – Você sabe onde Alexander está? O que aconteceu com ele? Eu preciso saber.

– Calma. Vou chamar o médico.

– Não! – grito. – Preciso saber de Alexander.

– Eu não sei quem é Alexander. Sinto muito em não poder ajudar você. Agora, eu vou chamar o médico.

Não sabe quem é Alexander? Com assim?

Ela sai apressada e me deixa ali impotente e aflita querendo arrancar aqueles fios todos.

– Olá! Bem-vinda de volta à vida, senhorita... Nina... – diz o médico olhando o meu nome em uma pranchetinha. – Como você está se sentindo?

"Não interessa se estou bem ou não. Quero saber de Alexander", penso.

Olho para o médico com um pavor estampado no olhar.

Ele fica preocupado e me pergunta:

– Nina, você está sentindo alguma coisa? Quer dormir mais um pouco? Você precisa descansar. Só diga algo quando estiver melhor.

– Não – quase grito. – Eu estou bem!

"Se eu mostrar desespero ele me bota para dormir, e aí sei lá quando vou acordar novamente para saber o que aconteceu com Alexander."

– Tem certeza de que está bem? – pergunta ele se aproximando.

– Bom, tirando o fato de não saber onde estou e nem o que aconteceu direito. Eu estou bem – respondo mostrando calma.

– Está sentindo alguma dor?

– Não – minto. – Estou bem... de verdade. Só quero saber o que me aconteceu.

– Ótimo. Vou lhe contar o que aconteceu para que você fique mais tranquila – diz ele sentando sem a menor pressa na cadeira ao lado da cama.

"Diz de uma vez!", penso aflita.

– Nina, você sofreu um acidente de carro há duas semanas.

– Duas semanas?

– Para você parece que foi ontem, não é mesmo? Mas já se passaram quinze dias.

Enquanto ele me relata os acontecimentos, novamente de pé, mexe em alguns aparelhos e anota algo em uma prancheta.

– Você sofreu traumatismo craniano e ficou em coma até hoje.

– Em coma? Olha, eu sou da área da saúde também. Por favor, não esconda nada de mim. Seja lá o que for, me fale a verdade.

– Você é médica?

– Não, sou fisioterapeuta, mas não importa! Vamos, doutor, conta tudo! Não me esconda nada, por favor!

Ele sorri e diz:

– Claro, doutora! Além do traumatismo craniano, você fraturou a bacia, a clavícula e quebrou a perna esquerda.

– Foi *só* isso? – pergunto como se *só* aquilo fosse pouco.

– Sim. E ver você reagir bem, me tranquiliza.

– E o meu amigo Alexander, que estava no carro comigo, onde ele está?

– Alexander?

– Sim – quase grito. – Pelo amor de Deus, me diga alguma coisa – peço desesperada.

– Como ele é?

– Como assim? Vocês não têm controle dos pacientes neste hospital? Veja no computador se tem alguém internado com o nome de Alexander?

– Calma, mocinha. Você parece estar ótima, mas não se esqueça de que acabou de sair de um período de coma, precisa se acalmar.

Certo. Já estava perdendo o controle novamente.

"Preciso recuperar a calma. Vamos lá." Respiro fundo e digo chorando:

– Só preciso de notícias de Alexander.

– Esse Alexander é um rapaz alto...

– Sim.

– Cabelos pretos.

– Sim. Alto de cabelos pretos. Onde ele está? Ele está aqui? Está internado?

– Não, não está internado. Ele está muito bem.

"Obrigada, meu Deus!", penso aliviada.

– Ele está muito preocupado com você. Passa o dia na recepção, esperando por notícias suas. Ele e a sua mãe.

– A minha mãe?

– Sim. Ela também está aqui.

– Aqui? Onde? Pode avisá-los que eu estou bem? Posso vê-los? – peço sentindo um amor invadir meu peito. A minha mãe ao meu lado em um momento como este era tudo o que eu poderia querer.

Sem falar em Alê... Passar o dia na recepção do hospital esperando por notícias minhas... Ele é muito querido mesmo.

– Fique tranquila. Eu aviso que você acordou e que está bem.

– Ai, obrigada, Doutor. E vem mais alguém aqui atrás de notícias minhas?

– De noite sempre vejo duas moças muito simpáticas junto de dois rapazes igualmente simpáticos.

Pâmela e Manu, claro. E os rapazes, quem seriam?

– Pâmela e Manu são minhas amigas – explico. – Elas falam pra caramba, né?

– A recepção nunca esteve tão animada. Eles se mantêm esperançosos e não deixam se abalar por nada, apesar do seu quadro clínico.

Como amo os meus amigos! Poderiam estar vivendo as suas vidas, ou fazendo algo mais divertido que vir a um hospital... Sinto um nó na garganta.

– Ótimo – diz ele. – Você vai passar mais esta noite aqui, só por excesso de zelo. Amanhã, seguirá para o quarto, está bem doutora Nina?

– Hã? Eu não estou em um quarto?

– Não. Você está em uma UTI.

– Caramba. Foi sério mesmo.

– Traumatismo craniano é sempre muito sério. Lembra dessa aula? – brincou ele.

– Me sinto zonza... Desculpa pelas besteiras que estou dizendo.

– Está desculpada – responde ele mantendo o bom humor.

– Você falou que Pâmela e Manu vêm acompanhadas de dois rapazes. Como eles são?

– Tem um de cabelos encaracolados...

– Kau está aqui? – falo antes que ele termine a frase.

Kau veio da Ilha do Mel para ficar aqui esperando por notícias minhas. Gente, quanta honra!

– E o outro? Como ele é?

– Hum... Não me lembro. Acho que você está pedindo demais para um médico que vê centenas de pessoas por dia.

Ah, não! Ele empaca justo no segundo rapaz? Puxa, Nathan tem um tipo tão fácil de ser lembrado!

– Doutor, tenta se lembrar... É importante pra mim.

– Ele é o seu namorado? Achei que fosse o outro, o que não sai daqui enquanto você não acordar.

– Não. Esse é só amigo meu. Ele estava no carro comigo na hora do acidente – explico. – Eu queria saber... – Meu coração está agitado demais – Se o outro rapaz... Aquele que você falou que vem à noite com as meninas e com Kau...

– O de cabelo encaracolado? – pergunta o médico já começando a se irritar com a confusão e excesso de perguntas.

– Não. Esse é o Kau...

– O outro, então...

– Sim, o outro. É um cara alto, de cabelos bagunçados e de óculos?

Ao descrever Nathan, sinto uma saudade gigantesca invadir o meu peito.

O médico me olha curioso, parecendo não ter entendido.

– Esse é o seu namorado?

– É. Quer dizer, era... Já não sei mais. Eu estava indo até a casa dele acertar algumas coisas quando sofri o acidente.

– E você gosta desse rapaz de óculos?

– Gosto... Quer dizer, eu não gosto. Eu o amo.

Sim, eu amava Nathan. E era por isso que estávamos indo até a casa dele. Eu não poderia desistir do meu amor.

Quer dizer. Sei lá o que iria acontecer se eu tivesse chegado até a casa de Nathan. Ele estava com a vaca e não fazia ideia de como ele iria me receber. Bem provável que diria: “E como diria o velho sábio, isto é tudo, pessoal!”.

“Uma pena que não deu certo”, pensei.

– Esse mocinho de óculos é o que está acampado na recepção do hospital, junto da sua mãe.

– O quê? – grito sem acreditar. – Nathan está aí fora?

– Se esse Nathan é o cara de óculos, ele está aí fora desde o dia em que você chegou aqui.

– Como? Eu não entendo... Ele tinha voltado com a outra... E agora está aqui? – digo aos tropeços, voltando a me agitar.

– Calma, Nina. Você precisa se acalmar.

– Tá. Tudo bem. Eu vou me acalmar – falo com um sorriso forçado e uma alegria querendo explodir dentro do meu peito.

"Nathan está aqui!", grito em pensamento.

– Doutor, posso vê-lo? Por favor, é importante – suplico.

– Você não vai me deixar em paz até que eu permita a entrada dele aqui, não é?

– Não mesmo.

– Ok. Mas vou permitir só a entrada dele e da sua mãe.

– Tudo bem. Pode ser agora?

– Nina, são três horas da madrugada. Tente dormir um pouco e amanhã de manhã eu autorizo a visita dele.

– Esperar tudo isso?

– Se você dormir, passa rapidinho.

– Dormir? Como vou conseguir dormir sabendo que Nathan está lá fora, tão perto de mim?

– Posso dar um jeito de você dormir rapidinho.

– Não! – grito. – Não. Eu não quero um jeito pra dormir. Quero ver Nathan. Por favor?

Ele me olha enquanto pensa na sua resposta.

– Que ninguém saiba disso, ok?

– Será nosso segredo.

– Vou buscá-lo – diz se encaminhando para a porta.

– Doutor?

– Sim.

– Vai rápido.

Pedra

Meu dementador particular: nenhum.
Um momento bom: ter recebido uma segunda chance.

Certo. Quer dizer que o Cara lá de cima me deu uma segunda chance.

Estou honrada pela confiança. Não é todo mundo que merece voltar para cá.

Ou seria o contrário?

O que Ele quer me mostrar com isso? Que tenho que ser melhor como pessoa, como filha, como amiga e como... bem, parou por aí. Por enquanto, eu ainda não sei como vai ficar o meu estado civil.

Procuro acreditar que voltei para me acertar com Nathan. Tem que ser isso. Do contrário, não faria sentido eu estar aqui. Viveria para quem? Amaria quem?

Usando a frase de uma música que adoro, e confesso que é bem clichê, mas é a pura verdade: "Depois de você os outros são os outros e só".

Não saberia amar ninguém depois que conheci Nathan. Temos uma sintonia perfeita. Um encaixe único e uma paz no coração que não senti com ninguém. A paz de saber que a minha busca acabou.

E, pelo amor do meu Santo Antônio, como é bom sentir essa paz!

Sei por que Nathan está aqui. A nossa história não acabou. Ela mal começou e temos muito por fazer. Ele só está aqui por um motivo: ele se preocupa comigo. Ele... me... ama.

Tem que ser isso.

Deve ter percebido que me ama quando soube do meu acidente e mandou a vaca pastar.

Se ele estivesse com ela, não estaria nem aí para mim. Você não acha?

Eu não vejo a hora de olhar para ele e me certificar disso tudo.

"Nathan está aqui!", penso vibrando de alegria pela décima vez.

Pena que estou impossibilitada de sair da cama e dar uns pulinhos para comemorar aquela notícia.

Vamos combinar, é uma notícia para ser comemorada com muita dança, pulinhos e gritos.

Tudo bem. Comemoro depois. O importante é que ele está aqui.

Prometi a mim mesma que, desta vez, eu farei tudo diferente.

É o momento de mudar. Sinto que é.

Deve ser por isso que recebi uma segunda chance. Eu preciso mudar o meu jeito de me relacionar com os homens ou vou acabar sufocando o que Nathan sente por mim, como fiz nos meus relacionamentos anteriores.

Não vou amar demais. Simplesmente não posso mais amar demais. Amar demais alguém e amar pouco a mim. Esse ponto precisa ser mudado urgentemente. Eu já conversei sobre isso com Alexander e ele me mostrou o quanto eu saí prejudicada todas as vezes em que não priorizei o amor por mim mesma. Isso sem falar que preciso controlar o ciúme.

Confessando: Eu me odeio quando sinto ciúme. Simplesmente me odeio. É uma bola de neve, o ciúme gera afastamento da outra pessoa, o que gera mais ciúme ainda. Sem falar na sensação de que as borboletas do estômago parecem ter virado lagartas horrendas e que estão devorando as minhas vísceras.

Veja Manu. Ela é segura de si, ama a si mesma antes de qualquer outra pessoa, é feliz por ser quem é e não sente ciúme de ninguém. Obviamente que o carro dela não conta, pois não é um ser humano.

Preciso aprender mais com a minha amiga. A ser mais segura e confiante. Afinal, nenhum homem gosta de mulher insegura ao seu lado.

Vou amar mais a mim mesma. E não me fechar para as demais áreas da minha vida só para viver a minha história com Nathan. Não posso esquecer de que tenho amigos, família, trabalho e vários outros interesses.

Justo eu que critico os meus amigos recém-casados que se fecham na sua nova rotina e se esquecem do mundo à sua volta.

Olha só que feio! Critico e faço a mesma coisa sem ao menos estar casada.

Foram erros que cometi. Espero ter aprendido com eles.

Foi por isso que voltei. Para ser uma nova mulher. Alguém melhor.

Fico animada com tal reflexão. Agora sim, a minha volta faz sentido. A minha existência. A minha nova vida.

"E Nathan que não chega", penso tentando adivinhar quanto tempo se passou desde que o médico saiu do meu quarto para buscá-lo.

Cada naco minúsculo de tempo parece um século. Um século inteiro perdido sem a presença de Nathan.

Bem piegas, eu sei. Mas é como me sinto.

Descobri que esperar pode ser algo agonizante quando não se tem nada para ocupar a mente.

Nem meditação funciona neste momento. Eu só penso em arrancar tudo que me prende nesta cama e sair correndo. Correndo para a minha nova vida que me aguarda lá fora.

Se eu não estivesse com a perna engessada, claro!

E, quando a porta finalmente se abre, eu choro de felicidade em ver aquela velha calça xadrez. Aquela que eu detesto e que havia escondido no fundo do armário dele para que não a usasse mais.

Não imaginei que eu ficaria tão feliz ao vê-la novamente.

Ah, meu Deus! Como eu amo esse ser de cabelos bagunçados. Meu Mark Ruffalo às avessas. Meu nerd predileto.

Ele se aproxima de mim, com um meio sorriso e senta em uma cadeira ao lado da cama.

– Sua tranqueira – finge que está bravo. – Achou que teria graça morrer e me deixar aqui?

O meu coração infla e um ímpeto de alegria me percorre, quase faço soar alto todos os bipes dos aparelhos.

De repente, eu me sinto plena de amor, felicidade e esperança. Uma exultação do tipo que a gente sente quando acorda de um pesadelo muito ruim e pensa: "Puxa! Ainda bem que era um sonho".

Eu me sinto aliviada.

Ele está aqui por minha causa. Por *minha* causa.

E o que a vaca loira nojenta pensaria disso, ãh?

Ele segura a minha mão direita e a beija.

O meu estômago se manifesta, não sei se de fome ou de alegria, mas isso não tem nenhuma importância.

– Onde está a minha mãe? – pergunto me fazendo de difícil.

– Ela foi pra casa dormir. Amanhã ela volta pra revezar comigo.

– Revezar?

– Eu fico de noite e ela fica de dia aqui no hospital.

– Hum – murmuro me sentindo a mais querida de todas as criaturas.

– Você me deu um baita susto, sabia?

– Você também – digo me referindo à outra.

– Alexander me contou.

– Alexander?

E me dou conta de que ninguém me deu notícias de Alexander até o momento.

– Como ele está? Está ferido?

– Ele está bem. Saiu ileso do acidente. Foi ele quem chamou o resgate e salvou a sua vida.

Alexander me salvando mais uma vez.

– Ai, que bom! – exclamo tirando um peso dos meus ombros. – Estava tão preocupada com ele.

– E eu com você.

– Vocês voltaram? – pergunto pondo um fim naquele mistério.

– Quem, Alexander e eu?

– Nathan! O assunto é sério. Diga de uma vez se você voltou com a va... Quer dizer, com a Elisa com S.

– Não voltei com ela. Fica tranquila que o seu lugar aqui – diz colocando a mão no peito – está garantido.

– Que ótimo! – falo sem pensar.

– Também acho.

– Quer dizer que vocês não voltaram?

– É o que tudo indica.

– E o que ela estava fazendo de shortinho jeans na sua casa?

– Ela estava de shortinho?

– Estava.

– Puxa, que pena! Eu perdi essa. Estou brincando – se adianta diante da minha cara de brava.

– Quer conversar sério comigo? Estou em desvantagem, não se esqueça.

– Ok. Só queria fazer você sorrir...

– Hum... Fala de uma vez.

– Elisa voltou da França no fim de semana que você viajou com a sua mãe. Ela queria voltar. Achou que eu estaria de braços abertos esperando por ela.

– E não estava?

– Óbvio que não.

– Ela me contou que vocês tinham voltado. Mostrou o colchão revirado e tudo.

– Colchão revirado? Do que você está falando?

Continuo quieta, esperando o que viria.

– Elisa falou que tínhamos voltado para ferir você. Ela é má, Nina, gosta de fazer maldade com as pessoas.

E eu caí feito uma pata choca na lábia dela.

– Eu liguei várias vezes pra você. Por que não atendeu?

– Eu tinha esquecido o meu celular dentro do carro. Vi as suas mil chamadas não atendidas nele e, quando retornei, já era tarde demais.

– E o que ela estava fazendo na sua casa?

– Ela não tinha pra onde ir e eu permiti que ela ficasse em casa até arrumar um canto pra se instalar.

– Depois de tudo o que ela fez, você deixou que ela ficasse na sua casa?

– Pra você ver como sou uma boa pessoa. O meu lugar no céu está garantido.

– E você foi pra onde?

– Pra casa de Manu. Ela estava viajando e eu perguntei se poderia ficar lá até Elisa sair da minha casa.

– E por que não me avisou? Por que não ficou na minha casa?

– Não queria aborrecer você, nem estragar a sua viagem com Lia.

– Lia?

– Hahahaha, estou bastante íntimo da sua mãe. Ela não cansa de dizer por aí que sou o genro perfeito.

– Genro perfeito?

Pedra poderosa e indestrutível

Meu dementador particular: nenhum.
Um momento bom: todos.

Alguns meses depois...

– Mas sabe qual a melhor coisa dessa tragédia? – perguntou Manu sorrindo.

– Acho que são várias – disse Kau, que estava sentando ao lado de Manu.

Ele tinha tirado aquela barbicha ridícula e voltado com seu rosto de sempre.

Disse que era uma promessa. Que quando encontrasse Manu novamente a tiraria.

Lindo, não é?

– Com certeza são várias – afirmou Pâmela.

Estávamos na nossa Noite do Batom no Único – nosso bar preferido. Ceará não deixava nossos copos de chope vazios e eu estava bebendo com moderação, por conta da medicação que ainda estava tomando. Na verdade, nem poderia beber, mas estávamos comemorando a minha segunda vida.

Eu merecia.

– Mas me diga, Magrela, qual é a melhor coisa? Agora fiquei curioso – pediu Nathan que estava sentado ao meu lado, todo lindo e com o seu perfume bom me envolvendo e me fazendo lembrar de que a minha realidade é muito boa.

– A melhor coisa dessa tragédia toda foi que Kelvin teve perda total. Você arrumou um jeito de se livrar daquele carro de uma vez por todas – vibrou ela.

Realmente, o carro ficou estraçalhado com a batida. E, segundo Carlão, seria inútil tentar recuperá-lo. Tive que dizer adeus ao meu Kelvin.

– Lamento por seu fim – falei um tanto arrasada. – Ele foi tão útil.

– Mas agora você tem um carro novo. Zero bala. Não está feliz? – instigou Manu.

– Não é a mesma coisa. Gostava de Kelvin. Esse aí nem nome tem.

– Pode deixar que eu arrumo um nome pra ele. Vermelhinho do jeito que ele é vai ser fácil.

– Mas por que você disse que são várias coisas boas que saíram dessa tragédia, Kau? – perguntou Alexander, que também estava conosco.

Até hoje, mesmo depois de tantos dias passados desde o acidente, eu não canso de agradecer Alê por tudo que ele fez por mim.

E quando penso nisso, eu fico ainda mais maravilhada com o presente que é estarmos vivos. Alexander entrou na minha vida de uma forma misteriosa, me ajudando sem pedir nada em troca.

No início, achei que ele tinha cruzado o meu caminho para que ficássemos juntos. Mas não. Era por uma razão maior. Era para ser o meu amigo leal. Desses que ajudam de verdade. E ele não se tornou só meu amigo. Alexander acabou se tornando amigo de todos os meus amigos.

– Pra mim, a melhor coisa dessa tragédia foi estar tantos dias ao lado de vocês – confessou Kau arrancando "ai, que fofo!" e "óóóóh" de todos nós. – Sério mesmo. Eu estava muito sozinho lá na Ilha. Já não sabia mais o quanto era bom estar com amigos, envolvidos em uma causa, torcendo pela recuperação de Nina juntos... Vou sentir saudade disso tudo depois que voltar.

– Eu me arrisco a ir mais fundo – analisou Nathan. – Várias coisas boas surgiram da tragédia particular de cada um de nós. Vocês não acham?

– Com certeza – afirmou Pâmela.

– Até a minha sogra, gente finíssima, conseguiu se reerguer depois da sua tragédia – contou Nathan sob meu olhar atento.

– Puxa, fico tão feliz em ver a sua mãe vencendo essa doença – alegrou-se Manu.

– Sabiam que ela recebeu uma proposta pra trabalhar como consultora de moda pra uma estilista famosa de São Paulo?

– É mesmo, Nina! – exclamou Pam. – Ela comentou mesmo quando fomos ao cinema que estava conversando sobre uma possível volta ao mercado... Não imaginei que seria tão rápido.

– Eu também fico feliz pela sua mãe, Nina. Eu sabia que vocês iriam voltar a se entender – disse Alê.

– Obrigada, Alê. Eu também me sinto bem mais aliviada em saber que ela está toda feliz com o novo trabalho e participando das nossas vidas como era antes.

– Ela me liga toda semana pra saber quando vou lá cozinhar pra ela de novo – se gabou Nathan.

– E pra gente, quando você vai cozinhar? – perguntou Manu. – Temos que marcar um jantar logo... Estou doida pra conhecer os seus dotes culinários.

Seguiu-se uma conversa sobre os dotes culinários de Nathan e combinamos um jantar para breve, na minha casa, para que Nathan possa exibir as suas habilidades com temperos, panelas e talheres.

Se bem que desconfio que isso acabará em pizza com cerveja.

– Quem diria que estaríamos todos aqui falando e rindo de tragédias que quase nos derrubaram – falei retomando o assunto.

"Um dia você irá rir disso tudo", lembrei das palavras de Alexander e sorri sozinha.

– Por isso iniciamos a OFI – lembrou Manu. – Falem sério, não foi uma ideia genial?

– Tenho que dar o braço a torcer e dizer que essa sua ideia de tirar uma semana de nossas vidas pra curtirmos foi simplesmente fantástica, Manu – falei reconhecendo a sua iniciativa. – Agora eu posso dizer que foi realmente fantástica. Mas, no início, eu estava odiando e achando um desperdício total de dinheiro.

– É por isso que eu sempre falo, Nina. Se você me ouvisse mais, seria mais feliz.

– Você tem razão, amiga. Você tem razão. Essa OFI salvou a minha vida – disse dando um beijo em Nathan.

– E mesmo sem ter participado dela, a OFI também salvou a minha vida – disse Kau.

– Ah, como o amor é lindo! – suspirou Pâmela ao ver Kau e Manu se beijando.

– E a minha tragédia particular serviu pra me mostrar que não devemos julgar um povo sem antes conhecer. Eu achava que os ciganos eram um bando de preguiçosos, exploradores e mentirosos. E, se não fosse pela ajuda de Alexander e do seu povo, acho que a polícia não teria encontrado Domênico.

Durante o período em que estive em coma, a polícia conseguiu prender Domênico em Dourados, no Mato Grosso do Sul. Ele estava tentando fugir do país. Pâmela não quis ir até lá para reaver os seus pertences por minha causa. Ela preferiu doar as joias e o dinheiro que estavam com Domênico para uma instituição de caridade.

– Achei que aquele dinheiro era sujo e eu não o queria pra mim. Prefiro trabalhar e me reerguer novamente – me contou ainda no hospital. – Eu só queria justiça. Queria que Domênico fosse preso por ter me extorquido. E a justiça se fez. Pra mim está bom assim.

Eu concordei com ela. E se a minha amiga estava feliz em recomeçar do nada, eu estaria do lado dela para o que desse e viesse. Assim como Manu, Kau, Alexander e Nathan.

– Sei que vocês vão me zoar, mas tudo bem – começou Manu.

– Fala aí, Magrela. Ninguém vai zoar você. Imagina – debochou Nathan.

– É que, olhando pra nós todos agora, me veio uma música que retrata bem a nossa fase. Tem tudo a ver com a gente.

– E aposto que é da Legião Urbana – arriscou Alê.

– E é da Legião. Obviamente. Pra quem mais Renato iria escrever uma música como essa se não para um grupo de amigos como nós?

– Qual música, Manu? – perguntei curiosa.

– "Vamos fazer um filme" – respondeu ela.

– Ué, achei que essa música falasse da opressão sobre os homossexuais – disse Pâmela. – Quando ele diz que quer ter respeito, liberdade e que quer viver a vida em paz.

– Acho que essa parte fala sobre isso mesmo, Pam. Mas eu me refiro à parte que fala assim:

> Vamos começar de novo:
> Um por todos, todos por um.
> – O sistema é mau, mas minha turma é legal
> Viver é foda, morrer é difícil
> Te ver é uma necessidade
> Vamos fazer um filme.
>
> E hoje em dia, como é que se diz: " – Eu te amo"?

– Manu e suas músicas – debochou Nathan. – Não poderia ser uma do Fábio Júnior?

– Ah, vai se catar! Você não entende nada de rock.

Como era bom estar ali. Ouvindo besteiras, travando altos papos sobre a verdadeira amizade, valores pessoais e sobre o futuro.

E, pensado no futuro, me lembrei de uma coisa:

– Só Alexander que não conseguiu resolver a sua tragédia particular, né, Alê? – perguntei me referindo ao casamento dele que aconteceria em três meses.

– É verdade. Mas, eu vou ficar bem.

Ainda me custava a acreditar que ele iria mesmo se casar. Não que eu tivesse algum interesse nele, como homem. Mas por ele fazer isso com a própria vida. Mesmo depois de ter nos ajudado a salvar a nossa.

– Será que Thalia vai gostar da gente? – perguntou Manu. – Ela vai achar que somos loucos varridos. Um bando de esquisitos.

– E não é o que nós somos? – perguntou Nathan fazendo graça.

– Acho que ela vai gostar de vocês... Pelo menos, espero que goste.

– Ainda não acredito que você vai se casar com uma mulher que você não conhece cara – disse Kau.

– É o meu destino – disse ele com uma voz triste.

– Isso me deixa revoltada, sabia, Alexander? – falou Pâmela com uma voz brava.

– Por quê? – perguntou ele.

– Ver você conformado com o seu destino assim tão facilmente.

A mesa ficou em silêncio. Pâmela parecia mesmo indignada.

– Não entendo o que você quer dizer – disse Alê.

– Logo você que me fez correr atrás de justiça e não sossegar até que Domênico estivesse atrás das grades. Logo você que fez Nina ir atrás de Nathan para esclarecer o assunto com a Elisa. Logo você que tem uma opinião tão formada sobre o que é justo e o que é errado. Enfim, fico admirada com o seu comodismo diante dessa situação imposta pela sua família.

– E o que você sugere que eu faça?

– Você ama essa Thalia? – perguntou ela.

Nós assistíamos ao diálogo sem interrompê-los.

– Não, eu não a amo. Nem a conheço. Como posso amar alguém que não conheço? Vocês estão cansados de saber disso – desabafou.

– E está tudo bem? Vai se casar com alguém que não ama e que não conhece só porque a sua família quer assim? Vai ser infeliz pro resto da sua vida? Ora, não foi isso que você tentou mostrar pra cada um de nós – ralhou Pam.

– Tá bom Pâmela, de novo, e o que você sugere? Você só cutucou a ferida mas não me mostrou um remédio.

– Eu sugiro que você seja feliz, Alê. Você foi tão especial pra cada um de nós aqui nesta mesa, ajudando cada um a conquistar a felicidade tão desejada, e você mesmo está se enterrando em um relacionamento no qual não tem a menor chance de ser feliz.

– Quem me garante que não?

– Ok. Vai lá e estrague a sua vida – disse brava. – Gente, eu vou pra casa. Pra mim, a noite azedou.

– Pâmela, espera aí. Você não precisa ficar desse jeito – pediu Alexander. – Vamos conversar.

– Não tenho mais o que falar. E eu quero realmente ir embora.

– Eu levo você em casa. – ofereci carona.

Pâmela tinha conseguido vender o único carro que Domênico deixara com ela. Precisava do dinheiro para tentar se reerguer. Agora, andava de táxi e ônibus até ter condições de comprar outro carro.

– Eu vou com vocês. Meninos, terminem essa rodada de chope – disse Manu se despedindo de cada um. – Encontro você em casa, amor – disse para Kau entregando a chave do Precioso. – Cuidado, hein! Chega de chope.

Saímos do bar e caminhamos até o meu carro, que estava estacionado do outro lado da rua, em frente ao bar.

– Pâmela, agora que estamos a sós, você poderia nos explicar que diabos aconteceu pra ter aquele ataque? Desembucha, você não é de fazer isso com pessoas amigas – pediu Manu.

– Tá, tá, tá bem... Eu falo – disse. – Estou apaixonada por ele, tá bom? – confessou com uma voz pesada. – Que droga! Eu me apaixonei por ele, tá feliz agora, Manu? É isso! Que merda, que merda, que merda! –.

Como eu entendia o que Pâmela estava sentindo! Era muito fácil se apaixonar por Alexander. Lindo, inteligente, gentil, cavalheiro, sedutor... Só que comprometido.

– Eu imaginei Pam – falei dando partida no carro sem nome.

– Que droga, Pam! O cara vai se casar e não tem quem o faça mudar de ideia. Como você deixou que isso acontecesse? – perguntou Manu dando um esporro ao mesmo tempo.

– Manu, fica quieta! Já se esqueceu de que nós duas quase nos apaixonamos por ele? – entrei em defesa de Pâmela. – Como se fosse fácil não se encantar por Alexander... A nossa sorte é que encontramos

Nathan e Kau. Ficamos em silêncio por um momento. Manu sabia que tinha falado demais. Sabia que Pâmela não tinha culpa nenhuma por ter se apaixonado por Alexander.

– Eu sei. Tem razão, Nina. Pela primeira vez na vida você tem razão – disse reconhecendo a sua falta de jeito. – Eu não a culpo por ter se apaixonado por ele. Não culpo e entendo perfeitamente.

– Ótimo. Porque tudo o que eu não preciso, neste momento, é de uma bronca – ela disse com tristeza.

– Foi mal – respondeu Manu.

– E o que você pensa em fazer? – perguntei.

– O que me resta a fazer se não esquecer? Ele vai se casar com a fedelha. Não ouviu o que ele disse lá no bar? – voltou Pam.

– É... ouvimos – falamos em coro.

– Pior que já tentamos fazer de tudo, mas ele não se convenceu a mudar de ideia, né, Manu? – disse eu.

– Bem que eu estava achando estranho mesmo – começou Manu. – Vocês dois esse tempo todo juntos. Viajando juntos, saindo juntos pra resolver as questões de Domênico... Pensava que, por causa da sua raiva por Dom, você não estava conseguindo enxergar o homem que estava ao seu lado.

– Quando aconteceu? – perguntei.

– Quando fomos pra Foz do Iguaçu, naquela busca frustrada por Domênico. Quando cheguei lá e soube que Domênico tinha conseguido escapar, eu não me abalei. Cheguei a pensar no quanto era bom estar ali com Alexander. E, depois disso, me via contado os dias, as horas e os minutos pra estar ao lado dele novamente. Uma adolescente total.

– Eu entendo perfeitamente – falei lembrando como me sentia quando estava longe de Nathan.

– E eu também – disse Manu, provavelmente se referindo aos sentimentos dela com relação a Kau.

– E agora, Pam, o que você vai fazer? – perguntei de novo.

– Vou me desapaixonar. Que merda! Se eu estou conseguindo reerguer minha vida, também vou conseguir tirar o meu coração desse buraco em que o enfiei.

Pedra

Meu dementador particular: nenhum.
Um momento bom: o casamento de Manu e Kau.

Algumas semanas depois...

– Então... nossa última Noite do Batom? – disse erguendo o meu copo de chope.

Era o quinto daquela noite de primavera. Estávamos no Único fazendo a despedida de solteiro de Manu enquanto Kau, Nathan, Alexander e outros amigos estavam em outro bar da cidade fazendo a despedida de solteiro de Kau. Pelo menos foi essa a história oficial, não investigamos muito. Nosso agente do FBI cigano (Alê) não mentiria para a gente.

O casamento seria no dia seguinte, um sábado. Manu alugou uma chácara perto de Campinas para a realização da cerimônia.

Ela não quis se casar na igreja, nem no civil. Preferiu realizar uma grande festa para comemorar perante os amigos e familiares a sua união com Kau.

Segundo eles, o casamento deles já havia acontecido há muito tempo, em uma galáxia muito distante, em um tempo em que, quando duas almas se unem, não há nada que possa separar, nem o desencontro de uma vida inteira, coisa que só não aconteceu por um fio. Um fio de cabelo em um prato de lagosta!

Não foi maravilhosa a conspiração do universo em favor deles?

Não precisava de papel assinado, nem de vestido de noiva e muito menos de um juiz para dizer que eles estariam casados.

Já Nathan e eu queríamos o contrário. Eu sempre sonhei em me casar vestida de noiva, na igreja e com tudo o que tenho direito. E iríamos realizar esse sonho sim. Só que mais pra frente. Antes, precisávamos comprar um apartamento maior e fazer algumas viagens de moto pelo interior do país, além da tão sonhada viagem para a Patagônia.

Uma vida aventureira que, por fim, entrou viciantemente nas minhas veias. Moto, balão, saltar de paraquedas, escaladas, trilhas, enfim, viver e estar sempre experimentando o que temos de mais maravilhoso: o agora.

Eu havia deixado de ser aquela garota certinha e sem graça de sempre e me tornado uma aventureira destemida.

Já não estava mais desesperada para me casar antes de entrar nos trinta. Aliás, essa era um preocupação que eu apaguei da minha lista.

"Temos todo o tempo do mundo, temos o nosso próprio tempo... Não foi tempo perdido, somos tão jovens! Tão jovens."

– À nossa última Noite do Batom – dissemos juntas, erguendo os nossos copos.

– Vou sentir saudade desses momentos – disse Pam com lágrimas nos olhos.

– Ah, não me faça chorar, Pam. Não antes da hora – pediu Manu tentando segurar a onda. – Deixa pra chorar segunda de manhã, quando vou embora pra Ilha do Mel.

– Quem diria hein, Manu? Você, senhora urbana, dona de um dos salões mais badalados de Campinas... Vai criar calos nos pés andando descalça na Ilha do Mel.

– Ex-dona de salão, por favor – pediu ela. – E não é maravilhoso não precisar mais de pedicure!? – concluiu rindo.

Graças a Pâmela, Manu tinha feito um excelente negócio na venda do salão para a madame do poodle pink. Ela se dizia aliviada por não ter que aturar mais conversas inúteis e fofocas sobre a vida alheia.

– ...Ex-dona de salão, mulher independente e inconquistável, parte para a pequena, pacata e rústica Ilha do Mel para viver ao lado do seu amor eterno. Não acha um tanto irônico para alguém que detestava romantismo? – falei.

– É, devo estar pagando pela minha língua. – Ela fez uma pausa para beber o seu chope e continuou. – A vida é assim mesmo, minha amiga. Veja só você, que só se envolvia com trastes e nunca ouvia o que eu lhe dizia, finalmente, ouviu e se apaixonou por um ser humano maravilhoso que é o Nathan. Pra mim você era um caso perdido.

– Mas eu tive a minha segunda chance. – Nesse instante, senti novamente a brisa quente daquela noite acariciar o meu rosto e o meu cabelo. Do outro lado da rua, uma menina passeava feliz de mãos dadas com o pai, que a fitava amorosamente. Ele levantou os olhos na minha direção e tive aquela certeza gostosa de que papai estava por ali, como que me abençoando o meu renascimento.

Me arrepiei sem palavras.

– Viu, Pam? Com exceção do Kelvin, tudo tem conserto nesta vida – brincou Manu, vendo que eu estava prestes a chorar. Ela havia percebido o pai do outro lado da rua e o meu olhar perdido naquela direção.

– Ainda bem que tudo terminou bem – disse Pâmela. – Até eu consegui me desapaixonar de Alexander – mentiu.

Pâmela tinha confessado, apenas para mim, quase que diariamente, que continuava apaixonada. Não queria que Manu soubesse, achando que talvez ela não fosse embora ou que ficasse preocupada.

– Agora sim, eu posso ir embora tranquila. Vocês duas estão encaminhadas na vida – disse Manuela com ares de mãe. – Não terei mais com o que me preocupar. Nem mesmo com pedicures. – Riu novamente.

Desde o dia em que Pâmela teve um surto de raiva na frente de Alexander, a coisa ficou estranha entre eles. Continuávamos nos encontrando para uma pizza, um barzinho à noite ou um jogo de cartas em casa. A amizade era a mesma, mas Pâmela evitava ficar sozinha com Alexander. E ele respeitava essa decisão.

– Mas, para que fique registrado, dona Pâmela, saiba que eu ainda duvido um pouco que você já o esqueceu – disse Manu sem conseguir medir até onde Pâmela falava a verdade. – Mas você já tem vinte e nove anos e sabe bem o que faz da vida.

– Correto, chefa! – brincou Pâmela tomando o seu chope sem se explicar.

– Ceará? – Manu chamou nosso garçom, que veio prontamente. – Mais uma rodada, por favor. A última da nossa última noite aqui. Quero que você saiba que foi um prazer ter a sua companhia durante todos esses anos.

– O prazer foi meu – disse ele com uma voz triste. – Vou sentir muita saudade de vocês nas noites de quinta-feira. Não se esqueçam de me mandar notícias no e-mail da minha esposa, que dei pra vocês – completou.

Ceará não tinha e-mail, mas anotou o da esposa em um guardanapo para que pudéssemos estar em contato.

– E o convite pra trabalhar na pousada L' Avventura está de pé.

– Pode deixar! Vou pensar com carinho – disse ele saindo para pegar as nossas bebidas.

– Nossa última noite – disse Manu brincando com sua bolacha de chope.

Eu senti um aperto no coração. Uma saudade de tempos que habitariam apenas as nossas memórias. Chegou a hora em que nos separaríamos. Cada uma estava vivendo a sua vida e aquela fase de estarmos sempre juntas, como era na época do colégio, faculdade e vida de solteira, estava chegando ao fim.

Acontece com todo mundo, não é?

Essa é a regra da sociedade moderna. Infelizmente, temos que segui-la.

De repente, vimos Nathan, Kau e Alexander entrando no bar vindo diretamente para a nossa mesa.

Isso não estava no *script*.

– O que eles estão fazendo aqui? – perguntei olhando para os três, que caminhavam juntos de forma descontraída e relaxada.

Uma onda de amor me invadiu o peito e quase chorei com aquela cena.

Amava Nathan profundamente. E amava os meus amigos de uma maneira fraterna. Eram os irmãos que eu não tive.

Sou sentimental demais, eu sei..

– Acharam mesmo que iriam cair na farra hoje, ãh? "Plunct, Plact, Zoom, não vai a lugar algum" – disse Nathan me abraçando por trás e me dando um beijo na boca.

– O que você estão fazendo aqui? Isto é uma festa de meninas. Será que não temos privacidade? – Manu fingiu brigar com eles.

– Queríamos pegá-las no flagra, mas, pelo jeito, chegamos tarde demais – disse Kau, sentando-se ao lado de Manu. – Os "ricardões" já se mandaram?

– Que mané Ricardão! Ninguém é páreo pra você, meu amor – falou Manu abraçando Kau e lhe dando um beijo.

Observei quando Pâmela e Alexander se cumprimentaram desconfortavelmente.

– A festinha de vocês não estava animada? – perguntei para eles.

– É que, sem vocês, não tem a menor graça – disse Nathan me levando aos céus.

– A gente sabe disso – disse Manu.

– É amanhã, hein? Está nervosa? – perguntou Alexander para Manu.

– Nervosa por que, se eu vou estar ao lado da pessoa que eu amo e que me acalma?

– Óh! – entoamos Pâmela e eu, achando aquilo lindo.

– E você, Kau, nervoso? – insistiu Alê.

– Eu escolhi bem, meu amigo. Essa mulher me deu uma canseira nessa vida, mas, finalmente, eu vou me casar com ela – brincou ele.

– Vocês fazem um casal muito bonito – elogiou Alê. – E vocês dois também – emendou apontando para nós. – Fico muito feliz em ver que você está com uma pessoa que lhe merece, Nina.

– Obrigada, Alê – disse dando o meu melhor sorriso. – Por tudo o que fez por mim.

– Faria tudo novamente, se fosse preciso.

E aquela despedida de solteiro tornou-se uma despedida de mais uma fase das nossas vidas, com a promessa de estarmos juntos, sempre que possível.

Kau e Manu estariam longe, mas Pâmela, Alexander, Nathan e eu seguiríamos morando na mesma cidade e prometemos manter a Noite do Batom viva.

– Só que esse nome vai ter que mudar. Noite do Batom é muito *gay* – pediu Nathan.

– Também acho – apoiou Alexander. – Você que é boa em apelidar as coisas, Manu, poderia dar um novo nome pra esses encontros de quinta-feira?

– Hum... deixa eu pensar. Que tal Noite dos Trintões? Já que todos vocês ou estão nos trinta ou estão quase lá.

– Ah, não! Sem essa de denunciar a idade – pediu Pâmela. – Ninguém precisa saber que estou quase virando uma balzaquiana.

– Realmente, Pam, é uma vergonha falar isso por aí – brincou Nathan. – Vai assustar os possíveis pretendentes.

– Pretendentes a quê? – quis saber Alexander.

– Hum, tá preocupado, Alê? – cutucou Manu, sem deixar passar em branco.

– Nem um pouco, Manu – afirmou ele.

Senti que Pâmela se entristeceu com aquela resposta, mas rapidamente disfarçou.

– Já sei! – gritou Manu dando um susto em todos nós.

– Ei! Vai com calma aí, Magrela, que Pâmela é quase uma senhora. Já não pode mais levar sustos. Pega leve! – ponderou Nathan.

– Senhora é a santa da sua mãe – brincou Pam de volta.

– Já sei o nome para a Noite do Batom. É perfeito – disse Manu.

– Diga de uma vez? – perguntamos em coro.

– OFI – respondeu ela.

– Elementar, meu caro Watson – brincou Nathan. – Será uma noite pra colocar o papo em dia e fazer uma faxina em nossas almas, certo pessoal?

– Falou e disse – comentou Alê. – Por mim, tá perfeito.

– Melhor impossível – falei.

– Obrigada, obrigada – disse Manu fingindo uma falsa modéstia.

Ainda ficamos conversando na porta do Único tentando não deixar acontecer o adeus final. Mas não havia jeito.

– Então, até amanhã, no seu grande dia – falou Nathan se despedindo de Manu com um abraço forte e interminável. – Saiba que seremos hóspedes cativos da pousada.

– Você todos serão bem-vindos. As portas estarão sempre abertas – informou Kau, que estava ao meu lado.

Então, eu o abracei forte.

– Cuida bem de Manu. Não deixa ela enlouquecer você com suas rabugices e sejam muito felizes.

– Fica tranquila. Ela lhe manterá informada de todos os meus progressos.

Depois, foi a vez de Pâmela e Alexander se despedirem de Kau e Manu.

– Então é isso. Nos vemos amanhã – falei olhando para meus amigos mais uma vez. – Vocês já decidiram com quem vão? Com a gente ou com os noivos? – perguntei para Pâmela e Alexander.

– Prefiro ir de táxi. Não é tão longe de casa – avisou Pâmela.

– Eu divido o táxi com você – disse Alexander.

– Eu prefiro ir sozinha, se você não se importar.

– Mas eu me importo. Me importo muito.

O que estava acontecendo ali?

– E por que você se importa? – quis saber Pâmela, cruzando os braços em uma postura de defesa.

– Porque eu me apaixonei por você – respondeu Alexander.

– O quê? – berrou Manu.

– Uau! E eu que pensei que a noite já tinha encerrado – brincou Nathan.

– Shiu! Fiquem quietos – pedi não querendo atrapalhar o momento revelação do ano.

– Como? Repete o que você falou – pediu Pâmela parecendo assustada com o que ouviu.

– Eu estou apaixonado por você, Pâmela – repetiu Alê.

– Ainda não entendi. Por que você está me dizendo isso hoje? Agora? E o seu casamento?

– Se eu for ficar esperando o momento ideal pra fazer ou dizer o que quero... Pode ser que esse momento nunca chegue. As palavras da cigana pra Nina me pegaram de jeito também. Preciso fazer o que quero pra ser feliz. E o que eu quero é ficar com você. Isto é, se você também me quiser.

– Ai, que lindo! – suspirei abraçando Nathan.

– Diga alguma coisa, Pâmela – ordenou Manu.

– Mas e o casamento? – perguntou ela.

– Avisei a todos que não vou me casar com Thalia. Os meus pais devolveram o dote pra família dela.

– Caramba! Deve ter dado uma confusão – comentou Nathan.

– Nem me fale, cara. Foi um chororô, a minha mãe ficou indignada, o meu pai ameaçou me expulsar da comunidade... Mas, no final, deu tudo certo.

– E a Thalia? – perguntei.

– Pelo que eu soube, ela ficou até aliviada, porque estava interessada em outro cigano da comunidade e também não queria se casar comigo.

– Não acredito! – exclamei, pensando que Deus sabe mesmo que faz.

Finalmente, Alexander tinha as rédeas da sua própria vida. Eu estava feliz por ele e por Pâmela, que devia estar explodindo de tanta felicidade.

– Você não respondeu a minha pergunta, Pâmela – pediu Alexander se aproximando dela.

– Qual pergunta?

– Se você quer dividir o táxi comigo.

– É o que eu mais quero – disse ela se jogando nos braços dele.

Nós vibramos pelos dois. Dizendo coisas como: "Eu sabia que vocês iriam terminar juntos", "Amanhã a festa será completa", "Nunca imaginei que a nossa amizade terminaria em casamento".

– Temos que voltar para o bar e brindar a este momento – sugeriu Kau.

– Concordo plenamente – apoiou Nathan.

– Mas amanhã é o casamento... – reclamou Manu.

– Não podemos perder a oportunidade de brindar os acontecimentos da vida, amor – disse Kau para Manu puxando-a para dentro do bar.

Ele tinha razão.

Entramos no Único, eufóricos e embriagados de tanta felicidade.

O objetivo da OFI tinha sido cumprido.

– Ceará – pediu Manu aproximando-se dele –, traz outra rodada de chope.

– Ué, já ficaram com saudade? – brincou o garçom.

– Voltamos pra comemorar – respondeu ela. – Tira aquele chope que só você sabe, Ceará, que esta comemoração merece.

– A nós, que conseguimos reorganizar as nossas vidas – disse Manu.

– A nós – dissemos em coro erguendo os nossos copos e depois bebendo.

– E ao amor – disse Alexander tornando a erguer o seu copo. – O amor que nos motiva a viver.

Nossos copos se tocaram novamente vibrando com a nossa felicidade.

– Ao amor – dissemos em coro.

E, nesse instante, como se tivéssemos combinado, começou a tocar uma velha e conhecida canção. Uma canção composta por um poeta que entendia de amor e das dificuldades da vida como ninguém mais:

"Quem um dia irá dizer que existe razão nas coisas feitas pelo coração. E quem irá dizer que existe razão?"

Agradecimentos

Quero agradecer à minha família, que é o meu centro e o meu refúgio. Obrigada pela paciência.

O meu muito obrigada à Renata Peloggia e à Glaucia por lerem o livro à medida que ele ia sendo feito. Os seus olhos me mostraram coisas que os meus já não conseguiam enxergar.

Gui, obrigada. Sempre. O que eu seria sem você?

Agradeço a Deus por suas bênçãos e por ser o meu guia nos dias difíceis.

No desenvolvimento do livro, eu me lembrei de tantas amizades que tive ao longo desses meus... ãh, bem, desses meus "poucos" anos de vida. Amigos de colégio e da faculdade de quem sinto saudade e que ainda moram no meu coração. Obrigada por fazerem parte da minha vida.

E, finalmente, quero mandar um beijo grande para todos os meus leitores e para os amigos do Facebook e do Twitter.

Este livro foi composto com tipografia Electra e impresso
em papel Pólen Bold 70 g/m² na Sermograf.